JAKUB SZAMAŁEK

COKOLWIEK WYBIERZESZ

D1293551

COKOLWIEK WYBIERZESZ

Dla mojej wielkiej małej siostry,
Agnieszki

Przedsłowie

To nie jest powieść science fiction.

= 1 =

Co za czasy, pomyślał Czesław Komar, patrząc w lusterko wysłużonego mercedesa. Kiedyś to można było z pasażerem porozmawiać. Czasem o ważkich sprawach, czasem, co tu dużo mówić, o duperelach, ale jednak ludzki kontakt był, jakaś więź. A teraz to nic, tylko gapią się w te telefony, jakby go tu w ogóle nie było, jakby taksówka sama się prowadziła. Ten tu się słowem nawet nie odezwał, bo i po co. Siedzi i smyra tę komórkę, jakby chciał w niej dziurę zrobić, a wygląda, jakby od tygodnia nie spał. No nie wytrzymam.

– No i co pan takiego ciekawego robi na tym telefonie?

Pasażer milczał. Głuchy jakiś? Czy może zagraniczniak? O tym nie pomyślał, a w końcu wygląda jakoś nieswojo.

– Można powiedzieć, że puszczam muzykę – odpowiedział w końcu mężczyzna, chociaż wzroku od ekranu nie oderwał. – Proszę trochę zwolnić.

Muzykę, zdziwił się Czesław Komar, naciskając lekko hamulec, to czemu nic nie słychać? A słuchawek przecież nie ma. To co, w głowie mu leci, kabel sobie tam wsadził? Ale nie zadawał więcej pytań. W głosie mężczyzny było coś, co odbierało chęć na dalszą rozmowę.

Leon Nowiński czuł, że dno woreczka, w który owinięty był hot dog, przesiąka sosem. Jeszcze chwila, a zacznie przeciekać i pobrudzi mankiet wyprasowanej starannie koszuli. Leon wpakował resztę bułki do ust, z trudem je domykając, po czym rzucił lepkie od musztardy opakowanie na podłogę i wytarł dłoń o fotel pasażera. Ostatni raz, powiedział sobie w myślach, przełykając mdłą papkę, ostatni raz przestawiłem budzik na drzemkę.

– Halo, halo, Warszawa! – zawołał wesoły głos z radia. – Jak tam, jesteście już w pracy? Mam nadzieję, że tak, bo ruch na dojazdówkach coraz większy! Gęsto jest już na Marsa i Puławskiej, tam stracicie co najmniej piętnaście minut. Zdjąć nogę z gazu trzeba też na alei Prymasa Tysiąclecia...

Słysząc znajomą nazwę, Leon odruchowo spojrzał, co dzieje się po drugiej stronie jezdni. Rzeczywiście, aleja już się korkowała. Setki samochodów sunęło w stronę odległego centrum w iście lodowcowym tempie, trąbiąc wściekle na auta wpychające się z podporządkowanych ulic.

Całe szczęście, Leon jechał w przeciwnym kierunku, na Targówek i Żerań, ku otynkowanym na budyniowe kolory blokowiskom i rozpadającym się fabryczkom, które służyły za siedziby niewielkim firmom z nazwami kończącymi się na „ex" i „pol". Leon pracował dla jednej z nich, Diet-Polu. I jeśli wierzyć wyliczeniom GPS-u, dotrze na miejsce o 07:59. Czyli wpadnie na spotkanie zziajany, ale na czas.

Leon rozpędził swoją wierną skodę (rocznik 1996, kolor kanarkowy, choinka zapachowa przy lusterku) i wjechał na S8. Łopotały plandeki ciężarówek, zza szarych ekranów akustycznych wystawały krzyże i płaczące anioły z cmentarza wojskowego, kładką jechali rowerzyści w odblaskowych kurtkach. Leon szybko przebił się na lewy pas. Prędkościomierz wskazywał 110, po chwili 120 kilometrów na godzinę – 30 kilometrów ponad limit prędkości.

Leon zaklął pod nosem. Nie znosił łamać przepisów. Żeby jeszcze było w imię czego, żeby to spotkanie było jeszcze ważne. Ale Diet-Pol to przecież nie szpital, gdzie szykowano przeszczep serca, ani nawet kancelaria, w której ustala się właśnie linię obrony niesłusznie oskarżonego klienta. Nie, Diet-Pol był producentem niskokalorycznych przekąsek i napojów, a tematem dnia była nowa etykieta dla soku z kiszonej kapusty, którą Leon miał zaprojektować. Ostatnia wersja nie spodobała się szefostwu. „Zbyt praśna", powiedział Michał, zajmujący szumnie brzmiące stanowisko product managera, „potrzebujemy czegoś nowoczesnego, wiesz, młodzieżowego". Młodzieżowy sok z kapusty, Leon skrzywił się na wspomnienie. Zaprawdę, cywilizacja Zachodu upada.

Żółta skoda wjechała na most Grota-Roweckiego. Leon spojrzał w stronę Śródmieścia; wieżowce otaczające wianuszkiem Pałac Kultury były ledwie widoczne. Gęstniejący z dnia na dzień smog zwiastował niechybne nadejście jesieni dobitniej niż czerwieniące się liście.

Leon skręcił na zjazd w Jagiellońską – i aż podskoczył, słysząc za plecami głośne, przeciągłe trąbienie. Tuż za nim jechał potężny samochód terenowy; czarny matowy lakier, tablice rejestracyjne z indywidualnym numerem, „WO MIGDAL". Znów zaryczał klakson, mrugnęły długie światła – międzynarodowy sygnał na „zjedź mi z drogi" i „jestem dupkiem".

– No przecież widzisz, że obok jest autobus, kretynie! – krzyknął Leon, mrużąc oczy przed ostrym światłem. – Gdzie mam niby zjechać, co?!

Trąbienie i mruganie nie ustawało. Leon co do zasady był miłym, przyzwoitym facetem: przytrzymywał windę nieznajomym, i to nawet kiedy się śpieszył, dawał na WOŚP, kupował wyłącznie jaja kur z wolnego wybiegu. Ale teraz to się zagotował.

– W dupę mnie pocałuj, buraku! – warknął, po czym otworzył okno i wystawił dłoń z wyprostowanym środkowym palcem. W lusterku widział, że kierowca jeepa, facet koło pięćdziesiątki, w modnej polarowej bluzie z asymetrycznym kołnierzem, wrzeszczy i wali pięścią w deskę rozdzielczą. Leon uśmiechnął się z satysfakcją. A krzycz sobie, baranie.

Terenówka ryknęła, przyśpieszyła i niebezpiecznie zbliżyła się do skody, prawie trąc o zderzak. Leon docisnął pedał gazu do podłogi, ale jego auto nie mogło konkurować z czarnym monstrum, które zdawało się pędzić 200 na godzinę.

– O ja pierdolę... – jęknął Leon. – No wjedzie we mnie!

Całe szczęście, kierowca jadącego obok autobusu musiał zauważyć, co się dzieje, bo gwałtownie zahamował, umożliwiając skodzie schowanie się na prawym pasie. Leon szarpnął za kierownicę i zjechał z drogi trąbiącemu jeepowi, o milimetry unikając kolizji.

Leon szukał telefonu w torbie, nie odrywając wzroku od oddalającego się auta. Klucze, karta do biura, książka, guma do żucia... Wreszcie wyczuł pod palcami szklaną taflę smartfona. Wyciągnął telefon, wbił trzy cyfry, 1-1-2, wcisnął zieloną słuchawkę.

– Czekaj no, ty bucu – burczał pod nosem Leon. – Jeszcze pożałujesz, że...

Głos uwiązł mu w gardle. Czarny jeep, zamiast skręcić, pojechał prosto, nie zwalniając, i uderzył z impetem w barierkę. Huk, zgrzyt, iskry. Ważące kilka ton auto rozerwało ogrodzenie, a potem spadło na ulicę Jagiellońską, roztrzaskując się o asfalt.

Leon zatrzymał skodę, bezwiednie, jak nakręcony mechanizm, i wysiadł z auta. Z niedowierzaniem patrzył na pogięty wrak leżący wśród pokruszonego szkła. Minął go kierowca autobusu – biegł z gaśnicą, jego czerwony krawat trzepotał na wietrze.

– Halo? Halo! – Zniekształcony kobiecy głos wyrwał go z osłupienia. – Tu numer sto dwanaście, proszę o podanie zgłoszenia!

– Chciałbym… – Leon przełknął ślinę. – Chciałbym zawiadomić o wypadku.

Julita Wójcicka wpatrywała się w litery na ekranie komputera. Te uparcie podświetlały się na zielono. Niedobrze.

– No, dalej, dalej… – szeptała, obracając w palcach obgryziony ołówek.

– Mówiłem ci. – Siedzący obok Piotrek upił herbaty, po czym otarł modnie przystrzyżone wąsy. – Nawet nasi czytelnicy nie złapią się na tak bezczelny klikbajt.

– Ha! – Julita uniosła ręce nad głowę w tryumfalnym geście. – No to patrz!

Tło pod tytułem zmieniło kolor na czerwony. Czyli w przeciągu ostatniej minuty co najmniej tysiąc internautów kliknęło w link i otworzyło artykuł Julity o dramatycznym tytule: „ILONA ZAJĄC POKAZUJE ZDJĘCIA W BIKINI: NIE BĘDĘ MILCZEĆ, KIEDY HEJTERZY WYZYWAJĄ MNIE OD GRUBASÓW [ZOBACZ ZDJĘCIA]". To z kolei znaczyło, że tekst pójdzie na główną stronę portalu, zamiast wisieć jedynie w niszowym dziale „Kultura".

Piotrek nic nie powiedział, westchnął tylko z teatralną przesadą i odwrócił się do swojego komputera. Julita rozumiała jego frustrację. Od tygodnia nie udało mu się wrzucić żadnego gorącego tekstu. Kolejne jego artykuły: „ZOBACZ, JAK ZMIENIŁY SIĘ GWIAZDY KLANU", „MAKA-BRYCZNE ODKRYCIE GRZYBIARZA", „MIŚ KOALA ZJEŻDŻA NA SANKACH", podświetlały się na zielono, a czasem, o zgrozo, na niebiesko, co oznaczało już zupełną obojętność internautów. Co gorsza, Piotrek nad każdym tekstem siedział godzinami, bez końca zmieniając szyk zdań, szukając synonimów i niebanalnych zwrotów. Julita tymczasem przygotowała swój materiał o Ilonie Zając w kwadrans, wliczając w to przerwę na papierosa.

Dziewczyna wstała od biurka, przeciągnęła się i podreptała do aneksu kuchennego. Z czerwonym tekstem na koncie nie musiała się już przepracowywać, właśnie wyrobiła dzienną normę. Zabulgotała woda w tandetnym, oblepionym kamieniem czajniku, kawa instant rozpuściła się we wrzątku, rozsiewając przyjemny zapach. Julita uniosła wściekle czerwony kubek z fioletowym napisem „MEGA-NEWSY.PL", upiła niewielki łyk i omiotła wzrokiem biuro.

Kilkanaście białych biurek, szumiące komputery, klik, klik myszek i niebieskie światło odbijające się w szkłach okularów. Na ścianie dwa wielkie monitory, jeden wyświetlał główną witrynę portalu z nałożoną heatmapą, czyli kolorami wskazującymi popularność poszczególnych tekstów, na drugim leciał całodobowy kanał informacyjny. Na przeciwległym końcu trzy odgrodzone szklanymi ścianami pokoje (szefostwo, HR, informatycy), w kącie drukarki i skaner, za oknami: ulica Cybernetyki i zachmurzone niebo poprzecinane ażurowymi ramionami żurawi.

Julita inaczej wyobrażała sobie karierę dziennikarki. Marzyła o pracy w jakimś dużym tytule: „Wyborczej",

„Polityce", „Newsweeku". Burzliwe dyskusje na porannym kolegium, składanie wydania o trzeciej nad ranem, spotkania z politykami w gęstej od papierosowego dymu sejmowej restauracji, anonimowy informator w prochowcu przesuwający teczkę z kwitami po lepkim barowym stoliku – te klimaty. Dostała się nawet gdzieś na staż, ale bezpłatny. Trzy miesiące przekładała papiery, porządkowała archiwa i moderowała internetowe fora, z nadzieją na to, że ktoś ją zauważy, weźmie pod swoje skrzydła. No, ale duże tytuły mają wielu stażystów, w tym złotą warszawską młodzież na garnuszku wpływowych rodziców. Na ich tle Julicie, dziewczynie z kaszubskiego Żukowa, w ciuchach z lumpeksów, trudno było się wybić.

Potem zobaczyła ogłoszenie z portalu Meganewsy.pl. Szukali dziennikarza do działu „Wydarzenia", obiecywali młody zespół, konkurencyjne wynagrodzenie, delegacje. Nowoczesny biurowiec robił dobre wrażenie, redaktorka naczelna przeszła z nią od razu na „ty", śmiała się z jej żartów. No, żyć nie umierać.

Oczywiście, kiedy zaczęła pracę, rzeczywistość okazała się mniej różowa. Dział „Wydarzenia" wbrew wyobrażeniom Julity nie zajmował się wcale takimi kwestiami jak, dajmy na to, pożary w Grecji czy wybory samorządowe. Chodziło raczej o wydarzenia takie jak włożenie przez nieznaną szerzej aktorkę prześwitującej kreacji albo nowe selfie zwyciężczyni ostatniej edycji programu jak-oni-coś-tam. Innymi słowy, pracowała w internetowym brukowcu, który sukces mierzył wyłącznie odsłonami strony, czy raczej wyświetlanych tam reklam. A zespół? Faktycznie młody... i niedoświadczony. Pensje konkurencyjne jak na warunki branżowe, czyli nędzne, uzależnione od wyników i na umowę-zlecenie.

Ale Julita nie mogła narzekać, w przeciwieństwie do wielu innych koleżanek i kolegów z roku (dziennikarstwo i komunikacja społeczna na SWPS), rzeczywiście żyła z pióra. Nie była może szczególnie dumna z publikowanych tekstów, ale pisanie ich przychodziło jej z łatwością, miała do tego dryg. A poza tym... właściciel Meganewsów, koncern ITVV, miał w swoim portfolio wiele innych tytułów, także opiniotwórczych i powszechnie respektowanych, jak na przykład tygodnik „Poprzek", którego biuro mieściło się piętro wyżej...

Julita dopiła kawę, umyła kubek starą, cuchnącą gąbką, której nikomu nie chciało się wymienić na nową, i wróciła do biurka. Siedząc po turecku na skrzypiącym krześle, ze słuchawkami na uszach, przeglądała profile gwiazdek drugiego i trzeciego sortu w poszukiwaniu nowego tematu.

Posterunkowy Radosław Gralczyk szedł po mokrym asfalcie, powoli rozwijając taśmę z napisem „POLICJA" wokół miejsca wypadku. Za jego plecami leżał wrak czarnego jeepa. Samochód zleciał na drogę z wysokości piętnastu metrów, obrócił się, spadł na bok. Kierowca nie przeżył. Nie mógł przeżyć.

Ale posterunkowy Radosław Gralczyk nie zwracał uwagi na wrak, na chrupiące pod ciężkimi butami szkło, na zapach oleju, benzyny i krwi. Po pierwsze, dlatego że pracował w drogówce trzeci rok i naoglądał się już wypadków, może mniej spektakularnych niż ten, ale jednak. Po drugie, był myślami gdzie indziej.

Ja pierdolę, zaklął, krocząc po lśniącym od niebieskiego światła kogutów asfalcie, i co teraz? Jego żona, Alicja, od jakiegoś czasu czuła się nieswojo. Bolała ją głowa, była ciągle śpiąca, nie miała apetytu. Z początku myśleli, że to jakaś grypa, jesienne przesilenie czy, powiedzmy, za dużo glutenu w diecie. Ale w końcu któreś z nich zadało pytanie, które obojgu obijało się już od jakiegoś czasu po głowach: co jeśli Ala jest w ciąży? Brała pigułki, więc szanse były znikome, ale... Kiedy wyszła tego ranka z łazienki, ze łzami w oczach, mnąc pasek szlafroka, wiedział już, co zobaczyła na teście: dwie kreski. A w międzyczasie Ala piła przecież alkohol, paliła papierosy, brała w cholerę leków... Potem wyczytali, że to mogło być właśnie przez antybiotyki, że zaburzają działanie pigułek. No, ale co zrobić, pretensje mogli mieć wyłącznie do siebie, przecież każda reklama lekarstwa kończy się wypowiedzianą na jednym tchu przestrogą, że przedużyciemnależyzapoznaćsiętreścią ulotkidołączonejdoopakowania.

Z jednym dzieckiem i tak ledwo wiązali koniec z końcem. On zarabiał śmiesznie mało, a Ala, która była nauczycielką geografii w technikum, jeszcze mniej. W kawalerce, którą dostał w spadku po dziadkach, mieścili się na styk: siedząc we troje przy stole w mikroskopijnej kuchni, dotykali się łokciami. Ala zaproponowała, że może wprowadziliby się z powrotem do jej rodziców, którzy mieli domek w Jabłonnie. Radosław propozycję tę stanowczo odrzucił, używając języka, który nie przystoi funkcjonariuszowi służb porządkowych.

Pozostawało jeszcze jedno wyjście: aborcja. Słowo, które w Polsce wypowiadano tylko szeptem, w domowym zaciszu, nie patrząc sobie nawzajem w oczy, tyłem do wiszącego na ścianie krucyfiksu. Jeszcze wczoraj Radosław był zagorzałym przeciwnikiem tego zabiegu. Dziś rano liczył, ile będzie ich kosztował wyjazd Ali do kliniki w Czechach. Odpowiedź brzmiała: dużo więcej, niż mieli odłożone na koncie oszczędnościowym. A czas gonił...

Trzy tysiące złotych. Radosław miał tydzień, żeby zdobyć te pieniądze, potem będzie mógł już zacząć wypełniać wnioski do programu 500 plus. Tylko skąd wytrzasnąć tyle kasy? Pomodliłby się o wstawiennictwo, ale w tej sprawie raczej nie wypadało.

– Ej, Radek! – zawołał Jarek, kolega z posterunku, wiecznie uśmiechnięty, rumiany chłopak. Kucał przy wraku jeepa, zaglądał do środka. – Chodź no tu na chwilę!

Posterunkowy Radosław Gralczyk przywiązał koniec taśmy do latarni i podszedł do zgniecionego auta. Z okna wystawała ręka denata; błyszczał na niej drogi zegarek, sekundnik drgał w miejscu.

– No? – spytał Gralczyk tonem, który wyrażał raczej zniecierpliwienie niż zainteresowanie.

– Spójrz no – powiedział Jarek z dumną miną prestidigitatora, który zaraz wyciągnie królika z kapelusza. – Poznajesz jegomościa?

Radosław Gralczyk zajrzał do środka. Wtulony w poduszkę powietrzną mężczyzna wyglądał, jakby smacznie spał. Dopiero kiedy spojrzało się niżej, na zmiażdżone nogi i przesiąkniętą krwią bluzę, widać było, że z tego snu już się nigdy nie obudzi. Gralczyk przyglądał się jego twarzy. Lekko zadarty nos, duże, mięsiste usta, pieprzyk ukryty w brwiach... Rzeczywiście, kiedyś go już widział.

– Czekaj, czekaj. – Olśniło go. – Czy to nie ten z telewizji? Boczek?

– Buczek! Rysiek Buczek! – powiedział Jarek z uśmiechem. – Ale numer, co? Ciekawe, gdzie się chłop tak śpieszył...

Gralczyk już nie słuchał. Wstał, otrzepał ręce, ruszył szybkim krokiem w stronę zaparkowanego na poboczu radiowozu.

– Ej! Gdzie idziesz?

– Zapalić – powiedział posterunkowy Gralczyk i sięgnął po telefon.

Julita zastanawiała się, co napisać. Nauczyła się już, że najlepiej klikają się artykuły należące do jednej z trzech kategorii: „celowanie, oranie i punktowanie", „szokowanie i niedowierzanie" albo „zgadywanie i domyślanie". Najłatwiej pisało się teksty z pierwszej kategorii. Wystarczyło wziąć czyjś kontrowersyjny, zabawny albo chociaż ordynarny komentarz: dajmy na to, Giertych przejechał się po Kurskim albo Rozenek-Majdan po Gretkowskiej. Potem cytat opatrywało się przeklejaną ze schowka formułą: „X w swoim stylu odnosi się do Y. Jak zawsze w punkt!", „Musicie to przeczytać! X zaorał Y!", albo ewentualnie „X odpowiada na krytykę Y. Celnie!". Jako że celebrytów było od metra – w tej kategorii mieścili się zarówno aktorzy, piosenkarze i politycy, jak i finaliści programów reality show i trenerzy fitness – a każdy miał konto na jakimś portalu społecznościowym i pragnął zabłysnąć, tego rodzaju tekstów można było wysmażyć każdego dnia tuziny, korzystając głównie z komend „ctrl + c" i „ctrl + v".

Napisanie artykułu z serii „szokowanie i niedowierzanie" też nie stanowiło wyzwania, tyle że tutaj trzeba było mieć naprawdę mocny materiał. Po tym, jak ludzie zobaczyli uśmiechniętą mamę Madzi w bikini na koniu, nie łatwo było już ich zaskoczyć. Ale raz na jakiś czas brukowce znajdowały jakiś naprawdę smakowity kąsek: pociąg wjechał w autobus albo autobus w pociąg, ktoś kogoś zarąbał siekierą. Wtedy trzeba szybko wrzucić materiał do siebie na stronę, dać duże czerwone litery, wykrzykniki, zrobione z bliska zdjęcie. I nic tylko zbierać kliknięcia.

Wreszcie „zgadywanie i domyślanie", czyli artykuły grające na ambicjach czytelnika. Tu treść była obojętna, kluczowe było dodanie na końcu tytułu zwrotu: „Nigdy nie zgadniesz!", „Nikt się tego nie domyśli!" albo ewentualnie „Ciekawe, czy odgadniesz?". Z pozoru proste, ale trzeba było naprawdę dobrze czuć czytelnika, żeby przewidzieć, co chwyci, a co nie. Do „zgadywania i domyślania" zaliczały się też quizy – o meksykańskiej kuchni, tropikalnych owocach albo świstakach, wszystko jedno. Zachęcić do kliknięcia można było wyzwaniem („Ciekawe, czy zdobędziesz komplet punktów!"), obietnicą pomocy („Z tymi podpowiedziami na pewno sobie poradzisz!") albo budząc w odbiorcy przekonanie, że pożytecznie spędzi czas („Poniedziałkowa rozgrzewka umysłu!"). Quizy klikały się niezawodnie – każdy chce się przecież poczuć mądry – ale długo się je wymyślało, co najmniej godzinę, dwie, więc rachunek zysków i strat wcale nie był taki oczywisty.

Niezależnie od kategorii, szanse na sukces podnosiła obietnica zdjęć, dlatego na końcu tytułu zawsze warto było zareklamować kapitalikami GALERIĘ ZDJĘĆ albo jeszcze lepiej: MEMY INTERNAUTÓW. Oczywiście, fotografia nie mogła przedstawiać byle czego, doboru trzeba było dokonać w oparciu o internetową piramidę Maslowa: u podstawy cycki, w środku krew, a na wierzchołku kotki.

Ostatecznie Julita zdecydowała się przygotować quiz typu tożsamościowego, czyli „Jakim miastem/ samochodem/ warzywem strączkowym jesteś?". Tutaj można było popuścić wodze fantazji, pobawić się w psychologa, czasem nawet pokusić się o abstrakcyjny humor spod znaku Monty Pythona. Julita nie zdążyła jednak nawet skończyć pierwszego pytania, kiedy usłyszała głos naczelnej, Magdy Mackowicz.

– Wójcicka! Do mojego biura, raz, raz!

Julita posłusznie ruszyła w stronę przeszklonego pokoju. Mackowicz, jak zwykle, pracowała wielozadaniowo. Gadała przez telefon, przyciskając go policzkiem do ramienia, bo ręce miała zajęte: w jednej trzymała długopis, którym pośpiesznie coś notowała, w drugiej ściskała gumową piłkę. Jednocześnie nie spuszczała wzroku z telewizora ustawionego na TVN24, a stopą obutą w pomarańczowy trampek próbowała wytrzeć z wykładziny plamę po kawie.

Julita usiadła naprzeciwko biurka i czekała, aż Mackowicz skończy rozmowę. Nie mając nic lepszego do roboty, odwróciła wzrok w stronę telewizora. Pasek u dołu ekranu był biały, znaczy nie działo się nic wartego uwagi. W studiu siedzieli etatowi eksperci, którzy czuli się swobodnie w rozmowie na każdy temat, prorocy, przed którymi przyszłość nie znała tajemnic. Teraz dyskutowali o Sądzie Najwyższym, ale jakie dokładnie stawiali tezy i diagnozy, nie można było stwierdzić, bo dźwięk był wyłączony.

– Piętnaście minut, tak? – Mackowicz podrapała się ołówkiem po karku. – Dobrze… Dobrze… Rozumiem.

Julita spojrzała na Mackowicz. Jak zwykle była ubrana modnie: poszarpane dżinsy, bluza z fajnym nadrukiem, do tego okulary o grubych fioletowych oprawkach. Jak zwykle sprawiała też wrażenie wczorajszej: oczy miała zaczerwienione, nieumyte blond włosy spięte w kucyk, lakier schodził z paznokci.

– Aha… Aha… – Julita znała ten ton, Mackowicz była już zniecierpliwiona i chciała szybko skończyć rozmowę. – No niech będzie. Tak, tak… Do usłyszenia.

Redaktorka rozłączyła się i położyła telefon obok dwóch innych. Wyciszone komórki wibrowały i podskakiwały na blacie; widok przywodził na myśl wyciągnięte na brzeg ryby, które rozpaczliwie próbowały wrócić do wody. Mackowicz rzuciła okiem, żeby sprawdzić, kto dzwoni, po czym, uznawszy najwyraźniej, że nikt ważny, odwróciła się do Julity.

– Słuchaj... Mogę sobie przy tobie odciągnąć? Sprawa jest pilna, a ja dłużej nie wytrzymam...

– Pewnie – powiedziała Julita z nieszczerym uśmiechem.

– Ufff, dzięki... – Mackowicz wyciągnęła z szuflady biurka laktator i podwinęła bluzę. – Jeszcze minuta i bym pękła.

Laktator zaczął syczeć i świstać niczym respirator Dartha Vadera, a Mackowicz odetchnęła z wyraźną ulgą. Niedawno urodziła drugie dziecko, chłopca. Wszyscy, łącznie z wicenaczelnym Adamem, zakładali, że nie będzie jej przynajmniej pół roku, może nawet rok, ale Mackowicz wróciła po trzech miesiącach.

– No dobra. – Szefowa odchyliła się w krześle. – Słyszałaś o tym wypadku na Jagiellońskiej?

– Pewnie. Piotrek pisał o nim do działu „Warszawa".

– Widzisz, a okazuje się, że to temat na główną. – Redaktorka uśmiechnęła się tryumfalnie. – Dostaliśmy cynk od anonimowego świadka. Wiesz, kto siedział za kółkiem? Ryszard Buczek.

– Ooo...

– Wynajęliśmy fotografa, jest już na miejscu. Mówi, że dostaniemy zdjęcia za piętnaście minut.

Mackowicz przystawiła laktator do drugiej piersi, skrzywiła się z bólu.

– I nikt inny o tym jeszcze nie wie?

– Nie.

– Nawet „Fakt" i „Superak"?

– Na razie nie... Ale to kwestia czasu. Mogę się założyć, że ten chłopak z agencji sprzeda im zdjęcia, jak tylko

dostanie od nas przelew. Dlatego trzeba się śpieszyć...
I dlatego to ty napiszesz artykuł.

– Z chęcią, ale... – Julita się zawahała. – Wiesz, Piotrek już siedzi w temacie, kojarzy okoliczności, więc może jednak dać to jemu...

Mackowicz wyciągnęła laktator spod bluzy, postawiła go na biurku. Julita odwróciła wzrok. Nie wiedzieć czemu, widok ludzkiego mleka ją brzydził. Było jakieś takie zwierzęce, nieprzystające do świata komputerowych ekranów i szklanych biurowców.

– Piotrek będzie siedział nad tym pół dnia i zastanawiał się, czy lepiej dać przydawkę rzeczowną, czy przyimkową. Nie mamy na to czasu. Jest jedenasta dziesięć... Zdjęcia dostaniesz około jedenastej dwadzieścia. Gotowy tekst ma wisieć na stronie jedenasta trzydzieści. Jakieś dwieście, góra trzysta słów. Jasne?

– Ale...

– Żadnych „ale". Do roboty.

Julita pokiwała głową, podniosła się z krzesła. Miała już wyjść z pokoju, kiedy usłyszała głos szefowej.

– Julita?

– Tak?

– Nie próbuj więcej być dobrą koleżanką – powiedziała redaktorka, nie podnosząc wzroku znad wyświetlacza telefonu. – Bo nikt ci się tu za to nie odwdzięczy.

Posterunkowy Radosław Gralczyk wygładził formularz przypięty klipsem do pokrytej granatowym skajem podkładki, po czym utkwił wzrok w nagłówku: PROTOKÓŁ OGLĘDZIN MIEJSCA WYPADKU. Kiedy wypełnił ten dokument po raz setny, poszedł po pracy z kolegami z posterunku na piwo. Kiedy wypełnił go po raz tysięczny, zaczął poważnie myśleć o złożeniu wypowiedzenia.

Policjant wyregulował kąt nachylenia fotela, opuścił szybę w oknie o trzy centymetry, a następnie uniósł o dwa, po czym wyciągnął ze schowka na rękawiczki ołówek i temperował go z namaszczeniem, aż osiągnął idealny stożek. Wreszcie, czując na sobie wzrok siedzącego obok Jarka, zaczął wypełniać formularz.

Oględziny rozpoczęto: 8:22 rano, 15.10.2018. Czy położenie (pojazdów, osób, przedmiotów) do chwili rozpoczęcia oględzin było zmieniane? Nie. Przyjęto obowiązujący dalej kierunek patrzenia: Północ. Punkt odniesienia: Pokrywa studzienki kanalizacyjnej o numerze K1238. Odcinek w miejscu wypadku: Łuk w prawo, teren: Spadek, rodzaj: Asfalt, jezdnia: Gładka, obowiązujące ograniczenie prędkości: 60 kilometrów na godzinę.

Po pytaniach zamkniętych przyszła pora na „Opis sytuacji wypadkowej i śladów zdarzenia". Posterunkowy Radosław Gralczyk ziewnął, przetarł oczy, po czym zaczął pisać, przywołując z pamięci wyuczone zwroty i formułki. „Z polecenia dyżurnego KRP VI Praga Północ udano się na ulicę Jagiellońską 65/57. Na miejscu zastano zgłaszającego: Leon Zdzisław Nowiński, syn Jana i Anny, numer dowodu osobistego…, który był świadkiem wypadku drogowego, w którym uczestniczył Ryszard Buczek, syn Waldemara i Haliny… Pojazd: Jeep Grand Cherokee, kol. czarny, nr rej. WO MIGDAL, r. prod. 2014…".

– Patrz – mruknął Jarek, wyglądając za okno. – Sępy już się zleciały.

Radosław Gralczyk podążył za jego wzrokiem. Po przeciwnej stronie jezdni, tuż za taśmą policyjną, stał mężczyzna w czarnej kurtce przeciwdeszczowej. Trzymał w rękach aparat fotograficzny z ogromnym obiektywem. Policjant poczuł nagły ścisk w żołądku, krew odpłynęła mu z twarzy. Całe szczęście Jarek patrzył w drugą stronę.

– Musi wiedzieć, że to był Buczek. Zwykłego wypadku by nie cykał.

– Ktoś musiał im nadać… – Gralczyk pochylił się nad formularzem, potarł nos końcówką ołówka. – Pewnie chłopaki z karetki.

– Pawulony jebane… – Jarek odłożył na bok podkładkę z rozpoczętym szkicem miejsca wypadku, otworzył drzwi i wystawił za nie nogę. Nogawka podjechała do góry, odsłaniając bladą łydkę ściśniętą zbyt mocno poliestrową skarpetką.

– A ty gdzie?

– A wylegitymuję go, cholera. Ktoś im musi przytrzeć nosa.

– Aha – mruknął posterunkowy Gralczyk. – A potem zrobią nam zdjęcie, jak podjeżdżamy radiowozem po kurczaki, tak jak tym chłopakom z drugiego rejonowego, i będzie afera na całą Polskę. Daj spokój… Zresztą, zaraz kończę.

Jarek, który znał menu z KFC na wyrywki, zastygł na chwilę z nogą w kałuży, po czym schował ją do środka i trzasnął drzwiami, aż zatrząsł się radiowóz. Mamrotał coś jeszcze o hienach i szmatławcach, że skończą się te harce, jak rząd wreszcie zrepolonizuje media, ale Radosław Gralczyk już go nie słuchał. Nie mógł się doczekać, aż skończy pisać raport, wróci na komisariat, usiądzie do komputera i sprawdzi stan konta bankowego.

„W wyniku przeprowadzonej ze świadkiem rozmowy wynika", kontynuował opis Gralczyk, „że kierujący znacznie przekroczył dozwoloną prędkość i utraciwszy kontrolę nad pojazdem, uderzył w barierę ochronną...". Potem jeszcze parę słów o stanie pojazdu (rozległe uszkodzenia nadwozia oraz podwozia) i obrażeniach pasażera (stwierdzono zgon na miejscu) i wreszcie można było podsumować zdaniem, które szanujący się policjant z drogówki mógłby wyrecytować o każdej porze dnia i nocy: „Oględziny zakończono w niezmienionych warunkach atmosferycznych".

Gralczyk postawił kropkę, podał protokół Jarkowi do przeczytania i podpisania. Ile papierologii, pomyślał, ile zbędnego bełkotu. Gdyby to zależało od niego, całą sytuację opisałby znacznie zwięźlej: bogaty dupek myślał, że skoro ma zajebisty samochód, to jest zajebistym kierowcą, no i się pomylił. Dobrze chociaż, że dołem akurat nikt nie jechał, że ten jego wychuchany jeep rozbił się o asfalt, a nie spadł na inne auto.

Jarek oddał mu podpisany protokół. Gralczyk przekręcił kluczyk w stacyjce, skinął głową strażakom i ruszył w stronę komisariatu. Po fotografie nie było już ani śladu.

Julita szła do biurka na ugiętych nogach. Dostała do rąk wiadomość z ostatniej chwili, prawdziwy *breaking news*! To w Meganewsach nie zdarzało się prawie wcale. Portal nie wysyłał swoich dziennikarzy w teren, chyba że zaliczyć do tej kategorii wyjścia na sponsorowane wydarzenia typu premiera kolejnej komedii romantycznej czy otwarcie nowej knajpy. Wszystko załatwiało się przez internet albo telefon, teksty do działu „Informacje" pisali na podstawie depeszy PAP-u albo artykułów z większych portali. Oczywiście, czasem ktoś wysłał im cynk na skrzynkę kontaktową, ale zwykle były to sprawy mniejszej wagi, żeby nie powiedzieć całkiem błahe: ot, zdjęcie Iksińskiej bez makijażu, taki a taki zaparkował swoje ferrari na miejscu dla niepełnosprawnych. Ale śmierć Buczka, i to w tragicznym wypadku, to już zupełnie co innego, duży kaliber, artykuł, który będą cytować inne portale… I który ma napisać w dwadzieścia minut.

Julita usiadła za biurkiem, przycisnęła palce do skroni, próbowała zebrać rwące się myśli. Dla kogoś z jej pokolenia skojarzenie z Ryszardem Buczkiem mogło być tylko jedno: *Niebieskie Migdały*. Natychmiast przypomniały jej się niedzielne obiady u dziadków: rosół, zielony od drobno posiekanej pietruszki, schab z buraczkami, które zawsze lądowały na obrusie, na deser posypane cukrem pudrem placki z jabłkiem. Potem dorośli zostawali przy stole rozmawiać o poważnych sprawach, a dzieci siadały przed telewizorem ustawionym na Dwójkę. Punktualnie o piętnastej z głośników leciała piosenka, którą do tej pory znała na pamięć:

Każdy, duży i mały
Czasem ma w głowie
Niebieskie migdały!
Wiecie, że marzenia
Przychodzą bez proszenia!
Czy się chce, czy też nie,
Czasem trudno skupić się,
Kiedy myśli są daleko
Za górami i za rzeką,
Ku przygodzie same rwą!

Potem błyskały światła, syczały dymiarki i na scenę wychodził Ryszard Buczek w obszytym niebieskimi cekinami fraku, absurdalnie wysokim cylindrze i z gigantyczną muchą w złote grochy. Formuła była prosta, z dzisiejszej perspektywy można by nawet rzec: prostacka. Co tydzień do studia przychodziło troje dzieci i opowiadało Buczkowi (czy raczej Panu Migdałowi, bo w tej roli występował) o swoich marzeniach. Jasio z Pucka, lat sześć, chciał zostać strażakiem, Aniela z Radomia, lat osiem, pragnęła pojechać do Australii, a Maksio, lat pięć – polecieć na Księżyc.

Pan Migdał wysłuchiwał opowieści, zadawał zabawne pytania, łypał okiem zza monokla, a potem wypowiadał znane każdemu dziecku w Polsce zaklęcie: „Czary mary, hokus pokus, czas korzystać z życia pokus!", po czym przystępował do realizacji marzeń. I tak do Jasia z Pucka przychodzili strażacy i pokazywali, jak używać gaśnicy, Aniela głaskała wypożyczonego z zoo kangura, a Maksio w stroju kosmonauty chodził po studiu oklejonym aluminiową folią, które miało udawać powierzchnię srebrnego globu.

Proste, ale na dzieciach robiło wrażenie. W latach dziewięćdziesiątych *Niebieskie Migdały* oglądały miliony; podczas emisji wymierały place zabaw i podwórka. Choć później popularność programu powoli, ale konsekwentnie malała, TVP nigdy nie zdjęła go z ramówki. Niezależnie od tego, czy telewizją rządziła prawica, czy prawica przez historyczne zaszłości udająca lewicę, Pan Migdał co sobotę realizował dziecięce marzenia. Te zmieniły się z czasem (mało kto myślał dziś o karierze strażaka, chłopcy chcieli raczej zostać raperami, a dziewczynki modelkami), podobnie jak sam Pan Migdał. Buczek, kiedyś słynący z urody amanta, wyraźnie się zaokrąglił, włosy przyprószyła mu siwizna, a czerwony nos sugerował, że aktor sam nie unikał „życia pokus".

Dziś, choć *Niebieskie Migdały* cieszyły się podobną oglądalnością, co kanał z telezakupami, Ryszard Buczek był wciąż postacią rozpoznawalną. Spotkało go bowiem najwyższe w czasach internetu wyróżnienie – stał się memem. Parę lat temu ktoś wrzucił do sieci jego zdjęcie w stroju Pana Migdała z podpisem: „hokus pokus, czary mary, lecisz, jędzo, zmywać gary". Z jakiegoś powodu ten obrazek stał się sensacją i wkrótce media społecznościowe zostały zalane przez jego klony podpisane innymi ordynarnymi rymowankami, na przykład „czary mary, hokus pokus, w dupie mi zakwita krokus" albo „ene, due, rike, fake, palisz fajkę z crackiem". W odróżnieniu od innych internetowych sensacji, które popadają w niepamięć równie szybko, jak powstają, zabawa z rymowankami Pana Migdała trwała na tyle długo, że przebiła się do mainstreamu. Do Buczka odezwał się operator sieci komórkowej, który od zawsze desperacko próbuje przekonać młodzież, że jest *cool*, i zakontraktował go jako twarz swojej sieci. Od tego momentu Buczek stał się integralną częścią polskiego krajobrazu, jak pomniki papieża w skali trzy czwarte do jednego czy domki kryte jaskrawą blachodachówką. Uśmiechał się z plakatów i billboardów, z supermarketowych gazetek i pop-upów wyskakujących w internetowych przeglądarkach. „Najlepsza oferta stała, słowo Pana Migdała!".

Ale co Buczek robił wcześniej, przed reklamami i telewizją? Julita kojarzyła, że był aktorem, ale nijak nie mogła sobie przypomnieć, w czym grał – zresztą, nic dziwnego, jak większość z jej pokolenia darzyła polską kinematografię głęboką pogardą i zamiast kolejnej rodzimej produkcji o narodowych traumach wolała *Grę o tron* albo *House of Cards*.

Zegarek w rogu ekranu pokazywał 11:14, Julita uznała więc, że ma jeszcze parę minut na pogłębiony risercz, i wpisała nazwisko Buczka do Wikipedii. Nie odrywając wzroku od komputera, notowała najważniejsze fakty: „urodzony w 1965, Nowy Sącz... Studiował na Wydziale Aktorskim PWSFTviT w Łodzi... Występował na deskach Teatru im. Stefana Jaracza w Łodzi i Teatru Powszechnego w Warszawie... Debiut filmowy w *Podziemnym życiu* (1981), gdzie wcielił się w Wacława... Nagrodzony Orłem Polskiej Akademii Filmowej za rolę Archanioła w filmie *Boskie Owieczki* (2003)...".

Nim Julita przewinęła całą filmografię, usłyszała ciche *ping*. Dostała e-maila. Przełączyła się na skrzynkę pocztową.

od: Jacek Walewski <jacekwalewski@turbofoto.com>
do: Meganewsy <info@meganewsy.pl>
data: 15 października 2018 11:18
temat: Zdjęcia z wypadku Buczka

Hej!
Przesyłam zamówione zdjęcia. Moim skromnym zdaniem
 wyszły całkiem nieźle ;)
Pozdrawiam,
Jacek

Julita zaczęła przeglądać fotografie, szybko, jedna po drugiej, bo czas gonił. Wyrwa w barierce. Leżący na boku samochód, przez wybite okno, spomiędzy poduszek powietrznych, wystaje ręka. Zbliżenie na tablicę rejestracyjną. Zbliżenie na urwaną felgę. Zbliżenie na zakrwawioną dłoń, stłuczony zegarek, wokół skrzą się drobiny szkła. Ujęcie z taśmą policyjną na pierwszym planie. Strażacy rozcinający wrak wozu piłami. Sypiące się iskry. Stojący na poboczu radiowóz, w środku dwóch policjantów pochylonych nad papierami.

Julita zamrugała kilka razy, jakby chciała pozbyć się upiornych powidoków, upiła zimnej kawy. Które zdjęcie wrzucić na stronę? Oczywiście, najlepiej klikałyby się te, gdzie widać trupa, ale wiedziała doskonale, że nie może ich użyć. Już pierwszego dnia pracy Mackowicz wbijała jej do głowy: tylko pamiętaj, żadnych cycków, żadnych nieboszczyków. Julita była wtedy mile zaskoczona. Czyli te Meganewsy to jednak nie jest taka zupełna szmata, pomyślała, jak te brukowce, które wrzucają na jedynkę ciała dziennikarzy wojennych z dziurami po kulach albo porąbane na kawałki dzieci, jednak są tu jakieś zasady, podstawowa przyzwoitość. Dopiero kilka miesięcy później dowiedziała się, że tej granicy nie wytyczała bynajmniej moralność, tylko algorytmy Google'a. Gdyby zaklasyfikowały ich portal jako stronę publikującą materiały drastyczne i/lub pornograficzne, Meganewsy zostałyby nieodwołalnie usunięte z programu reklamowego AdSense – co byłoby równoznaczne z bankructwem strony. „Fakt" i „Super Express", które wciąż czerpały większość zysków z wydań papierowych, mogły sobie po prostu pozwolić na to, żeby ignorować cenzorów z Doliny Krzemowej. Ot, cała różnica.

Ostatecznie Julita wybrała zdjęcie z rozcinania wraku. Klęczący przy aucie strażacy zasłaniali rękę Buczka, snop iskier przyciągał wzrok i dodawał całej sytuacji dramatyzmu. Zegar pokazywał 11:21, miała jeszcze dziewięć minut na napisanie tekstu. Julita wygięła zaplecione palce, strzelając stawami, puściła Rammsteina na słuchawkach i wzięła się do pracy.

Leon Nowiński patrzył na zdjęcia kiszonej kapusty. Kiszona kapusta w beczce. Kiszona kapusta w misce. Kiszona kapusta w słoiku. Kiszona kapusta na talerzu, koło schabowego. Przewijał stronę z grafikami w dół, na próżno szukając inspiracji. Otwarty na drugim ekranie projekt etykiety – „sok _v22_final.psd" – składał się na razie z dwóch linii i białego tła.

Leon zaklął pod nosem. Za cholerę nie mógł się skupić, nic nie przychodziło mu do głowy. Wymyślenie etykiety dla „młodzieżowego soku z kapusty" stanowiło niezłe wyzwanie w normalnych okolicznościach – a co dopiero dziś.

W końcu dotarł do pracy dopiero po jedenastej. Wpierw przesłuchiwała go policja, potem dziennikarze z jakiejś lokalnej telewizji. Miał nadzieję, że kiedy przedstawi szefostwu przyczynę spóźnienia, puszczą go na resztę dnia do domu, żeby odsapnął i doszedł do siebie. Ale nie. „Leon, stary", powiedział Michał, product manager, „No ja rozumiem, no straszne, ale przecież wiesz, że w Olsztynku drukarze już grzeją sprzęt. Musimy im wysłać tę etykietę do końca dnia, bo inaczej nie rzucimy produktu w terminie, a akcji marketingowej już nie przesuniemy. To jak? Możemy na ciebie liczyć?". Pytanie było retoryczne. Oczywiście, że mogli. Leon miał kredyt.

No więc siedział przy biurku, patrzył na zdjęcia kapusty, ale przed oczami miał ciągle wrak samochodu, czuł zapach krwi i oleju silnikowego, słyszał zgrzyt metalu. Co tam się właściwie stało? To nie było tak, że facet się nie wyrobił. On nawet nie próbował skręcać – pojechał prosto na barierkę, prując grubo ponad sto na godzinę. Zagapił się? Zemdlał?

Leon potarł czoło, przejechał dłońmi po nieogolonych policzkach i spojrzał na notatki z pomysłami. Ludzik w kształcie beczki kiszonej kapusty na deskorolce? Potworek z kapusty, taka swojska wariacja na temat Latającego Potwora Spaghetti? Chłopak i dziewczyna połączeni trzymaną w ustach nitką kiszonej kapusty, w pozie psów z *Zakochanego kundla*?

W końcu postanowił zrobić projekt według pierwszego pomysłu. Jezusie Maryjo, myślał, dorysowując beczce nogi w tenisówkach, pięć lat studiów na ASP, stypendium, nagrody od rektora, wystawy, tyle pracy... I proszę, jakie mam z tego, kurwa, kołacze.

– Ej, Leon... – odezwał się Ignacy, spec od reklamy. – Weź to zobacz.

– Nie teraz. Robię człowieka-beczkę.

– Co?

– Człowieka-beczkę. To młodzieżowe – powiedział Leon, kreśląc nos w kształcie korka. – Spytaj Michała, wytłumaczy ci.

– Ej, ja poważnie. Chodzi o ten twój wypadek. Słyszałeś, kto siedział za kółkiem?

– No?

– Ryszard Buczek. Wiesz, Pan Migdał.

Leon okręcił się na krześle, podjechał do biurka Ignacego. W przeglądarce miał otwarty artykuł z portalu Meganewsy.pl. Wielka czerwona czcionka, mnóstwo wykrzykników, a pod nimi zdjęcia. Z lewej strony: Buczek z czasów świetności *Niebieskich Migdałów*, z cylindrem na głowie, tyle że w czerni i bieli. Z prawej: wrak auta, które kilka godzin wcześniej zobaczył we wstecznym lusterku.

**TRAGEDIA! Znany aktor, ulubieniec dzieci,
Ryszard Buczek († 53 l.),
ZGINĄŁ W MAKABRYCZNYM WYPADKU
DROGOWYM!!! [ZDJĘCIA]
TYLKO U NAS!!!**

Julita Wójcicka

Ryszard Buczek († 53 l.), uwielbiany prowadzący programu *Niebieskie Migdały*, zginął dziś rano w MAKABRYCZNYM wypadku drogowym w Warszawie. Popularny aktor znacznie przekroczył dozwoloną prędkość w trakcie zjazdu z drogi S8 i uderzył w barierkę. Auto SPADŁO Z WYSOKOŚCI 15 METRÓW i jest zniszczone NIE DO POZNANIA! Znany wszystkim Pan Migdał NIE MIAŁ SZANS przeżyć takiego wypadku. Policja stwierdziła ŚMIERĆ NA MIEJSCU, a strażacy musieli użyć PIŁ MECHANICZNYCH, żeby wydobyć ciało!

Wieść o śmierci aktora na pewno zasmuci jego żonę, znaną z serialu *Babie Lato* aktorkę Barbarę Lipiecką-Buczek (40 l.), i syna Rafała (13 l.). Redakcja portalu MEGANEWSY.PL łączy się z nimi w bólu.

Leon nie doczytał artykułu do końca. Bez słowa wrócił do swojego biurka.

– No? – spytał Ignacy, jakby zawiedziony. – Nic nie powiesz?

– Żal faceta – odpowiedział Leon, doklejając beczce z kiszoną kapustą szeroki uśmiech. – A artykuł obrzydliwy.

Julita nacisnęła przycisk „odśwież". I jeszcze raz. I ponownie. Za każdym razem pod artykułem pojawiały się kolejne komentarze. Teraz było ich już ponad tysiąc: wyrazy żalu (bubu433: „Nie wierzę! Pan Migdał to moje dzieciństwo... Kurde, strasznie smutne wieści ;-/"), kondolencje (aga.pomorze: „Pani Basiu, proszę się trzymać. Szczecinek zapala znicze dla pana Ryszarda ['][']['']") i oczywiście obelgi (prosto_z_mostu: „POległ POpaprany aktożyna trzeba było nie brać orderu od Tuska złodzieju!", praffdomoffny: „PiSiory i nad martwym się pastwią, hjeny!"). Te ostatnie można było znaleźć pod każdym materiałem: o psie jeżdżącym na deskorolce, o Japończyku, który chciał wziąć ślub z robotem, czy o dyni-gigancie, która wyrosła w stanie Idaho; nieważne: inwektywy były nieodrodną częścią krajobrazu polskiego internetu, jak przykryte rozmiękłym papierem toaletowym gówno na brzegu mazurskiego jeziora albo mozaika wielokolorowych szyldów na drogach wyjazdowych.

W każdym razie tekst o śmierci Buczka klikał się tak, że aż kurzyło. Temat podchwyciły konkurencyjne portale, te wszystkie pudelki, plotki, pomponiki i kozaczki, ale też „Super Express" i „Fakt", a nawet poważne tytuły: „Wyborcza", „Newsweek", „Polityka". Co prawda rzadko kiedy pisano, gdzie informacja pojawiła się po raz pierwszy, nie mówiąc o podaniu nazwiska autorki, ale świadomość, że to właśnie ona, Julita Katarzyna Wójcicka z Żukowa, pchnęła tę całą machinę medialną do przodu, napawała dumą. Mimo wszystko.

– Pięć tysięcy lajków, grubo ponad tysiąc share'ów... – Piotrek pokiwał głową z uznaniem. – No, no, Wójcicka. Gratuluję. Jeszcze trochę i Pulitzer będzie twój.

Julita uśmiechnęła się i podziękowała, choć nie była do końca pewna, czy Piotrek tylko żartuje, czy się z niej nabija. Była przecież świadoma, że sam artykuł był bezwartościowym zlepkiem wytartych formułek i dramatycznych przymiotników. Na studiach taki tekst by wyśmiano... Ba, nawet jej polonistka z podstawówki, niech jej ziemia lekką będzie, dałaby za niego pałę z wykrzyknikiem, albo trzema... No, ale jak mawiała naczelna Mackowicz, zadaniem dziennikarza było pisanie artykułów, które ludzie czytają, a nie które powinni czytać.

Teraz właśnie Mackowicz wprowadzała tę zasadę w życie. Skoro lud chce Buczka, trzeba dawać Buczka, dużo i szybko. Cały zespół dostał zadanie pisania tekstów na jego temat: wypowiedzi przyjaciół Buczka, najlepsze role Buczka, najgorsze role Buczka, żona Buczka, syn Buczka, pies Buczka i chomik Buczka, cokolwiek, byle z Buczkiem. Parę zdań, zdjęcie i tekst lądował w bocznej szpalcie portalu, gdzie generował tak cenne kliki, walutę internetowego dziennikarstwa.

Pod koniec dnia ruch na Meganewsach zaczął się zmniejszać. Nie dlatego, że ludzi przestała nagle interesować tragiczna śmierć aktora, po prostu temat przejęli więksi gracze, którzy mieli większą bazę czytelników, więcej kanałów promocji, więcej pieniędzy, żeby wykupić zdjęcia Buczka z prywatnych zbiorów. Temat przestał być ich *ekskluziwem*.

– Dziękuję wszystkim za włożony wysiłek – powiedział wicenaczelny Adam na wieczornym kolegium. Jak zwykle przynudzał. – Odnotowaliśmy dzisiaj ponad trzysta tysięcy odsłon i blisko sto tysięcy unikalnych odwiedzin. Zyskaliśmy nowych fanów na wszystkich platformach społecznych: Facebooku, Twitterze, Instagramie i snapie. Temat Buczka powoli się eksploatuje, ale jutro możemy go jeszcze spokojnie pociągnąć. Kto przychodzi na rano? Piotrek? Okej... „Super Express" ma puścić wywiad z wdową po Buczku. Jak tylko wrzucą go do siebie na stronę, chcę mieć o tym tekst na głównej, tak? No, dobra robota. Spokojnej nocy i do zobaczenia.

Biuro zaczęło się opróżniać. Gasły monitory, pikał czytnik kart przy wyjściu, trzaskały drzwi. Pani Halinka, sprzątaczka o zniszczonej twarzy i złotym sercu, szurała odkurzaczem po wykładzinie, nucąc coś pod nosem. Natalia, która zostawała w biurze na nocny dyżur, zalewała wrzątkiem zupkę w proszku, rozsiewając wokół aromat glutaminianu sodu.

Julita wciąż tkwiła przy komputerze. Powinna już się zbierać, ale Marynarska była wciąż zakorkowana, a poza tym... Nie mogła się zebrać do tego, żeby zakończyć ten dzień, postawić kropkę. Tekst o Buczku był największym sukcesem w jej karierze. Oczywiście, dostała temat na tacy, nawet nie widziała wypadku na własne oczy, ale... Po raz pierwszy, odkąd zaczęła pracę w Meganewsach, skoczyła jej adrenalina przy pisaniu, po raz pierwszy miała wrażenie, że przynajmniej otarła się o prawdziwe dziennikarstwo. Świadomość, że już po wszystkim, że jutro znów zacznie dzień od przeczesywania sieci w poszukiwaniu plotek o cellulicie i silikonie, była przytłaczająca.

Julita jeszcze raz odświeżyła stronę ze swoim artykułem, żeby sprawdzić, ile łapek w górę i polubień przybyło. Robiła to z niejasnym poczuciem winy, jak ktoś, kto przyrzekł sobie, że to ostatnia czekoladka, a mimo to pięć minut później sięga po następną. Sama śmiała się z obsesji Adama na punkcie statystyki, pomstowała przy porannej kawie na prowadzony przez niego dyktat heatmapy – a kiedy nikt nie patrzył, obsesyjnie sprawdzała te same liczby co on. Ciekawe, pomyślała, czy gdyby za czasów

Boba Woodwarda i Carla Bernsteina był już internet, też wciskaliby co chwila F5, żeby zobaczyć, ile osób postawiło serduszko albo zszokowaną buzię przy ich artykule o Watergate.

Coś tam jeszcze przybyło, ale niewiele, wszystko wskazywało na to, że pięć minut sławy Julity już się skończyło. Przefiltrowała jeszcze komentarze, wyświetlając je od najnowszych. Jak to zwykle bywa, ich treść z upływem czasu coraz bardziej odbiegała od tematu, przeobrażając się nieuchronnie w coraz bardziej agresywne pyskówki. Za chwilę ktoś kogoś porówna do Hitlera i będzie można opuścić kurtynę.

Był jeden wyjątek. Komentarz od użytkownika the_inquisitive_deer_2000, opublikowany trzy minuty temu. Napisany w sposób jasny, zrozumiały, i nie licząc tak zwanego prawicowego przecinka, poprawnie: „Nie no , co za stek bzdur. Przecież nikt normalny nie wjechałby na zjazd z taką prędkością. Sprawa śmierdzi na kilometr. Ale pewnie , łatwiej napisać , że to był wypadek. Ludzie , obudźcie się!".

No tak, brakowało jeszcze tylko teorii spiskowej. Wiadomo, przecież nikt nie ginie ot tak, po prostu. Pewnie zabiło go lobby szczepionkowców albo bojówki dżenderowe. Julita prychnęła, zamknęła przeglądarkę, odsłaniając otwarte pod spodem zdjęcie z wypadku.

Jeszcze raz spojrzała na wrak auta. Teraz, kiedy już nie musiała się śpieszyć, pisać tekstu na wyścigi... Nie mogła oprzeć się wrażeniu, że coś jest rzeczywiście nie tak. Nawet jeśli Buczek był mistrzem kierownicy, musiał wiedzieć, że wykonuje bardzo niebezpieczny manewr, że może się nie zmieścić. Gdzie tak pędził? I po co?

Julita zaczęła przeklikiwać zdjęcia: tym razem powoli,

uważnie przyglądając się każdemu z nich, choć sama nie wiedziała, czego tak naprawdę szuka. Samochód był całkowicie zniszczony, ale nawet komisja smoleńska nie doszukałaby się we wraku śladów eksplozji. *Klik,* tablica rejestracyjna. Nic ciekawego. *Klik,* felga. Felga jak felga. *Klik,* zbliżenie na dłoń, zegarek. Julita, idąc przykładem telewizyjnych detektywów, od razu spojrzała na rozbity cyferblat i odczytała godzinę, na której zatrzymały się wskazówki... Po czym klepnęła się otwartą dłonią w czoło. Przecież wiesz, o której doszło do wypadku, kretynko, opieprzyła się w myślach, skup się!

Julita przeniosła wzrok na dłoń... I uniosła brwi. Paznokcie Buczka były w strasznym stanie. Połamane, zdarte, całe we krwi. Dziwne. Pracując w internetowym brukowcu, Julita zdążyła się napatrzeć na zdjęcia z wypadków drogowych. Obrażenia często były makabryczne: otwarte złamania, rozbite głowy, rozprute brzuchy. Ale palce? Palce, a już zwłaszcza paznokcie, zwykle wyglądały na nietknięte.

Dla pewności Julita przejrzała jeszcze nieopublikowane zdjęcia z kilku głośnych wypadków z ostatniego roku, które dostali z agencji. Miała rację. Wyszukała w internecie zdjęcia Buczka, zawęziła okres wyszukiwania do ostatniego miesiąca: Buczek na ściance obejmujący żonę (gustowny szary garnitur, włosy zaczesane na żel, uśmiech), Buczek na kanapie programu śniadaniowego (dżinsy i bluza z kapturem, żywa gestykulacja, opowiada pewnie jakąś anegdotkę). Zrobiła zbliżenie na dłonie. Paznokcie zadbane, równo przycięte, jakby świeżo po wizycie u manikiurzysty.

– Mogę zabrać kubeczek? – Słysząc głos pani Halinki, Julita aż podskoczyła.

– Hm? Nie, nie, zaparzę sobie jeszcze kawy.

– Pani Julitko kochana… Dwudziesta jest. Pójdzie pani lepiej do domu, odpocznie.

– Oj… Dziś to ja bym chyba nie zasnęła.

– Coś się stało?

Julita wstała od biurka, podniosła kubek.

– Właśnie próbuję się dowiedzieć.

= 2 =

Schab pieczony, sałata lodowa. Pasta tuńczykowa, kukurydza, majonez. Ser żółty, rzodkiewki, ogórek. Julita przerzucała owinięte w folię kanapki, szukając ulubionej bułki z salami z zielonym pieprzem i papryką. Obok ustawiała się już kolejka pracowników z całego biurowca: jedni trzymali plastikowe tacki ze swojskimi obiadkami, inni – hipsterskie jogurty z ziarnami chia i wrapy z tofu.

Wizyty Pana Bagietki były stałym punktem dnia, rytuałem biurowego życia. Zielone seicento przerobione na samochód dostawczy zajeżdżało zwykle pod budynek około dziesiątej, ale nerwowe oczekiwanie zaczynało się już za piętnaście. Ci, którzy siedzieli przy oknach, wyglądali co chwila na ulicę, reszta musiała polegać na komunikatach recepcjonistek. Na hasło „PAN BAGIETKA" ludzie zrywali się od komputerów i schodzili czym prędzej na parter. Nie wypadało co prawda biegać – to by jednak był obciach – ale co poniektórzy ruszali po jedzenie naprawdę żwawym krokiem, żeby na zakręcie wyprzedzić konkurencję, a szanowane zwykle zasady biurowego savoir-vivre'u, jak przytrzymywanie windy czy przepuszczanie w drzwiach, szły w odstawkę. W białych kołnierzykach budziły się atawistyczne instynkty zbieracko-łowieckie: kto pierwszy, ten lepszy.

Pan Bagietka dwoił się zaś i troił, niczym bóstwo z hinduskiego panteonu o dwudziestu rękach, był w stanie jednocześnie przyjmować banknoty, wydawać resztę, obsługiwać terminal do kart i wręczać klientom plastikowe sztućce. Wreszcie na dnie pudeł zostawały tylko nędzne resztki, na które mógł się skusić jedynie desperat: otwarta kanapka w folii umazanej masłem czy cieszące się złą sławą wrapy typu kebab.

Julicie, która była w połowie stawki, udało się złapać upragnioną bułkę. Wysupłała drobne, uśmiechnęła się, odbierając paragon, który od razu zmięła i wyrzuciła do kosza, po czym wróciła na trzecie piętro, do siedziby Meganewsów. W międzyczasie do biura przyjechała Mackowicz. Julita zastukała delikatnie w szklane drzwi. Szefowa zaprosiła ją do środka.

– Tak?

– Masz chwilę? Chciałabym pogadać.

– Do kolegium jeszcze siedem minut... – Mackowicz spojrzała na zegarek, który mierzył też czas, kroki, tętno, i rytm snu. – Starczy?

– Chyba tak.

– No, to zamieniam się w słuch. O co chodzi?

– O Buczka.

– Mhm?

– No więc... – zaczęła Julita. – Wiem, że to zabrzmi jak tania sensacja, ale... Wydaje mi się, że to nie był zwykły wypadek.

– Tania sensacja płaci nasze rachunki. – Mackowicz odchyliła się w krześle, oparła stopy o stojący pod biurkiem komputer. Miała mały tatuaż tuż nad kostką, sowę w okularach. – Także się nie krępuj.

– Przeglądałam jeszcze wczoraj zdjęcia... I coś jest nie tak z jego dłońmi. Wyglądają, jakby przed śmiercią... No, sama nie wiem. Pobił się z kimś? Coś szarpał?

– Która to fotografia? – Mackowicz obróciła monitor w jej stronę. Wyświetlał folder z miniaturami.

– Czekaj, czekaj... Ta tu.

Dwa kliknięcia myszką, zdjęcie się otworzyło. Mackowicz zmrużyła oczy, poprawiła okulary.

– Hm. No faktycznie.

– No i dodaj do tego, że jechał na złamanie karku, wpadł w ten zakręt jak wariat... Może przed kimś uciekał? Gonił kogoś?

Ktoś zapukał w szybę. Julita i Mackowicz odruchowo spojrzały w kierunku drzwi. Adam dawał znać, że za chwilę zaczyna się kolegium. Naczelna odesłała go zdawkowym gestem.

– Zdajesz sobie sprawę, że nie możemy wrzucić tego zdjęcia?

– Pewnie.

– A bez zdjęcia ta historia nie zadziała.

– Tak, tak, dlatego właśnie... Chciałabym się temu bliżej przyjrzeć. Powęszyć trochę.

Mackowicz z początku nie odpowiedziała. Zamknęła zdjęcie, przestawiła monitor z powrotem do siebie.

– Julita... Wiem, że chcesz być prawdziwą dziennikarką. Szanuję to. Ale nie oszukujmy się... Meganewsy to nie jest miejsce, gdzie możesz te ambicje realizować. My tu nie piszemy artykułów śledczych, tylko dziesięć trików na to, jak mieć płaski brzuch i zgrabną dupę. Jeśli chcesz, umówię cię z kimś z redakcji „Poprzek" i możesz przekazać temat, wtedy...

– Nie. – Julita weszła jej w słowo. – Nie chcę.

Mackowicz zabębniła palcami po blacie. Traciła cierpliwość.

– Ile mieliśmy wczoraj wejść? – spytała Julita. – Sto tysięcy unikalnych odwiedzin, trzysta tysięcy odsłon! Trzy razy więcej niż normalnego dnia. Za sprawą jednego artykułu!

– Nie za sprawą artykułu. Za sprawą donosu. Z całym szacunkiem, twój tekst tu nie miał żadnego znaczenia. Po prostu był, żeby ludzie wiedzieli, na co patrzą. Gimnazjalista mógł to napisać.

Julita odwróciła głowę. I ugryzła się w język.

– Wiesz, ile dostajemy za jedno kliknięcie w reklamę? – spytała Mackowicz. – Adam ci kiedyś mówił? Trzydzieści pięć groszy. A klika około cztery procent odwiedzających. To teraz policz sobie, jaką fortunę zgarnęliśmy na tych trzystu tysiącach odsłon.

Większość kolegów po fachu Julity określała się jako „humaniści". Nie znaczyło to zwykle, że mieli szeroką wiedzę z zakresu literatury czy sztuki, tylko że o matematyce wiedzieli jeszcze mniej. Julita, córka nauczyciela fizyki i księgowej, liczyła niczym kalkulator. Szybko przemnożyła w głowie podane przez Mackowicz liczby. Wyszło jej cztery tysiące dwieście. Brutto. A trzeba było jeszcze odjąć od tego wynagrodzenie za donos, honorarium fotografa z agencji...

– Żeby ten biznes się w ogóle opłacał, każdy z was musi wrzucić kilka tekstów dziennie. Jeśli jesteś poza biurem, nie piszesz. A jeśli nie piszesz, generujesz straty.

– A gdybym pracowała nad tym tematem po godzinach? We własnym zakresie?

Mackowicz wstała od biurka, dosunęła krzesło.

– We własnym zakresie możesz być sobie i Orianą Fallaci – odparła. – Pod warunkiem, że nie wpłynie to na twoją pracę w Meganewsach. Julita... Masz dobre wyniki, w styczniu będą rozmowy roczne... Nie spieprz tego, okej?

– Jasne. A... A jeśli coś znajdę?

– To oczywiście to opublikuję. – Mackowicz zawiesiła głos, jakby się nad czymś zastanawiała. – I dorzucę ci do pensji mały bonus... W wysokości stawki, jaką zwyczajowo dajemy za nadesłany cynk. Umowa stoi?

Tysiąc pięćset złotych! Za jeden tekst! Julita nie musiała się długo zastanawiać.

– Stoi.

– No to chodź, zanim Adam zamęczy wszystkich na śmierć.

Faktycznie, wicenaczelny rozpoczął jeden ze swoich słynnych monologów. Niczym głuszec, który tak zatraca się w swym śpiewie, że przestaje dostrzegać otaczający go świat, Adam prowadził nafaszerowany żargonem wywód – targety, kejpiaje, bernrejty! – niepomny na puste spojrzenia i tłumione ziewnięcia.

Ku wyraźnej uldze zebranych Mackowicz przejęła pałeczkę i zaczęła po prostu rozdzielać tematy. Zamówiła jeszcze parę tekstów wspominkowych o Buczku, w tym jeden od Julity, coś o uchodźcach, nadchodzącej walce Pudziana w lidze MMA i rekomendacjach modowych Kasi Tusk na sezon zimowy. Potem przyszła pora na reklamę natywną, czyli, mówiąc wprost – teksty sponsorowane, które udają artykuły. Tym razem trzeba było napisać tekst o wyższości szczoteczek elektrycznych nad tradycyjnymi, przypadkiem niby podając markę i model podsunięty przez zleceniodawcę. Całe szczęście, to zadanie przypadło komu innemu. Mimo że Julita pisała już w Meganewsach o różnych durnotach, niczego nie wstydziła się jednak tak bardzo, jak robionego na zamówienie rankingu koncentratów pomidorowych. Do tej pory znajomi dopiekali jej, cytując fragmenty tego tekstu. „Zmysłowo intensywny w smaku i aromacie, koncentrat marki Pommodoro stanowi znakomitą bazę do zup, sosów oraz sals. Mmm! Można go jeść łyżkami!".

– Aha, i jeszcze jedno – powiedziała Mackowicz pod koniec spotkania. – Mam zaproszenie na premierę *Papieża, który został świętym* na wieczór, ale coś mi wyskoczyło... Wójcicka? Chciałabyś pójść za mnie?

Wyrwana z zamyślenia, Julita się zawahała. Planowała tego wieczoru trochę popracować, zacząć swoje śledztwo... Z drugiej strony, jeden dzień w tę czy we w tę nie zrobi większej różnicy, a okazja, żeby poobracać się wśród gwiazd, może się szybko nie powtórzyć.

– Pewnie, że tak.

– No, to załatwione. – Naczelna przekazała jej elegancką kopertę z lakierowanego papieru. – A teraz do roboty.

Wiesława Maczek porównywała oferty ocieplanych kozaków na Allegro. Robiło się coraz chłodniej, w mokasynach marzły jej już stopy, a stare zimowe buty miały zepsuty suwak. Niby mogła je oddać do naprawy, przecież wymiana suwaka to raptem piętnaście złotych, ale skaj na noskach był już pozdzierany, cholewy wytarte, a fleki trzymały się na słowo honoru. Krótko mówiąc, skórka niewarta wyprawki.

Problem w tym, że Wiesława Maczek nie lubiła wydawać pieniędzy. Mimo że oboje z mężem zarabiali przyzwoicie, a dzieci dawno już były na swoim, liczyła każdy grosz. Skrupulatnie wycinała kupony zniżkowe z kolorowych tygodników, nasłuchiwała reklam supermarketów, gdzie w tym tygodniu mięso wieprzowe za osiem dziewięćdziesiąt dziewięć za kilogram, powtarzam, osiem dziewięćdziesiąt dziewięć za kilogram, a stare koszulki cięła na szmatki.

Dlatego właśnie Wiesława dokładnie przygotowywała się do zakupu. Kiedyś jeździłaby po sklepach i bazarach, porównując ceny, szukając najniższej oferty. Ale teraz robiła to w internecie. Tablet dostała od córki w zeszłe święta. Z początku ją zrugała, że bez sensu marnuje pieniądze, że przecież może sobie wszystko wyszukać na komputerze w bibliotece, a potem zapisać na karteczce. Ale z perspektywy czasu musiała przyznać, że to był dobry zakup: tablet był prosty w użyciu, lekki, poręczny. No i dzięki niemu oszczędzała na paliwie, na które musiałaby wydać przy okazji jeżdżenia po sklepach.

Wreszcie znalazła dobrą ofertę. Czarne kozaki pod kolano, z zamszu ze wstawką z lycry, na płaskim obcasie. Wiesława powiększyła zdjęcie, przeciągając palcami po szklanej tafli. Buty wyglądały na wąskie; niedobrze, mogą uciskać. Wiesława miała haluksy, nie jakieś znowu straszne, ale jednak uprzykrzały życie.

Odłożyła tablet, spojrzała na sine stopy wystające spod prześcieradła. Ten to nie miał takich problemów, pomyślała. W baletkach mógłby chodzić, gdyby chciał. Gdyby żył.

No nic, pomyślała, pora wracać do roboty. Poprawiła okulary i zaczęła sczytywać notatki z przeprowadzonej przed chwilą sekcji zwłok. Przyczyna zgonu była oczywista: obrażenia odniesione w wyniku wypadku drogowego. Pęknięcie czaszki, przerwanie rdzenia kręgowego na odcinku lędźwiowym, krwotok wewnętrzny, długo by wymieniać. Ale prokurator Cezary Bobrzycki podjął dobrą decyzję, występując z wnioskiem o autopsję – Wiesława odnotowała pewne aberracje. Mimo że samochód wyposażony był w poduszki powietrzne i doszło do ich otwarcia, obrażenia były typowe dla wypadku, w którym uderzenie nie było amortyzowane. Wiesława pomyślała, że denat jechał może jakimś gruchotem, który od pięciu lat nie był na przeglądzie, i poduszki były wadliwe, ale Bobrzycki zaprzeczył: auto było nowoczesne, z najwyższej półki, w papierach wszystko się zgadzało. A więc co się stało? Hipoteza prokuratora była taka, że poduszki mogły otworzyć się za późno, z sekundą zwłoki. Oczywiście, musiała to sprawdzić policja, ale jeśli podejrzenia Bobrzyckiego by się sprawdziły, byłaby z tego niezła afera – rodzina denata mogłaby wystąpić o wielomilionowe odszkodowanie od producenta auta. Muszę to powiedzieć staremu, pomyślała Wiesława. Od roku smędził, żeby sprzedać ich volkswagena passata. Samochód ma prawie dwadzieścia lat, mówił, najwyższa pora kupić jakiś nowy model: wygodny, ekologiczny, bezpieczny. No i proszę, jak to z tym bezpieczeństwem. Przenieśli fabryki do Chin i wszystko się psuje, jak tylko wygaśnie gwarancja.

Wiesława przewinęła stronę, zaczęła czytać kolejny akapit. Oczywiście, odnotowała nietypowe obrażenia palców – zakrwawione, połamane paznokcie – do których nie mogło dojść w trakcie wypadku. Stwierdziła, że rany były świeże i odniesione *in vivo*: albo tuż przed tym, jak denat wsiadł do auta, albo w trakcie jazdy. Jak dokładnie do tego doszło, nie była w stanie powiedzieć – ale wyciągnęła spod paznokci kawałki materiału, które zostały przekazane do laboratorium.

Poza tym Wiesława Maczek stwierdziła jeszcze ślady samookaleczania: cienkie blizny na przedramionach, prawdopodobnie wynik nacięć żyletką albo ostrzem o podobnej charakterystyce. Tak to jest z tymi aktorami, pomyślała, na okładkach „Vivy!" i „Gali" to wszyscy uśmiechnięci, a jak tylko pogrzebać, to wychodzi, że każdy ma nierówno we łbie. No, ale blizny były stare, sprzed kilku lat, więc dla dochodzenia prokuratora Bobrzyckiego nie miały żadnego znaczenia.

Zadowolona, Wiesława przybiła pieczątkę na końcu dokumentu (prof. dr hab. n. med. Wiesława Maczek, Spec. Patomorfolog), następnie sięgnęła po tablet, odświeżyła stronę sklepu. A co tam, pomyślała, kupię. Najwyżej potem się odeśle.

Julita szybko napisała kilka krótkich tekstów, żeby tylko wyrobić dniówkę, po czym wzięła się za pracę nad większym materiałem o Buczku. Nie dostała żadnych konkretnych wytycznych, poza tym, że ma być „wspominkowo" – postanowiła więc zrobić materiał pod tytułem „20 najfajniejszych odcinków *Niebieskich Migdałów*". Po pierwsze, dlatego że galerie generowały dużo klików: czytelnik musiał przewijać strony, za każdym razem wyświetlając nowe reklamy. Po drugie, zauważyła, że ostatnio modna robi się nostalgia za latami 80 i 90. – Spice Girls, nie tak dawno obciachowe, nagle stały się drugą ABBĄ, na placu Zbawiciela coraz częściej widywało się wąsy *à la* Krzysztof Krawczyk i fryzury na Majkę Jeżowską, po fejsie znowu latał obrazek z kasetą i ołówkiem („Dzisiejsze dzieciaki nigdy nie zgadną, co łączy te dwa przedmioty!"). Na tej fali stare nagrania z Panem Migdałem mogą popłynąć. Po trzecie wreszcie – była to dobra wymówka, żeby przez parę godzin pooglądać w pracy telewizję.

Julita wyszukała na YouTubie archiwalne odcinki. Niektóre z nich pamiętała jeszcze z czasów dzieciństwa, inne widziała po raz pierwszy. Większość z nich była zabawna – jak ten, w którym pięciolatek tłumaczy Panu Migdałowi, skąd się biorą dzieci („To jest tak jak z pscółkami i kwiatkami, tylko ze jesce potsebny jest siusiak!"), albo

49

ten, w którym bracia bliźniacy, którzy wymarzyli sobie, że będą rycerzami, uciekli z wrzaskiem na widok przebranego za smoka aktora.

Julita umieściła jednak na pierwszym miejscu odcinek o zupełnie innym wydźwięku, ten z siedmioletnią Dorotką z Inowrocławia, która marzyła o tym, żeby jeździć konno, ale była niepełnosprawna – nie miała władzy w nogach. Pan Migdał przeszedł wtedy samego siebie: nie dość, że ściągnął na Woronicza konia, to jeszcze wykombinował skądś specjalne siodło, z oparciem na plecy i pasami, w którym dziewczynka mogła siedzieć prosto. Prowadzony za uzdę koń chodził w koło po studiu udekorowanym na Dziki Zachód (namalowane tło z Wielkim Kanionem, wycięte z tektury kaktusy, tipi z kijów od szczotek i koca, statyści w kowbojskich kapeluszach), a Dorotka głaskała go po grzywie – i płakała, płakała, płakała, doprowadzając w końcu do łez też swoich rodziców i dzieci na widowni. Kiedy na koniec odcinka Pan Migdał zadawał zwyczajowe pytanie: „Czy spełniłem twoje marzenie?", głos mu się łamał. Dorotka nie była w stanie odpowiedzieć, tylko kiwnęła głową, z trudem powstrzymując drżenie ust. Julita ukradkiem wytarła szklące się oczy. Nawet teraz, po latach, nagranie łapało za serce.

Julita skończyła formatować galerię i wrzuciła ją do sieci. Materiał szybko powędrował na listę najczęściej wyświetlanych artykułów, zaczął krążyć po Facebooku i Twitterze, zalinkowało go parę konkurencyjnych stron. Julity wcale to nie zdziwiło. Portale plotkarsko-informacyjne tworzyły skomplikowany ekosystem. Z jednej strony wściekle ze sobą konkurowały, przekraczając kolejne granice w wyścigu o czas i uwagę internautów, z drugiej zaś wzajemnie się promowały, nagłaśniając trendujące teksty.

To generowało dodatkowy ruch nie tylko na stronie, która pierwsza opublikowała dany materiał, ale także na portalu odsyłającym. *Win-win*, pełna symbioza. W przypadku wyjątkowo gorących tematów wyzwalało to reakcje łańcuchowe: Pudelek cytował Kozaczka, który powoływał się na Pomponika, który bazował na Plotku, który z kolei linkował do Fakt.pl. Tym sposobem tekst o tym, że jedna z celebrytek włożyła kusą spódniczkę, generował kliknięcia nie dla jednego, a dla czterech portali. Ot, internetowa alchemia.

Julita wyłączała komputer z poczuciem dobrze wykonanej roboty. Spojrzała na zegarek. Dochodziła osiemnasta, a premiera była dopiero na dwudziestą pierwszą, miała więc dość czasu, żeby wrócić do domu i przebrać się w coś bardziej wystrzałowego niż legginsy i bluza z kapturem. Pozostawał jeden problem do rozwiązania: kogo wziąć ze sobą?

Kiedyś odpowiedź na to pytanie byłaby oczywista: Rafała. Chłopaka, z którym zeszła się jeszcze w liceum, który przyjechał za nią z Żukowa. Wielka miłość: szeptane rozmowy kończone licytacją, kto pierwszy odłoży słuchawkę, książki z wierszami Pawlikowskiej-Jasnorzewskiej w dedykacjach ("lecz widać można żyć bez powietrza!"), wyjścia do kina, z których wychodzili zarumienieni, nie zobaczywszy zbyt wiele filmu, pierwszy raz w zaparowanym namiocie, na śpiworze śliskim od potu.

W Warszawie przestało im się układać. Rafał, absolwent kulturoznawstwa, szukał pracy w muzeach, instytutach, fundacjach. Znalazł ją dopiero w sklepie z elektroniką, gdzie ubrany w niebieską koszulkę z firmowym logo, pomagał zagubionym klientom dokonać wyboru smartfona, laptopa albo kapsułkowego ekspresu do kawy. Zarabiał mało, a wydawał dużo: wynajem mieszkania, karta miejska, rachunki, jedzenie, w Warszawie wszystko było drogie. Status jego konta szybko spadał do trzech cyfr, a pod koniec miesiąca – do dwóch, czasem poprzedzonych minusem. Zaczęli się kłócić. O to, kto w zeszłym tygodniu płacił za jajka, a kto przekroczył limit na internet, kto miał cięższy dzień w pracy i był bardziej zmęczony, a kto nie odwiesił ścierki na miejsce.

W końcu się rozstali. Dojrzale, spokojnie, bez wrzasków i oskarżeń, to była wspólna decyzja. Rafał wrócił do Żukowa, pomagał ojcu prowadzić zakład wulkanizacyjny – przez miasteczko prowadziła dwudziestka i siódemka, więc na brak ruchu nie narzekali. Wreszcie mógł sobie pozwolić na samochód, skórzaną kurtkę, wypady na piwo.

Szybko o niej zapomniał. Zaraz po powrocie znalazł sobie dziewczynę, po roku się zaręczyli, po dwóch latach wzięli ślub. Wrzucili zdjęcia z sesji: czułe objęcia, welon rozwiany na wietrze, pan młody wskazuje palcem wspólny cel na horyzoncie, panna młoda podąża wzrokiem, wsparta na męskim ramieniu.

Mówi się, że w wielkich miastach czas płynie szybciej, ale Julita miała przeciwne zdanie. Kiedy ona szukała kolejnych staży i gotowała na kolację parówki, znajomi, którzy zostali w Żukowie, nagle stali się dorośli: ślub, chrzest, komunia, zdjęcia z rodzinnych wakacji nad morzem, wąsy i piwny brzuszek.

Julita boleśnie przeżyła to rozstanie. Nawet nie to, że nie była już z Rafałem – im więcej mijało czasu, tym mocniej była przekonana, że to musiało się tak skończyć – tylko utratę tej naiwnej wiary w miłość do grobowej deski. Nie potrafiła podejść do następnych facetów z tym samym ślepym uwielbieniem, zadurzyć się w nich po uszy, planować w myślach wspólne życie, nucąc Mendelssohna. Ciężko o to, kiedy umawiacie się na randkę przez Tindera.

Julita nie spotykała się teraz z nikim na poważnie, więc chciała wziąć ze sobą jakąś koleżankę. Ale Anka była chora, Werka poza miastem, a Maja powiedziała, że woli oglądać, jak odwirowuje się pralka, niż iść na *Papieża, który został świętym*. Trudno, pomyślała, wyłączając komputer, najwyżej pójdę sama.

Wstając od biurka, spojrzała na Piotrka. Opierał głowę na rękach, miał zamknięte oczy, z założonych na uszy słuchawek sączyła się muzyka klasyczna. Na ekranie miał otwarty edytor tekstu. U góry strony wytłuszczonym drukiem widniał tytuł: „OBRZYDLIWE ZDJĘCIA PRÓCHNICY! ONI NA PEWNO NIE UŻYWALI ELEKTRYCZNYCH SZCZOTECZEK!". Pod spodem nie było nic, tylko białe tło i migający kursor. Znali się od dwóch lat – i kumplowali. Na imprezach firmowych siadali koło siebie, jedli razem obiady, obgadywali szefostwo. No, ale wiadomo, jeśli go zaprosi, od razu pomyśli, że to randka. Chociaż… może to nie takie złe.

– Ej, Piotrek. Piotrek!

– Hm? Co? – Chłopak podskoczył na krześle, zdjął słuchawki.

– Chcesz ze mną iść na tego papieża?

– Jakiego znowu papieża?

– Do kina. Na film. O papieżu.

– Aaa, to… – Piotrek spojrzał na nią, potem na komputer. – Chciałbym, ale muszę skończyć ten pieprzony tekst o szczoteczkach…

– Premiera jest o dwudziestej pierwszej. Masz dużo czasu.

– W sumie... No dobra, zepnę się. Jak się umawiamy?

– Za dziesięć pod wejściem do Multikina?

– Dobra. To... do zobaczenia.

– Na razie – powiedziała Julita, zakładając kurtkę.

Stojąc na przystanku, z telefonem w zgrabiałych dłoniach, zastanawiała się, co jej, do cholery, odbiło.

Julita spojrzała na swoje odbicie w lustrze i pokiwała z uznaniem głową. Miała na sobie prostą czarną sukienkę. Niby skromną (za kolano, mały dekolt), ale obcisłą, podkreślającą kształty. Do tego rajstopy ze szwem, czerwone czółenka na obcasie, subtelna biżuteria. Wyglądała dobrze. Na tyle dobrze, że facetom oglądającym się za nią na ulicy trudno byłoby uwierzyć, że kiedyś miała kompleksy na punkcie wyglądu.

Winda wjechała na drugie piętro, metalowe drzwi otworzyły się bezszelestnie. Padał deszcz, woda spływała po szybach bulwiastego dachu centrum handlowego, tworząc strumienie i wodospady. Julita nie mogła zrozumieć, czemu ten budynek nosił nazwę „Złote Tarasy". Lepiej pasowałyby „Błękitne Muldy" albo „Szklana Chałka".

Julita szła wzdłuż barierki, stukając obcasami. Niżej, na piętrach ze sklepami, życie już zamierało. Sprzedawcy gasili światła, zaciągali metalowe kotary na witryny, rozeszły się już tabuny gimnazjalistek udających, że są licealistkami, i licealistek pozujących na studentki, zniknęli obładowani torbami turyści. Po drugiej stronie przeszklonego dziedzińca jarzyły się logo sieciowej siłowni i sąsiadującego z nim McDonalda; współczesne jing i jang.

Piotrek czekał w umówionym miejscu. W niebieskim garniturze w prążki, szarej koszuli i czarnym krawacie też prezentował się niczego sobie. Julita była nawet gotowa mu wybaczyć ten wąsik.

– Witam wschodzącą gwiazdę internetowego dziennikarstwa – powiedział, gnąc się w głębokim ukłonie.

– Zazdrośnik.

– Ja? Niby czemu?

– Już ja znam te twoje żarciki. – Julita wyciągnęła z torebki zaproszenia, pokazała je bileterowi. – Pochwal się lepiej, jak tam artykuł o szczoteczkach.

– Napisany. W bólach, ale napisany. Czy wiesz, że dzięki pracy w dwóch trybach, oscylacyjnym i rotacyjnym, wymienna głowica modelu XC-100 jest znacznie skuteczniejsza niż produkty konkurencji?

– Niebywałe.

– Taką informację podał producent. Z dopiskiem, że mam tę ciekawostkę zawrzeć *verbatim* w tekście.

– Nie mogę się doczekać, aż usłyszę więcej.

Minęli zamknięte kasy, przeszli do auli. Organizatorzy premiery zrobili, co mogli, żeby zamienić sieciowe kino w świątynię dziesiątej muzy: wytoczono czerwone dywany, wystawiono stoliki koktajlowe przykryte białymi obrusami, między elegancko ubranymi gośćmi przechadzali się wyprostowani jak struny kelnerzy oferujący szampana. Ale w powietrzu wciąż unosił się maślany zapach popcornu, a w wykładzinę wdeptane były gumy do żucia. Julita rozpoznała w tłumie kilku aktorów, reżysera, znaną youtuberkę. Odruchowo zaczęła się przyglądać, czy komuś coś nie prześwituje albo nie wystaje, ale po chwili otrząsnęła się, odwróciła wzrok. Nie była w pracy, nie musiała udawać, że ją to interesuje.

– Ja wcale nie żartowałem – powiedział Piotrek, wprawnym ruchem zgarniając z tacy dwa kieliszki szampana. –

No, może trochę. Ale naprawdę wydaje mi się, że jesteś na fali wznoszącej.

– Doprawdy? Bo Mackowicz powiedziała dzisiaj rano, że mój artykuł mógł napisać byle gimnazjalista.

– Ale potem dała ci te zaproszenia.

– Mhm. Bo sama nie mogła pójść. Wielkie mi wyróżnienie.

– Oj, Julita, Julita… – westchnął Piotrek, unosząc oczy do góry ku pokrytemu setkami maleńkich diod sufitowi. – Ty w ogóle nie rozumiesz biurowej polityki. Dała ci to zaproszenie na kolegium, przy wszystkich. A pięć minut wcześniej byłyście u niej w biurze. Czemu wtedy tego nie zrobiła?

– Bo zapomniała.

– Mackowicz? – prychnął Piotrek. – Proszę cię. Ona wszystko planuje tydzień do przodu. Dała ci bilety na spotkaniu, żeby wszyscy widzieli. Zostałaś namaszczona.

– Do czego niby?

– Ptaszki ćwierkają, że Adam szykuje się do odejścia – powiedział Piotrek. – Natalia usłyszała przypadkiem, jak odbiera telefon od rekrutera. Pół godziny łaził potem wokół budynku ze słuchawką przy uchu. Trzeba będzie niedługo znaleźć nowego wicenaczelnego… Albo wicenaczelną.

– To niemożliwe – powiedziała Julita, żywiąc jednocześnie głęboką nadzieję, że się myli. – Mam dwadzieścia siedem lat.

– Mackowicz miała dwadzieścia dziewięć, jak pierwszy raz została naczelną.

– Eee, to nic nie znaczy. – Szampan był kwaśny, szczypał w język. – Inne pokolenie, inne czasy. Wtedy wystarczyło mieć jakikolwiek dyplom, umieć wydukać hałdujudu, senkju werimacz i proszę, pięć tysięcy na rękę.

– Ty wiesz swoje, ja wiem swoje. – Piotrek wzruszył ramionami. – Dobra, dopijaj tego szampana i idziemy, bo ludzie już zajmują miejsca.

– Jak spróbuję to dopić, to zajmę raczej miejsce w kiblu. Czekaj, odstawię gdzieś ten kieliszek i...

– Kogo widzą moje stare oczy!

Julita odwróciła się, słysząc znajomy głos. Tweedowa marynarka, druciane okulary, zaczeska przykrywająca łysinę. Waldemar Drucker. Niegdyś wybitny dziennikarz śledczy, obecnie dzielił czas między pracę dydaktyczną i roztaczanie pesymistycznych wizji na Facebooku. A przy okazji: promotor pracy licencjackiej Julity. „Na linii frontu: etyka korespondencji wojennej na przykładzie relacji z II wojny domowej w Sudanie, 1983–2005".

– Ile to ja pani nie widziałem... – Drucker ścisnął jej dłoń, wciąż mokrą od kieliszka. – Chyba ze trzy lata, co? I jak tam, znalazła pani pracę w zawodzie?

– Znalazłam.

– Ach, moje kondolencje. Płacą pani?

– Coś tam płacą.

– No, to chociaż tyle. I co ciekawego ostatnio pani napisała?

– Wybaczcie, że się wtrącam... – zaczął Piotrek. – Ale właśnie zaczyna się seans...

– Wie pan, zakończenie zdradzone jest już w tytule, więc tak dużo nie przegapimy. Poza tym, jeśli widział pan jedną kanonizację, to jakby pan widział wszystkie.

– Piotrek, przepraszam cię... – powiedziała Julita, powstrzymując uśmiech. – Idź przodem, ja zaraz dołączę. Okej?

Piotrek nie był zachwycony, ale w końcu kiwnął głową i wszedł do sali kinowej. Drucker oparł się o stolik barowy, skinął na przechodzącego obok kelnera.

– Dobry człowieku... Macie tu jakiś przyzwoity alkohol? Na przykład jakieś wino, tylko broń Boże nie rodzimej produkcji? Barwa obojętna.

– Tak, ale wyniesiemy dopiero na poczęstunek, po projekcji...

– Zasmucił mnie pan. To bardzo odległa perspektywa. – Drucker wyjął z wewnętrznej kieszeni marynarki portfel, wyciągnął banknot pięćdziesięciozłotowy. – Czy byłby pan władny ją choć trochę skrócić?

– Ja... Zobaczę, co da się zrobić.

– Będę dozgonnie wdzięczny. Przy czym ostrzegam, że długo się pan pewnie nie nacieszy.

Kelner zniknął za barem, po chwili otwierał już butelkę.

– Ech, pani Julitko... Tyle razy mówiłem, że jeśli naprawdę chce pani wykonywać umierający zawód, to trzeba zostać bartodziejem, przynajmniej miałaby pani kontakt z naturą...

– Niestety, bartodzieje nie przyjmują na staże.

– Bo to przyzwoici ludzie. Ech... Napisała pani chociaż coś ciekawego?

– Nic. – Julita wzruszyła ramionami. – Chyba że lubi pan quizy.

– Niespecjalnie, przyznam. Miałem jednak nadzieję, że może... – Drucker zawiesił głos, podziękował skinieniem kelnerowi, który stawiał przed nimi kieliszki. – No, ale. Takie czasy. Wznieśmy toast, pani Julitko. Za śmierć prasy.

Julita wzniosła kieliszek. Nie znała się na winach, ale to jej smakowało. Było ciężkie, gęste, zostawiało przyjemny posmak w ustach.

– Ale... Mam na boku taki projekt.

– Projekt, mówi pani? O... Zamieniam się w słuch.

– Słyszał już pan profesor o śmierci Buczka? Ryszarda Buczka?

– Oczywiście. Trąbili o tym na prawo i lewo.

– No więc… Wydaje mi się, że to nie był wypadek.

– Po pierwsze, nie zaczyna się zdania od „no więc". – Drucker pogroził jej palcem. – Po drugie… Proszę powiedzieć coś więcej.

Projekcja powoli dobiegała końca: z sali kinowej dochodziła dramatyczna muzyka na tysiąc skrzypek i pięćset wiolin, przeplatana operowym zaśpiewem *saaaanto suuuubito*, zwiastująca kulminujące film wniebowstąpienie. Julita wciąż rozmawiała z Waldemarem Druckerem. Butelka wina, którą przyniósł im kelner, była pusta.

– Wszystko to brzmi bardzo ciekawie – powiedział Drucker. – I co zamierza pani zrobić dalej?

– Szczerze mówiąc… Nie miałam nawet czasu się zastanowić. Myślałam, żeby podzwonić po rodzinie Buczka, jego przyjaciołach, dowiedzieć się, czy miał ostatnio jakieś kłopoty.

W sali kinowej rozległy się oklaski. Po chwili uchyliły się drzwi i goście ruszyli tłumnie w stronę bufetu. Stoły zastawione były standardowym jedzeniem dla tego typu imprez: zimne pierogi, ciepłe sushi, święta triada soków owocowych w smukłych szklankach: jabłko, pomarańcza, grejpfrut.

– To nie jest zły pomysł. Ale… Chociaż nie, nie chcę się pani wtrącać. Na pewno ma pani dość starych dziadów, którzy wszystko wiedzą lepiej.

– Zgadza się. Ale nie zaliczam pana profesora do tego grona.

– Pani Julitko, zaczerwieniłbym się teraz, gdyby nie to, że zaczerwieniłem się już zapewne od alkoholu. Naprawdę chce pani wysłuchać, co mam do powiedzenia?

– Naprawdę.

Drucker uniósł kieliszek do ust i czekał cierpliwie, aż spłynie ostatnia kropla wina, po czym otarł usta mankietem marynarki.

– Jeśli podejrzewa pani, że to nie był zwykły wypadek, musi pani przede wszystkim się dowiedzieć, jak dokładnie do niego doszło. Policja nie będzie chciała z panią rozmawiać, nagrania z miejskiego monitoringu też pani nie dostanie... Słowem, musi pani znaleźć świadków. I to szybko, zanim zdążą zapomnieć, co właściwie widzieli.

– Hmm... Na lokalnym kanale puszczali wywiad z facetem, który był w aucie tuż za Buczkiem. Jakoś śmiesznie się nazywał...

– No, to świetnie. – Drucker się uśmiechnął. – Fortuna pani sprzyja. Do roboty.

– Ale on nie mówił nic ciekawego. – Julita przestąpiła z nogi na nogę, stopy bolały już ją od stania na obcasach. – Samochód jechał za szybko, nie zmieścił się w zakręt...

– Nie powiedział nic ciekawego, bo nikt nie zadał mu ciekawych pytań. Pani Julito... Powiedziałbym pani, co myślę o współczesnych mediach, ale po pierwsze, pani to już doskonale wie, a po drugie, nie wypada przeklinać na premierze filmu o papieżu, przecież to prawie jak msza.

Julita odruchowo obejrzała się w stronę aktora, który wcielił się w wybitnego Polaka, patrona tysiąca szkół. Właśnie pozował do selfie z przejętą fanką. Uznał za stosowne wystawić do zdjęcia język.

– W każdym razie... – ciągnął Drucker. – Jeśli traktuje pani to śledztwo na poważnie, musi pani zapomnieć o nawykach z tych pani turbonewsów i zabrać się do sprawy po staroświecku. Innymi słowy: odkleić dupę od krzesełka i ruszyć w miasto.

– Miał pan profesor nie przeklinać.

– Bez przesady, „dupa" się nie liczy. Proszę nie być świętszą od papieża, dziś naprawdę nie wypada.

– Posypuję głowę popiołem. A co do odklejania… No tak, wiem, wiem. Tylko to nie takie proste, bo w ciągu dnia jestem przykuta do biurka.

– Na pewno pani coś wymyśli – powiedział Drucker. – Ale teraz skupiłbym się na innym stojącym przed panią wyzwaniu: jak przeprosić tego młodego dżentelmena, którego wystawiła pani do wiatru. Sądząc po jego minie, nie będzie łatwo…

– Cholera, Piotrek… Zupełnie o nim zapomniałam…

– Tśśś. – Drucker wyprostował się, poprawił klapy marynarki. – Ekhem… I jak szanowny pan znalazł film?

– Faktycznie, zaskoczeń nie było – odparł Piotrek. – Może poza długością. No, ale siedziało mi się bardzo wygodnie, miałem w końcu dwa miejsca tylko dla siebie.

– Strasznie cię przepraszam. – Julita zatrzepotała rzęsami, wygięła usta w podkówkę. – Zagadaliśmy się, no i tak jakoś wyszło…

– Spokojnie, nie będę przeszkadzał. Chciałem tylko się pożegnać.

– Myślałam, że razem wracamy?

– Myślałem, że idziemy razem do kina.

– To ja może państwa zostawię – powiedział Drucker. – Pani Julitko, wszystkiego dobrego. Trzymam kciuki.

Zapadła krępująca cisza. Przy stoliku obok zaczynała się część właściwa imprezy: aktor, który wcielał się bodajże w Dziwisza albo Wyszyńskiego, wzniósł butelkę wódki nad głowę obiema rękoma, niby monstrancję, i doskonale imitując mszalną melodykę, zaintonował łamiącym się falsetem:

– Napijmyyyy sięęę... Z gwintaaa jako i z butelkiiii-
-iiii...

– Aaaamen – odpowiedział chór artystów, podsuwając kieliszki. Szybko weszli w role, musieli tę ceremonię odprawiać już wcześniej. Pewnie tradycja z planu filmowego. Julita z trudem powstrzymała pokusę, żeby wyciągnąć komórkę i nagrać całą scenę. Ale by się klikało. Ludzie nic tak nie lubią, jak się oburzać. SZOK! AKTORZY KPILI Z PAPIEŻA POLAKA [GALERIA ZDJĘĆ! TYLKO U NAS!].

– Dobra, chodźmy – powiedział Piotrek. – Późno już, a jutro trzeba do pracy.

Samochód Piotrka wyjechał z podziemnego parkingu, skręcił w Emilii Plater. Julita przetarła zaparowane okno. Na budynku Cepelii jak zwykle stał nadmuchiwany bohater z jakiegoś filmu dla dzieci: tym razem był to mierzący dobre sześć metrów różowy szop pracz w kowbojskim kapeluszu. Przypięty do dachu stalowymi linkami, wyglądał jak Guliwer spętany przez plemię Liliputów. Biurowiec za Rotundą pokrywała w całości plandeka z reklamą sieciówki z ciuchami: piękni ludzie wyrażali swój indywidualizm swetrami z jesiennej kolekcji. Sama Rotunda była zaś w remoncie. To znaczy budynek zgruzowano, a w jego miejscu stał stalowy szkielet.

Julita odwróciła wzrok od szyby. Piotrek wciąż był naburmuszony, nie odzywał się. Próbowała go przepraszać jeszcze w windzie, ale uciął rozmowę. Na suchary, którymi rzucała w nadziei na rozładowanie atmosfery, nawet nie zareagował, chociaż zasługiwały co najmniej na westchnięcie albo przewrócenie oczami („A to znasz? Która litera greckiego alfabetu najlepiej czuje się za kółkiem? To jota!"). No cóż, szkoda. Wiedziała, że pretensje może mieć tylko do siebie.

Wjechali na plac Konstytucji. Socrealistyczne posągi górników, metalurgów i murarzy prężyły muskuły w miękkim świetle sklepowych neonów. Na końcu ulicy widać było już plac Zbawiciela, dziwnie pusty bez tęczy; pod knajpami kłębił się tłum ludzi – modnie ubrani, modnie ostrzyżeni, z e-papierosami w butonierkach. Skręcili w Waryńskiego.

Julita zastanawiała się, czy wypada jej wyjąć telefon i przejrzeć e-maile. Ostatecznie uznała, że to tylko pogorszy sprawę, więc żeby zająć czymś umysł, zaczęła rozglądać się po samochodzie Piotrka. W kieszonce na drzwiach pasażera leżały płyty z audiobookami, reportaże i dziewiętnastowieczna klasyka. W popielniczce leżały zgniecione w kulkę ulotki z agencji towarzyskich i papierki po wedlowskich sezamkach.

Przejechali obok spowitego ciemnością Pola Mokotowskiego, skręcili w Biały Kamień. Wzdłuż ulicy ciągnęło się eleganckie, nowoczesne osiedle: trzypiętrowe budynki pokryte bluszczem, z przeszklonymi tarasami od strony parku. Na dole, w lokalach usługowych, były restauracje, które broń Boże nie nazywały się restauracjami, nosiły zamiast tego bardziej wyrafinowane nazwy typu „trattoria”, „bistro” czy „food store”. Wejścia do klatek były oczywiście odgrodzone metalowym płotem.

– Dotarłeś do celu. – Telefon zaanonsował syntetycznym głosem, przerywając wreszcie krępującą ciszę.

– Ty tu mieszkasz? – zapytał Piotrek, rozglądając się dookoła. – Serio?

– Mhm.

– Muszę chyba porozmawiać z Mackowicz o podwyżce.

– Słusznie. Za ten tekst o szczoteczkach ci się należy.

Piotrek nic nie odpowiedział. Żadnego uśmiechu, nawet nie spojrzał w jej stronę. Julita zapięła płaszcz po szyję, położyła torbę na kolanach.

– Słuchaj... Naprawdę mi przykro, że... Rozumiesz. Wyszło, jak wyszło.

– No, wyszło słabo.

– Przepraszam. Po prostu... Strasznie mi zależy na sprawie Buczka, a Drucker to wybitny dziennikarz, ma doświadczenie, kontakty, był gotów mi pomóc, no i... zagadałam się.

– Na trzy godziny? Błagam... Przynajmniej nie wciskaj mi teraz kitu. Wzięłaś mnie ze sobą, bo nikt inny nie chciał, i jak tylko zobaczyłaś jakiegoś znajomego, zostawiłaś mnie na pastwę papieża. Czy chociaż przez chwilę pomyślałaś, że... – Piotrek urwał w połowie zdania. – Dobra, wiesz co, naprawdę jest późno. Idź już do tego swojego penthouse'u. Słodkich snów.

Julita skinęła głową, otworzyła drzwi... po czym położyła dłoń na policzku Piotrka, przyciągnęła go do siebie, pocałowała. Miał spocony kark, gorące, spierzchnięte usta, łaskotał wąsem.

Odsunął się od niej delikatnym, ale zdecydowanym ruchem. Julita czuła, jak pieką ją policzki.

– Ojej – powiedział Piotrek. – Tośmy się nie zrozumieli.

– Słucham? O czym ty mówisz?

Piotrek otworzył usta, jakby chciał coś powiedzieć, ale w końcu machnął tylko ręką.

– No co?

– Julita... Pogadamy jutro, dobra? Ale... No, jak na aspirującą dziennikarkę śledczą to jesteś mało spostrzegawcza.

– Mhm. Wielkie dzięki.

Julita trzasnęła drzwiami i ruszyła w stronę domu, wściekle stukając obcasami. Wpisała kod do domofonu, otworzyła furtkę na podwórko, czy raczej „patio", jak nalegała administracja budynku, i weszła na wyłożoną marmurem klatkę. Dopiero w windzie ochłonęła na tyle, żeby zastanowić się nad tym, co powiedział Piotrek.

Kiedy wracał z wakacji, nie wrzucał zdjęć na Facebooka, nie mówił, jak było. Nigdy nie przyszedł na firmową imprezę z dziewczyną, ale świetnie tańczył. Kiedy odbierał telefon, zawsze wychodził na korytarz, rozmawiał szeptem. Jako jedyny facet w biurze nie gapił się Natalii w dekolt. Julita pokręciła głową. No tak, faktycznie się nie zrozumieli. Spojrzała oskarżycielsko w lustro, na czerwone policzki, rozmazany makijaż. Idiotka.

Przekręciła klucz w zamku, otworzyła drzwi. Salon zalany był niebieskim światłem telewizora. Jej siostra, Magda, siedziała rozparta na skórzanej kanapie, przykryta kocem. Nogi trzymała na fotelu, rękę na szklance z drinkiem. Jedna trzecia ciemnego rumu, jedna trzecia coli zero i jedna trzecia lodu, a do tego plasterek limonki.

– Jak randka? – spytała Magda, nie odwracając wzroku od ekranu.

– Świetnie. – Julita zrzuciła buty, założyła wełniane kapcie. Kamienna posadzka była lodowata. – Jesteśmy sobie przeznaczeni. Jutro rano dzwonię rezerwować kościół. Waham się jeszcze tylko, czy Święta Anna, czy jednak sakramentki.

– Aż tak źle?

– Mhm. – Otworzyła lodówkę. Jej półka jak zwykle świeciła pustkami. Mając do wyboru kostkę masła, marchewki, które zdążyły przymarznąć do tylnej ścianki, i otwarty pięć dni temu jogurt, postanowiła pójść spać bez kolacji.

– Chcesz o tym pogadać?

– Nie, nie, nie. Boże, nie. – Julita się wzdrygnęła. – Idę spać. Pa.

– Czekaj, czekaj. Jest jeszcze jedna sprawa.

– No?

– Znów zostawiłaś naczynia w zlewie.

Julita westchnęła. Teraz? Naprawdę?

– Przepraszam – powiedziała, tak grzecznie i pokornie, jak tylko potrafiła. – Śpieszyłam się na tę premierę.

– Dwie minuty by cię zbawiły?

Julita dobrze znała to pytanie. Działało na nią jak płachta na byka.

– Serio? Będziesz mi wyjeżdżała z tekstami matki?

Magda zatrzymała film, wstała z kanapy. Miała na sobie poplamione spodnie z szarego dresu i elegancką koszulę w granatowe prążki, w uszach pobłyskiwały kolczyki z pereł. Wyglądała jak jakaś postać rodem z greckiego mitu: pół kura domowa, pół korpożmija.

– A tak, właśnie że będę. Tak długo, jak mieszkasz pod moim dachem.

– Płacę ci za pokój.

– Tak, i to, co się w nim dzieje, nic mnie nie obchodzi, chcesz, to sobie tam hoduj pieczarki. Ale kuchnia to co innego. Wiesz, o której wróciłam dziś do domu? O dwudziestej pierwszej. I przypalony garnek w zlewie to była ostatnia rzecz, jaką miałam ochotę oglądać.

– To jaka będzie kara? Dasz mi szlaban? Wstrzymasz kieszonkowe? Czy mam pójść do kąta i przemyśleć swoje postępowanie?

– Byłoby miło, ale nie robię sobie specjalnych nadziei. – Magda dosypała lodu do szklanki, nalała rumu. – Po prostu nie zostawiaj po sobie pierdolnika. Okej?

– Okej.

– No. To słodkich snów.

Julita minęła sypialnie dzieci (po lewej mieszkała Saszka, lat siedem, po prawej Wojtuś, lat cztery), pokój zabaw, pracownię, wreszcie weszła do łazienki. Mimo że mieszkała u siostry już ponad pół roku, wciąż nie mogła zapamiętać, który przełącznik jest do którego światła, wciskała je więc do skutku: wpierw zapaliła listwę przy jacuzzi, potem halogeny wokół deszczownicy, wreszcie lampkę przy lustrze. Zmyła makijaż i zaczęła szorować zęby: zwykłą szczoteczką, bez trybu rotacyjnego i oscylacyjnego. Wypluła pastę różową od krwi.

Weszła do swojego pokoju: miał być gościnny, stał się docelowy. Rozkładana kanapa, biurko z Ikei, szafa wnękowa, na ścianach oprawione w hebanowe ramki zdjęcia z wyprawy do Afryki. Magda z zebrą. Magda z hipopotamem. Magda z Masajami w kraciastych strojach.

Julita zgasiła światło i leżała bez ruchu, próbując zasnąć. Sprężyny wbijały jej się w plecy, w głowie szumiało. Znalazła po omacku telefon i zaczęła przewijać wpisy na Facebooku.

Julita powiesiła płaszcz na oparciu fotela, odpaliła komputer. Wpisała hasło – „zukowo1990" – i cierpliwie czekała, aż załaduje się system operacyjny. Wreszcie zobaczyła swoją tapetę i porozrzucane po całym pulpicie ikony. TEKSTY_ GOTOWE, STARE_NIEWAŻNE, WORK_IN_PROGRESS. Kliknęła prawym przyciskiem, założyła nowy folder. BUCZEK.

Postępując za radą Druckera, zaczęła od świadka. Szybko znalazła w sieci nagranie, na którym opisuje wypadek. Facet około trzydziestki. Ciemne włosy zaczesane na bok, dwudniowy zarost, nos z odciskami po okularach, musztarda w kąciku ust. Całe szczęście, pasek na dole ekranu podawał imię i nazwisko. Julita wpisała je do wyszukiwarki: Leon Nowiński.

„Około 387 wyników", zakomunikował Google. Na pierwszym miejscu wyskoczyła strona historyczna ze spisem powstańców styczniowych („Leon Nowiński, poległ w bitwie pod Niegorzewem, 1863"), na drugim archiwa ogłoszeń z „Dziennika Łódzkiego" („Leon Nowiński, fabryka chemiczna, wyrabia: smary techniczne, preparaty do farbiarni. Piotrkowska 128, Telefon 747").

Trzeci wynik: profil zawodowy na LinkedIn. *Klik*. Na zdjęciu ten sam facet co w klipie, tylko ogolony i uśmiechnięty. Kwalifikacje: grafiki 2D, 3D, projektowanie stron WWW. Stanowisko: grafik kreatywny w Diet-Pol, Spółka z o.o. Nazwa firmy brzmiała dziwnie, trochę jak imię kambodżańskiego zbrodniarza wojennego, ale po kliknięciu w link okazało się, że to rodzimy producent dietetycznych produktów spożywczych: soki warzywne, ciastka z amarantusa i tym podobne. Adres: Jagiellońska 68, Warszawa. Poniżej telefon. Bingo.

No, nie wiem. – Michał skrzywił się. Jego okulary odbijały światło monitora.

– Miało być młodzieżowo. – Leon bronił się jeszcze, choć wiedział, że sprawa jest przegrana. Dobrze znał ten ton. Plik „sok_v22_final.psd", wbrew nadziejom odzwierciedlonym w nazwie, doczeka się jeszcze kilku iteracji. Nieświadomy swego losu, ludzik-beczka kiszonej kapusty wciąż uśmiechał się szeroko, podnosząc do góry kciuk.

– No właśnie. A czy dzieciaki jeżdżą teraz na deskorolkach? Raczej na hulajnogach, albo tych, no, deskach z motorkami...

– Hoverboardach?

– Właśnie.

– Okej. Czyli chcesz beczkę kiszonej kapusty na hover-
boardzie?

– Nie no, Leon, to był tylko przykład. – Michał wyprostował się, poprawił krawat zaplątany w smycz z kar-
tą magnetyczną. – W końcu to ty jesteś artystą. Nie chcę
ci dyktować, co masz robić, tylko pomóc w odnalezieniu
właściwej wizji. Musisz mieć poczucie ownershipu tego
projektu.

Leon musiał zamknąć oczy, żeby nie było widać, jak
nimi przewraca. Michał był niedawno na szkoleniu
„Management 3.0". Niestety, bardzo wziął je sobie do
serca.

– To co powiesz na beczkę na kiju do pogo? – zapytał.

– Ciekawy kierunek. Wiesz, umówmy się tak, że…

Otworzyły się drzwi do pokoju. Stanęła w nich Ilona,
sekretarka. Miała grube szkła i cienkie włosy.

– Leon, telefon do ciebie.

– Hm? A kto dzwoni?

– Dziennikarka. W sprawie tego wypadku.

– Powiedz, że mnie nie ma.

– Powiedziałam. Zadzwoniła minutę później.

– Idź, Leon. – Michał poklepał go po ramieniu. – Poczekam.

Leon nie miał ochoty na rozmowę o wypadku. Ale na
rozmowę o beczce na pogo miał jeszcze mniejszą. Przynajmniej odwlecze ją o kilka minut. Podszedł do biurka
Ilony, podniósł słuchawkę.

– Halo?

– Pan Leon Nowiński? – Usłyszał kobiecy głos. Ładny.

– Zgadza się.

– Fantastycznie. Nazywam się Julita Wójcicka, jestem dziennikarką portalu Meganewsy.pl. Dzwonię w sprawie wypadku Ryszarda Buczka.

Nazwisko dziewczyny brzmiało znajomo. Leon przypomniał sobie tekst, który pokazał mu Ignacy. Wielkie czerwone litery, wykrzykniki, zdjęcia potrzaskanego wraku.

– Mhm. Czytałem pani artykuł.

– O? No widzi pan, chcę pociągnąć ten temat dalej...

– Bo? Jeszcze nie znalazła pani dna?

Chwila ciszy, trzaski w słuchawce.

– Proszę pana, zdaję sobie sprawę, że mój tekst był napisany językiem sensacyjnym, ale zaręczam, że mam poważne intencje, aby...

– Sensacyjnym? – spytał Leon. – No, ja bym wybrał inny przymiotnik.

– Rozumiem. Szanuję pana opinię.

– W takim razie proszę do mnie więcej nie dzwonić. Nie mam najmniejszego zamiaru z panią rozmawiać. Czy wyraziłem się jasno?

– Proszę zaczekać. Mam podstawy, by podejrzewać, że...

– Żegnam. – Leon zakończył rozmowę.

Bip, bip, bip. Julita odłożyła telefon, zaklęła pod nosem. Wybrała numer jeszcze raz. Nikt nie odbierał. Spróbowała z innej komórki. Słysząc jej głos, sekretarka w Diet-Polu trzasnęła słuchawką. No nic, może uda się znaleźć kogoś bardziej skłonnego do rozmowy. Na innym klipie z wypadku widziała zaparkowany na poboczu miejski autobus. Można by sprawdzić numer boczny, zadzwonić do ZTM-u, dowiedzieć się, kto siedział wtedy za kierownicą.

Julita odszukała film z autobusem, zaczęła przewijać nagranie. W tle zobaczyła znajomą twarz: Nowiński. Z komórką przy uchu, oparty o żółtą skodę octavię. Jego prywatny samochód. Julita utkwiła wzrok w zatrzymanym kadrze, chwilę biła się z myślami, a potem wstała od komputera i zablokowała klawiaturę.

Czas odkleić dupę od krzesełka.

= 3 =

W końcu jednak stanęło na beczce na wrotkach. Leon Nowiński wprowadził ostatnie zmiany do pliku „sok_v22_final_poprawki_2.psd", następnie przesłał go do drukarni. Jutro z samego rana ruszą prasy, wypluwając tysiące kolorowych etykiet. Ignacy finalizował plan kampanii reklamowej. Ludzik-beczka z grzywką z kapusty będzie się nazywał Don Kiszon, a jego wizerunek, opatrzony hasłem „Kisi mnie to!", zawiśnie na sponsorowanych przez Diet-Pol skate parkach w dawnych miastach wojewódzkich: Siedlcach, Koninie, Zamościu. O Warszawę czy Kraków nawet się nie bili, wiedzieli, że nie wygrają z międzynarodowymi koncernami.

Leon nie był przekonany do nazwy Don Kiszon: gra słów była oczywiście zabawna, ale co ich produkt miał wspólnego z Hiszpanią? Trudno sobie wyobrazić napój mniej pasujący do Półwyspu Iberyjskiego niż sok z kiszonej kapusty. No, ale nie miał zamiaru kłócić się o to z Michałem. To byłaby walka z wiatrakami.

Wsiadł do samochodu. Robiło się już ciemno, mżyło. Wjeżdżając na Jagiellońską, włączył wycieraczki. Nagle przed jego samochód wyskoczyła dziewczyna. Mokre włosy, rozpięty płaszcz, przerażone oczy.

– Oż kurwa… – Leon sapnął, wciskając hamulec w podłogę. Zapiszczały opony, pusta puszka przeturlała się po wycieraczce, pas bezpieczeństwa wcisnął go w oparcie. Auto się zatrzymało. Leon opadł na fotel, zlany potem. I wściekły. Włączył światła awaryjne, otworzył drzwi.

– Posrało cię, kretynko?! – wrzasnął. – Jeszcze metr i bym cię rozjechał, do cholery! Daleko było do pasów?! Ja pierdolę...

– Strasznie pana przepraszam. – Dziewczyna przełykała łzy, trzymała się kurczowo za brzuch. – Ja... Musiałam jakoś pana zatrzymać... Potrzebuję pomocy.

– Po... pomocy? – Leon był zdezorientowany. Przejeżdżający obok samochód ochlapał go wodą.

– Ja... – Głos uwiązł jej w gardle, rwał się. – Wyrostek... Mam atak... Muszę natychmiast jechać do szpitala, ale sto dwanaście ciągle zajęte... Nie mam kogo poprosić...

– Rozumiem... Rozumiem... Oczywiście. Niech pani wsiada.

Leon złapał kobietę pod łokieć, pomógł jej wsiąść do auta. Miała dreszcze. Zapiął jej pasy, dbając o to, żeby nie naciskały na brzuch, delikatnie zamknął drzwi. Potem usiadł za kółkiem, wrzucił jedynkę i wjechał na jezdnię, wymuszając pierwszeństwo.

– Do którego szpitala mam jechać? – zapytał, przekrzykując klakson.

– Na Batalionu Platerówek. Aj...

– Platerówek? Gdzie to?

– Niedaleko. – Dziewczyna oparła twarz o chłodną szybę, która parowała od jej nierównego oddechu. – Po... Poprowadzę pana. Uch. Prosto, do ronda... Na rondzie trzeba zawrócić...

Leon zjechał na pas do skrętu, wpychając się między dostawczego Lublina a bmw z przyciemnianymi szybami. Po chwili był już na rondzie, przejechał kilka metrów przed dzwoniącym wściekle tramwajem i zrobił pełen obrót.

– Gdzie teraz? – spytał, zmieniając bieg. Spocona dłoń ślizgała się po dźwigni.

– Prosto... Aj... Aż...

– Wszystko w porządku?

– Tak. Prosto, aż miniemy centrum handlowe...

Za oknem przewijały się niezgrabne, klocowate budynki: bure bloki, dwupiętrowy biurowiec z trójkątną nadbudówką z niebieskiej blachy, magazyny pokryte odłażącym tynkiem. A dalej: blaszane hale pomalowane w szare i pomarańczowe pasy z podświetlonymi reklamami sklepów na dachu.

– To tu... W prawo... – mówiła dziewczyna, biorąc głębokie oddechy między słowami. – Ostry dyżur jest na końcu... Aaach...

Leon skręcił w ulicę Platerówek. Jechali dziurawym asfaltem, potem po kostce brukowej; dziewczyna przygryzała wargi z bólu na każdym wyboju. Po obu stronach drogi ciągnęły się puste parkingi.

– To... Gdzie ten szpital?

– Tam... Za skrzyżowaniem...

Leon przejechał jeszcze dwadzieścia metrów, po czym zatrzymał samochód. Nie miał innego wyjścia: ulica była ślepa, kończyła się spiętą zardzewiałym łańcuchem bramą. Stał tu tylko jeden budynek, przed którym parkowały tiry na białoruskich rejestracjach. Napis nad wejściem głosił: SKŁAD STALI NIERDZEWNEJ.

– Chyba... – Leon rozglądał się dookoła. – Chyba jednak gdzieś źle skręciliśmy?

– Nie, nie. Jesteśmy na miejscu. – Dziewczyna wyprostowała się w fotelu, cudownie ozdrowiała. – Mieliśmy już przyjemność rozmawiać przez telefon, ale pozwoli pan, że się przedstawię raz jeszcze: Julita Wójcicka, Meganewsy.pl.

– Ale... Wyrostek?

– Wycięli mi, jak miałam trzynaście lat. Przepraszam, że tak pana naciągnęłam, ale...

– Nie wierzę. No nie wierzę! Porąbało cię?!

– Jeszcze raz: przepraszam pana, że...

– Przestań mi z tym panem, wariatko! – Leon się zagotował. – Wysiadaj z auta! Ale już!

– Oczywiście. Ale wpierw chciałabym zadać panu...

Leon nie słuchał. Wrzucił wsteczny, zaczął wykręcać. Ale samochód nagle wierzgnął, stanął, zgasł. Julita zaciągnęła ręczny.

– No nie... To już jest szczyt... – Zawiesił głos, na próżno szukając odpowiedniego rzeczownika. – No, szczyt po prostu! Dzwonię na policję!

– I co pan powie? „Mam w aucie narwaną dziewczynę, nie chce wysiąść"?

Leon opadł na fotel, zrezygnowany i naburmuszony.

– Niech mnie pan posłucha – mówiła powoli, spokojnie. – Zadam panu parę pytań i obiecuję, że więcej już pan...

– A co, czytelnicy proszą o więcej? Mało im? Chcieliby więcej szczegółów? Co Buczek miał złamane, a co urwane? Ja pierdolę... Jak tak można? Zginął człowiek!

– Tak, zginął. I właśnie dlatego to jest ważne. Chcę ustalić, co się właściwie stało.

– Jak to co? Policja wydała oświadczenie: miał wypadek.

– Jest pan pewien? – Julita spojrzała mu w oczy. – W stu procentach pewien?

Leon nie odpowiedział. Kołysany wiatrem łańcuch dzwonił o bramę, rosnące na poboczu drogi topole gubiły liście.

– Porozmawiajmy w jakimś spokojnym miejscu – przerwała ciszę Julita. – Zajmę tylko parę minut, obiecuję.

Leon długo siedział bez słowa, nie patrzył na nią. Wreszcie odpalił silnik.

Na Pelcowiźnie nie ma wielu knajp: stołówki pracownicze w suterenach, gdzie z głośników leci disco polo, a schabowy jest większy od talerza, blaszane budy z kuchnią orientalną tajsko-wietnamsko-chińsko-japońską, serwujące też kebab i frytki, albo zadymione dziuple reklamujące się hasłami „obiady jak u mamy", których klientela musiała mieć traumatyzujące dzieciństwo.

Leon zajechał pod najmniej odrzucający ze wszystkich okolicznych lokali, ormiańską restaurację Sawan. Wpadał tu czasami na lunch z Ignacym i tylko raz bolał go potem brzuch, co na tle lokalnej konkurencji stanowiło mocną rekomendację. Wystrój był urokliwie brzydki. Na pokrytych boazerią ścianach wisiały wyszyte arabeskami dywany, czy raczej ich zdjęcia, wydrukowane na matowym papierze. Pod sufitem jakiś naśladowca Nikifora wymalował pnące się winorośle, w żyrandolu wypaliła się połowa żarówek, z kuchni niosła się woń starego tłuszczu i smażonej cebuli. Leon i Julita usiedli przy stoliku w kącie, na ławach wyłożonych poduszkami. Kelnerka przyniosła menu, zamówili po kawie. Poza nimi w lokalu było jeszcze tylko paru chłopaków w czarnych bluzach z kapturami.

– Mogłaś po prostu poczekać na mnie przed biurem – burknął Leon, wciąż wściekły. – A nie od razu odpierdalać taki cyrk.

– Mogłam. Ale tak z ręką na sercu, czy wtedy by pan…

– Mówiłem, przestań już z tym panem.

– Jak wolisz. – Julita skinęła głową. – No więc, z ręką na sercu: czy gdybym przedstawiła się na parkingu, zgodziłbyś się ze mną porozmawiać?

– Nie – przyznał niechętnie Leon. – Spuściłbym cię po drucie.

– No właśnie. Tak brzmiałeś. Wiedziałam, że potrzebuję chwili, żeby cię przekonać, więc postanowiłam podejść do problemu kreatywnie. Płaczącej kobiecie każdy pomoże, wiedziałam, że wpuścisz mnie do auta…

– A ulica Platerówek?

– Ślepy zaułek, brukowana ulica… Jak się tam już wjedzie, ciężko wyjechać. A to dodatkowe parę minut, żeby cię urobić.

– A przyszło ci do głowy, że, no nie wiem, mogłaś trafić na wariata? Że kto wie, co zrobi, jak już cię wywiezie na to zadupie?

– Pewnie, że przyszło. – Julita wyciągnęła z torebki spray z gazem pieprzowym. – Dlatego wzięłam to. Strzeżonego Pan Bóg strzeże.

– Matko… Każda dziennikarka ma coś takiego na wyposażeniu?

– Na pewno te, które mieszkały kiedyś na Pradze. Byłeś kiedyś po północy na Brzeskiej?

– Nie.

– To dobrze.

Kelnerka przyniosła ich kawy: zaparzone w tygielku, gęste, pachnące kardamonem. Nosiła tak długie tipsy, że miała problem z wyjęciem łyżeczek z wiklinowego koszyczka: palce ześlizgiwały się z metalu, jak łapki w automacie do wyławiania pluszaków w nadmorskim kurorcie.

– To jak… – Julita wrzuciła kostkę cukru do filiżanki. – Gotowy?

– Powiedzmy.

– Miałbyś coś przeciwko, gdybym nagrała naszą rozmowę?

– Nie.

– Świetnie. – Julita położyła na stole dyktafon. – To zacznijmy może od początku.

– Okej… – Leon wziął głęboki oddech. – Tego dnia zaspałem, a musiałem być w pracy punktualnie, miałem spotkanie o… Zresztą nieważne. Wjechałem na S8 w stronę Targówka…

Leon snuł opowieść, chłopcy w czarnych bluzach sączyli piwa, kelnerka siedziała przy stoliku w kącie i składała serwetki. Dyktafon migał czerwoną lampką, odmierzając upływający czas.

– …no i wtedy Buczek zaczął trąbić i mrugać światłami, żebym zjechał, ale nie miałem gdzie, bo obok…

– Czekaj, czekaj, zatrzymajmy się na chwilę. Widziałeś, żeby ktoś jechał za nim?

– W sensie, że go gonił?

– Mhm.

– Nie.

– A może on kogoś śledził? I wkurzył się, że mu odciąłeś drogę?

– Czekaj, niech się zastanowię. – Leon uniósł wzrok w górę, na spękany sufit. – Nie, nikt przede mną nie jechał. Zjazd był pusty.

– No dobrze. I co było dalej?

– Buczek zaczął przyśpieszać, prawie mnie staranował. Kierowca autobusu zatrzymał się, żeby zrobić mi miejsce. Zjechałem Buczkowi z drogi… A on walnął w barierkę i przeleciał na drugą stronę. Ot, cała historia.

– Pomyśl o tym ostatnim momencie. Czy wydarzyło się coś dziwnego, coś podejrzanego?

Leon odstawił filiżankę na wyszczerbiony spodek.

– A skąd założenie, że tak było?

Julita pochyliła się nad stolikiem, oparła o blat.

– Bo zgodziłeś się ze mną porozmawiać dopiero, kiedy zasugerowałam, że to nie był zwykły wypadek. Czyli musiałeś coś zauważyć. Coś, co nie daje ci spokoju.

– Po prostu szukasz sensacji.

– Szukam prawdy. Jeśli będzie sensacyjna, to tym lepiej.

Leon potarł twarz, utkwił wzrok w kiczowatym pejzażu z górą Ararat. Julita siedziała bez ruchu, nawet nie mrugała. Wiedziała, że teraz waży się, czy ta cała rozmowa gdzieś ją zaprowadzi. Nie chciała go spłoszyć.

– Widziałem go w lusterku. Krzyczał coś.

– Okej… Jak to wyglądało?

– Z początku wydawało mi się, że się na mnie drze, jak jeden kierowca na drugiego. „Z drogi, kretynie!”, „Na bok, baranie!”, no wiesz.

– Mhm.

– Ale potem, po wypadku, kiedy mogłem ułożyć sobie to wszystko na spokojnie w głowie…

– Tak?

Leon się zawahał, umilkł. Chłopcy w czarnych bluzach wyszli z knajpy, zadzwonił zawieszony nad wejściem dzwoneczek.

– On… On płakał.

Wiesława Maczek przyłożyła skalpel do dolnej krawędzi mostka, przejechała ostrzem w dół, w stronę pępka. Sina skóra rozeszła się na boki, jak kurtka rozpięta suwakiem.

Buchnęło smrodem zgnilizny i trawionego alkoholu. Stojący obok stołu sekcyjnego prokurator Cezary Bobrzycki zmarszczył nos, odkaszlnął.

– Może przerwa, panie Czarku? – Jej głos był zniekształcony przez naciągniętą na usta maseczkę chirurgiczną.

– Nie trzeba. Proszę kontynuować.

Wiesława Maczek znała prokuratora Bobrzyckiego dobre piętnaście lat. Poznali się właśnie w prosektorium, tyle że było wtedy jeszcze niewyremontowane, a prokurator Bobrzycki był studentem Bobrzyckim. Nie żeby się specjalnie od tego czasu zmienił: już wówczas chodził w dwurzędowych marynarkach, ze skórzaną aktówką pod pachą i w rogowych okularach, już wtedy miał zakola i się garbił.

Młody Bobrzycki źle znosił sekcje. Kiedy tylko trup wjeżdżał na stół, natychmiast oblewał go pot, robił się zielony. Wiesława Maczek była przekonana, że chłopak się wykruszy, zmieni specjalizację, zostanie notariuszem albo radcą. Ale nie: Cezary się zawziął. Nie odpuścił ani jednej autopsji, stawał przy samym stole, notował każde jej słowo. Aż się przyzwyczaił. Rok później obronił dyplom na piątkę, zrobił aplikację i rozpoczął pracę w Prokuraturze Rejonowej Warszawa-Praga Północ.

Wiesława Maczek nie pytała o okoliczności śmierci denata. Nie musiała. Znała ten typ aż za dobrze: fioletowy dres, koszulka, bezrękawnik, tatuaż obwieszczający całemu światu, że pamięta. I liczne płytkie rany kłute. Takie, jakie zadaje kuchenny nóż trzymany przez kobiecą dłoń.

– Może tym razem napiszę, że zszedł na zawał?

– Pani Wiesiu...

– Wie pan przecież, że sobie czymś zasłużył.

– Pani pozwoli, że to rozstrzygnie sąd.

– Widzę, że pana wiara w wymiar sprawiedliwości wciąż niezachwiana?

Prokurator Bobrzycki nie odpowiedział. Wiesława Maczek zamieniła skalpel na podkładkę i ołówek, notowała: otwarty żołądek, wylana treść żołądkowa. Przecięte aorta brzuszna, okrężnica, trzustka.

– A właśnie, miałam panu powiedzieć – powiedziała lekarka, nie przestając pisać. – Wróciły z analizy te próbki z sekcji Buczka, materiał spod paznokci.

– I?

– Skrawki barwionej cielęcej skóry, takiej, jakiej używa się do tapicerki. I wióry ABS.

– ABS?

– Jakiś plastik. Pan poczeka, mam tu gdzieś zapisane. – Wiesława Maczek przekartkowała notatki. – Kopolimer akrylonitrylo-botadi... Nie, buta... butadieno-styrenowy. Technik mówił, że odlewa się z tego elementy deski rozdzielczej, kierownicy i tym podobne.

– Czyli co... – Bobrzycki odkaszlnął. – Drapał swój samochód? Do krwi?

– Na to wygląda.

– Ciekawe.

– I co pan z tym teraz zrobi?

– Nic. Śledztwo będzie umorzone.

Wiesława Maczek odłożyła podkładkę na stolik, przewracając pusty kubek po herbacie.

– Jak to? Przecież widać, że...

– Pani Wiesławo. – Bobrzycki wszedł jej w słowo. – Pytała pani, jak tam z moją wiarą w wymiar sprawiedliwości. Niech to pani posłuży za odpowiedź.

Doktor nauk medycznych Wiesława Maczek długo patrzyła prokuratorowi w oczy. Wreszcie skinęła głową i wróciła do pracy.

Julita jeszcze jakiś czas ciągnęła rozmowę (czy Leon był w stu procentach pewien, że Buczek płakał? Tak, był. Czy widział, żeby z kimś rozmawiał przez telefon? Nie, trzymał obie ręce na kierownicy, ale nie można wykluczyć, że aktor mógł mieć zestaw głośnomówiący), ale czuła, że więcej rewelacji już tego wieczora nie wydobędzie. Wreszcie dała znać kelnerce, żeby przyniosła rachunek. Ta wróciła chwilę później, z ręcznie wypisaną karteczką włożoną w koszyczek z miętówkami.

– Ja płacę. – Julita sięgnęła po portfel. – Słuchaj, bardzo ci dziękuję i jeszcze raz przepraszam, że… no wiesz. Trochę wymusiłam tę rozmowę.

– Trochę?

– No dobrze, nie trochę.

– Mhm. Często odwalacie takie akcje?

– Co? Nie, nie, co ty.

– Zabawne. Przysiągłbym, że masz w tym wprawę – powiedział Leon, owijając szalik wokół szyi. – Byłaś bardzo przekonująca.

– Dziękuję… Chyba. – Uśmiechnęła się, zarumieniła lekko. Ładny widok. – Kumple ze szkoły zawsze mówili, że mam talent do wkręcania ludzi.

– Bo?

– No wiesz, jak trzeba było wmówić pani w monopolowym, że jednak mamy osiemnaście lat, albo zagadać nauczycielkę tak, żeby zapomniała o zapowiedzianej klasówce, to jakoś zawsze padało na mnie…

– Aha. To już wiem, czemu to ciebie na mnie nasłali.

– Sama się zgłosiłam. Poza tym... To co innego. Działałam w słusznej sprawie.

– No, to się dopiero okaże, jak wrzucisz swój tekst. Sorry, ale... Nie mam zaufania do tych twoich Meganewsów.

– I słusznie. To straszna szmata.

Leon zamrugał, zdziwiony.

– Co, myślałeś, że nie zdaję sobie z tego sprawy? Że mi się wydaje, że to polski „New York Times"?

– To czemu tam pracujesz?

– A ty czemu rysujesz etykiety dla Diet-Polu? – spytała Julita, przekrzywiając lekko głowę. – Bo o tym właśnie marzyłeś, jak szedłeś na ASP?

– *Touché.*

– Naprawdę próbuję ustalić, co się stało z Buczkiem. – Julita przytrzymała mu drzwi; wyszli na ulicę. – Nie zrobię z tego kolejnej historii w stylu „Kurz złamał mi rękę" albo „Odebrał żelazko zamiast telefonu". Okej?

– Mhm. Okej.

– Dobra, muszę się zbierać. Dzięki jeszcze raz... I obiecuję, że nie będę cię już więcej nękać. Pa.

Leon odprowadził ją wzrokiem. Patrzył, jak przebiega na migającym zielonym, wpada zdyszana do tramwaju, szuka drobnych na bilet.

Miał nadzieję, że nie dotrzyma słowa.

Ryszard Buczek siedzi na kanapie. Ma na sobie lnianą koszulę bez kołnierza, jasne dżinsy, bose stopy schowane są w puszystym dywanie. Obok siedzi żona, Barbara, w sukience w grochy, włosy spięte w kok. Na jej kolanach leży zwinięty w kłębek perski kot. Za oknem wiosna: słońce, soczysta zieleń liści, bezchmurne niebo. Julita sprawdziła datę. Maj 2018. Ostatni wywiad Buczka przed śmiercią.

RAUT: Jesteś zadowolony z życia?

BUCZEK: *W stu procentach. Niczego bym nie cofnął, chociaż jak każdy popełniłem trochę błędów.*

RAUT: Żałujesz ich?

BUCZEK: *Absolutnie nie. Staram się patrzeć do przodu, nie wracać do przeszłości. Co było, minęło. Trzeba umieć się ułożyć ze sobą, ze światem. Nauczyć się wybaczać. Jeśli mam jakichś wrogów, to o nich nie wiem. I wybaczam im, bo sam nie mam w sobie takich negatywnych uczuć. To toksyczne. Zła energia do ciebie wraca.*

RAUT: Zawsze taki byłeś?

BUCZEK: *Pewnie, że nie. Do tego trzeba dojść, ale na własnych błędach. Nie poznasz samego siebie, patrząc na cudze życie.*

Julita przewróciła oczami. Co za pierdolenie! Trzy strony bełkotu, truizmów, tautologii i ezoteryki dla ubogich. To już wpisy, które robiły sobie nawzajem z koleżankami do pamiętniczków, w zeszytach z chłopcami z boysbandów na okładce, miały w sobie więcej sensu. Kto to czyta?

Schowała twarz w dłoniach, potarła skronie. To był czternasty wywiad z Buczkiem, który przeczytała. Jedyne, czego się z nich wszystkich dowiedziała, to że przedkłada herbaty zielone nad czarne, lubi jeździć na nartach i nie zna się na komputerach, więc jak znajomi czegoś od niego chcą, to piszą na adres syna. Innymi słowy, nie dowiedziała się niczego.

– Julita? – Głos Mackowicz wyrwał ją z zamyślenia. Stała przy jej biurku, ramiona skrzyżowane na piersi, bransoletka ze srebrnymi wisiorkami na wysokości jej oczu.

– Tak?

– Podejdziesz do mnie?

– Pewnie.

Ruszyła za szefową. Mackowicz przepuściła ją w drzwiach, usiadła za biurkiem. Zwykle rozwalona w obrotowym fotelu, z nogami na biurku albo komputerze, teraz była prosta jak struna. Niedobrze.

– Myślałam, że miałyśmy umowę. Prowadzisz to swoje śledztwo, ale we własnym zakresie. A tu, w biurze, produkujesz teksty. Tymczasem wczoraj wyszłaś o piętnastej, z jednym zielonym artykułem na koncie. Dziś nic nie wrzuciłaś, a dochodzi czternasta.

– Zaraz skończę artykuł o tej lasce ze *Zbuntowanych*. Pokazała się wczoraj na imprezie ubrana tylko w...

– Wiem. Natalia zrobiła galerię. Godzinę temu.

Mackowicz westchnęła, oparła się o blat.

– Mam nadzieję, że rozumiesz, co chcę ci przekazać. To jest ostrzeżenie. Nie chciałabym, żeby nasza następna rozmowa odbywała się w obecności HR-u.

Julita poczuła, jak skacze jej ciśnienie, robi się sucho w ustach.

– Pewnie. Ja też nie.

– No, to świetnie.

Julita już podnosiła się z krzesła, ale Mackowicz usadziła ją kolejnym pytaniem.

– Masz przynajmniej jakieś wyniki?

– Słucham?

– No, w sprawie Buczka. Dowiedziałaś się czegoś?

Julita poprawiła się w krześle, nagle niewygodnym.

– Udało mi się dotrzeć do świadka. Wiesz, tego faceta z telewizji. Nazywa się Leon Nowiński.

– Powiedział ci coś ciekawego?

– Mhm. Na sekundę przed wypadkiem Buczek płakał. Miał ponoć czerwone oczy, mokre policzki...

– O? – Mackowicz opadła na fotel, odginając oparcie do tyłu, założyła nogę na nogę. Zagrożenie minęło. – I co o tym myślisz?

– Że wygląda mi to na samobójstwo. Facet jedzie grubo ponad sto na godzinę, ryczy, nawet nie próbuje skręcać… Przejrzałam jego wywiady z ostatniego roku, szukałam jakiejś informacji, że ma doła, problemy z dzieckiem albo się rozwodzi… Ale nic nie znalazłam. Czyta się to jak zbiór cytatów Paulo Coelho.

– Ślepa uliczka. – Mackowicz podrapała się za uchem. – On pewnie nawet nie udzielił tych odpowiedzi.

– Nie? To kto?

– Jego agencja pijarowa. Nie wiedziałaś tego? Serio? Może jeszcze mi powiesz, że myślałaś, że tam na zdjęciu to naprawdę był jego salon?

– A kot Baśki? Wzięli go z wypożyczalni?

– Kota wkleili w Photoshopie. Gdyby czekali, aż jej zaśnie na kolanach przy błyskającym fleszu, to ta sesja do dziś by się nie skończyła.

Mackowicz spojrzała na monitor, który wyświetlał główną stronę Meganewsów. Paleta kolorów nie napawała optymizmem. Dużo niebieskiego, trochę zieleni. Czerwonych linków nie było.

– Napisz o tym.

– O kocie z Photoshopa?

– Nie. O rewelacjach twojego świadka.

Julita długo milczała. Ważyła słowa.

– Nie mogę tego zrobić. Jeszcze za wcześnie. Muszę podzwonić po rodzinie Buczka, jego przyjaciołach, popytać, co się z nim ostatnio działo…

– Zrób to, będzie na następny tekst. Ale najpierw chcę materiał o tych łzach.

– Ale…

– Żadnych „ale". – Mackowicz weszła jej w słowo. – Wiesz kiedy jest pogrzeb Buczka?

– Dziś o trzeciej. Natalia mówiła, że będzie pisać relację.

– No właśnie. Czyli temat jest gorący, będzie się dobrze klikać. Spodziewam się artykułu do końca dnia. Jeśli go nie dostanę, przekażę temat komu innemu. Może Piotrkowi? Sama mówiłaś, że skoro zajmował się wypadkiem na początku, powinien pociągnąć sprawę.

– Nie zrobiłabyś tego…

– Na twoim miejscu wzięłabym się do pracy. Czas leci.

Leon Nowiński pociągnął nosem. Zapach parafiny, chryzantem, przypalanego plastiku. Uśmiechnął się do wspomnień corocznych wycieczek na Bródno na Wszystkich Świętych. Tłum w autobusie, plastikowe siatki ze zniczami pobrzękującymi na zakrętach. Potem przeciskanie się przez tłum babć w kożuchach śmierdzących naftaliną, stragany z obwarzankami i pańską skórką, naprzeciw kościoła Cygan grający na skrzypcach, w wytartym futerale połyskują miedziane monety. Pomagał nieść matce ciężką torbę: w środku ciepła woda z detergentem, dwie rolki papierowych ręczników, owinięte w aluminiową folię kanapki i termos z herbatą słodzoną konfiturą. Przypadkowe spotkania z krewnymi, których nie kojarzył, rozmowy o dziadkach, poszukiwanie zapałek, które jakoś zawsze były nie w tej kieszeni co trzeba. W końcu, zmęczeni i zmarznięci, ale z poczuciem dobrze wykonanego obowiązku, jechali do domu, w którym czekała gorąca zupa. Potem, kiedy już dorósł i wyprowadził się na swoje, rzadko wracał na Bródno. Nie czuł takiej potrzeby, cmentarz go przygnębiał. Oczywiście, robił wyjątki dla pogrzebów. Tak jak dziś.

Leon szedł wzdłuż ceglanego muru na Świętego Wincentego. Po drugiej stronie, przed zakładami kamieniarskimi, pyszniły się wypolerowane na błysk nagrobki reklamowe: z chińskiego granitu, tureckiego marmuru i swojskiego piaskowca, formy tradycyjne, z płaczącymi aniołkami i zafrapowanym Jezusem, albo nowoczesne: fotografie grawerowane laserem na gładkiej tafli, złote litery. Coś na każdy portfel i na każdy gust.

Przy bramie zebrał się już spory tłum. Czarne płaszcze, smutne miny, wypowiadane szeptem powitania. Leon rozpoznał kilka twarzy: aktorów, których widział w którymś serialu, ale nie pamiętał którym, jakieś szychy z telewizji, znana piosenkarka. Między żałobnikami przewijali się też fotoreporterzy, mignął mu gdzieś nawet kamerzysta.

Co ja tu, do cholery, robię, pomyślał Leon, skubiąc nerwowo łodygi lilii z bukietu. Nie miał żadnego związku z Ryszardem Buczkiem: poza tym, że był ostatnią osobą, która widziała go żywego. Mimo to czuł potrzebę, żeby tu dziś być, żeby złożyć kwiaty na grobie. Może dlatego, że nękały go irracjonalne wyrzuty sumienia: wtedy, na zjeździe, sklął go na czym świat stoi, w końcu myślał, że za kółkiem siedzi jakiś bogaty dupek, który rozpycha się na drodze. Może dlatego, że czuł, że jest mu coś winny. Może dlatego, że te łzy nie dawały mu spokoju.

Kościół był już pełen, Leon stanął więc na placu przed wejściem. Trzymał się z tyłu, nie wiadomo czemu zestresowany, jakby ktoś mógł w każdej chwili podejść i go zdemaskować, wyprosić z imprezy, na którą wkręcił się bez zaproszenia. Rzecz jasna, nikt nie zwracał na niego uwagi, choć w oczywisty sposób odstawał od żałobników ze świata show-biznesu: był najgorzej ubrany, nikogo nie znał.

– W imię Ojca i Syna, i Ducha Świętego. – Z głośników rozległ się natchniony głos księdza. – Zebraliśmy się tu, aby pożegnać naszego brata, Ryszarda Buczka, którego tragiczna śmierć wypełniła smutkiem serca rodziny i licznych przyjaciół...

Obok Leona stanął mężczyzna w szarym płaszczu. Chudy, ogolony na jeża, z tunelami w uszach i fragmentem tatuażu wystającym spod kołnierza. Nie miał bukietu ani wieńca. Mimo że go nie znał, Leon skinął mu lekko głową. Mężczyzna nie zwrócił na niego uwagi.

POGRZEB RYSZARDA BUCZKA. RELACJA Z UROCZYSTOŚCI W MEGANEWSACH!

Wciśnij F5, aby odświeżyć.

14:30 Ryszard Buczek, znany dzieciom jako spełniający najskrytsze marzenia „Pan Migdał", zginął trzy dni temu w TRAGICZNYM WYPADKU [ZOBACZ ZDJĘCIA]. Dziś rodzina żegna go na warszawskim Bródnie.

14:40 Barbara Lipiecka-Buczek: To był szok, jakiego nie potrafię opisać. Jeszcze rano jedliśmy razem śniadanie... Kiedy usłyszałam, że doszło do wypadku, liczyłam, że to jakaś pomyłka... Niestety. To naprawdę był Rysiu.

15:00 Msza żałobna rozpoczęła się. Na pogrzebie pojawili się aktorzy, z którymi pracował przy serialu *Na bakier* i współpracownicy z TVP.

15:10 Internauci OBURZENI wpisem aktorki Jowity Krakowskiej! Chciała pożegnać kolegę z planu filmowego, ale zaliczyła WTOPĘ, wrzucając TO zdjęcie. Czy Krakowska rzeczywiście wykazała się brakiem wyczucia? Zobaczcie sami! [LINK]

15:25 Przynosił uśmiech do życia zarówno dzieci, jak i dorosłych, był promykiem szczęścia, który rozświetlał szarzyznę codzienności – wspomina ojciec Jarosław Kłos, ksiądz odprawiający mszę. Żona aktora jest wyraźnie wzruszona.

15:27 Kościelny ołtarz jest pięknie udekorowany [GALERIA ZDJĘĆ].

15:32 Obdarzony niezwykłym poczuciem humoru, wielkim sercem. Uczestnik niezliczonych akcji charytatywnych: w szpitalach, domach dziecka, domach samotnej matki – mówi Radosław Chochla, podsekretarz stanu w Ministerstwie Kultury i Dziedzictwa Narodowego.

15:38 Każdej kobiecie życzyłabym takiego męża jak Ryszard. Każdemu mężczyźnie takiego przyjaciela. Każdemu dziecku takiego ojca – wspominającej małżonka Barbarze Lipieckiej-Buczek łamie się głos.

15:45 Trumna z ciałem Ryszarda Buczka jest wynoszona z kościoła. Żałobnicy ruszają w stronę miejsca pochówku.

Leon patrzył, jak ubrani w czarne garnitury i białe rękawiczki grabarze ostrożnie układają trumnę z tyłu meleksa. Nie mógł się nie uśmiechnąć. Malutki, elektryczny samochodzik z okrągłymi reflektorkami jakoś nie pasował do roli karawanu pogrzebowego: to tak, jakby mszę odprawiał ministrant albo na grobie zamiast wieńców kładziono miniaturowe kaktusy w kolorowych doniczkach. Ruszyli spod kościoła Świętego Wincentego. Leon lubił ten budynek. Niewielki, drewniany, bez witraży, słowem: skromny. Mocno kontrastował z innymi warszawskimi świątyniami: były to albo ociekające złotem barokowe torty, albo pokraczne, kanciaste kosmodromy z betonu i stali.

Kroczący na czele pochodu ksiądz zaintonował psalm 130, *Bóg Miłosierny daje odkupienie*. Część żałobników próbowała dołączyć się do śpiewu, mamrocząc pod nosem niby znajomy, ale jednak zapomniany tekst, inni nawet nie udawali: parę osób miało przy uszach telefony, ktoś palił papierosa.

Dotarli na miejsce: w brunatnym gruncie ziała dziura. Grabarze sprawnie opuścili trumnę na linach, Barbara Lipiecka-Buczek rzuciła pierwszą garść ziemi na wieko. Potem w ruch poszły łopaty, grób przykryto kamienną płytą. Żałobnicy składali wieńce, przekazywali kondolencje rodzinie. Wkrótce grób zniknął z oczu, zasypany kwiatami. Zgasła lampa przy kamerze, zakończyła się relacja, tłum zaczął się przerzedzać.

Leon złożył swój bukiet jako jeden z ostatnich. Mimo że od dobrych dziesięciu lat nie był w kościele, odruchowo się przeżegnał. W repertuarze ateisty nie było podobnego gestu. Kiedy szedł już w stronę alejki, roztrącając na bok mokre liście i osmalone przykrywki od zniczy, zauważył, że do grobu Buczka podszedł wytatuowany mężczyzna, który stał obok niego w trakcie mszy. Trwał chwilę bez ruchu: ze spuszczoną głową, z rękoma w kieszeniach. A potem splunął.

– Hej! – krzyknął Leon. – Hej, ty tam! Co ty sobie myślisz?!

Mężczyzna odwrócił się w jego stronę. Zaciśnięte usta, ściągnięte brwi, mokre oczy. Odwrócił się na pięcie, zaczął iść szybkim krokiem.

– Hej! Zatrzymaj się!

Mężczyzna nie zareagował. Leon zaczął biec, roztrącając na bok ludzi: rodzinę z dziećmi, babcię niosącą wyschnięty stroik na śmietnik, starszego mężczyznę, który szorował brudny nagrobek ryżową szczotką. Mokry od mydlin marmur na podmurówce był śliski jak lód, Leon poślizgnął się i stracił równowagę; musiał złapać się drzewa, żeby nie wywinąć orła. Kiedy podniósł głowę, mężczyzny nigdzie nie było widać. Zniknął w tłumie.

In my self-righteous suicide, I cry when angels deserve to DIEEEE! – ryczał Serj Tankian w słuchawkach. Julita siedziała przy biurku, z palcami na klawiaturze, nieobecny wzrok utkwiony w ekranie komputera. Obok, we wściekle czerwonym kubku, stygła kawa.

Ding! Powiadomienie komunikatora przebiło się przez gitarowe riffy. Julita spojrzała w róg pulpitu. Komiksowy dymek informował, że ktoś chce rozpocząć czat. Ciężkie westchnięcie, dwa kliknięcia, otworzyło się nowe okno.

>[15:50:23] Piotr.Miasek: Wszystko okej?

Julita spojrzała w stronę Piotrka. Pomachał, uśmiechnął się, choć nieco niezręcznie. Od czasu wspólnego wyjścia na premierę, niesławnej „randki", nie rozmawiali ze sobą. To jest, burczeli do siebie „cześć" i „pa", ale przestali wyciągać się nawzajem na papierosa, podsyłać sobie zabawne linki i robić do siebie miny w trakcie kolegium. Weszli w spiralę nabzdyczenia: on się na nią obraził, bo zostawiła go samego w kinie, ona na niego, bo nie przyjął jej przeprosin, więc się do niego nie odzywała, na co on zareagował fochem, który tylko spotęgował jej urazę i tak dalej, i tak dalej.

>[15:50:56] Julita.Wojcicka: Nie.
>[15:51:02] Piotr.Miasek: Ojej ;(Co się stało?!
>[15:51:10] Julita.Wojcicka: Mackowicz wezwała mnie do siebie do biura. I usiadła prosto.
>[15:51:11] Piotr.Miasek: Niedobrze.
>[15:51:15] Julita.Wojcicka: Nom.
>[15:51:18] Piotr.Miasek: I co dalej?

Julita zawahała się. Ale ufała Piotrkowi. Wiedziała, że może być z nim szczera.

>[15:51:34] Julita.Wojcicka: Weszła w tryb zimnej suczy i mnie zjebała.
>[15:51:47] Piotr.Miasek: O_o
>[15:51:48] Piotr.Miasek: Ale za co? Nikt nie robi tyle klików co ty!
>[15:52:10] Julita.Wojcicka: Mhm. Ale wczoraj wrzuciłam tylko jeden tekst, a dziś żadnego.
>[15:52:16] Piotr.Miasek: Aha, bo zajmowałaś się Buczkiem?
>[15:52:45] Julita.Wojcicka: Ta. Kazała mi opublikować to, co zebrałam do tej pory.
>[15:52:51] Julita.Wojcicka: Świadek powiedział, że Buczek przed wypadkiem ryczał.

Piotrek spojrzał w jej stronę, zrobił wielkie oczy i rozdziawił usta w niemym okrzyku. Julita uśmiechnęła się pod nosem.

>[15:53:14] Piotr.Miasek: :OOOOO Kurde, grubo! To co,
samobójstwo?

>[15:53:30] Julita.Wojcicka: Tak mi się wydaje.

>[15:53:44] Julita.Wojcicka: No i spoko, ja chcę o tym
napisać...

>[15:53:54] Julita.Wojcicka: Ale błagam, nie teraz! Jak wrzucę
dzisiaj ten tekst do sieci, NIKT z jego rodziny i przyjaciół nie
będzie chciał ze mną rozmawiać. Będę totalnie spalona.

>[15:54:04] Piotr.Miasek: Może znów zrobisz jakąś ściemę
i wpakujesz się komuś do samochodu ∧-∧

Julita skrzywiła się; palce zatańczyły po klawiaturze.

>[15:54:14] Julita.Wojcicka: Widzę, że ploteczki szybko się
rozchodzą...

>[15:54:33] Piotr.Miasek: Trzeba było nie mówić Natalii, he he

>[15:54:45] Piotr.Miasek: A tak na poważnie, to gratuluję. Ja nie
miałbym takich jaj :) To w ogóle było legalne?!

>[15:55:01] Julita.Wojcicka: Mmm... Nie bardzo. Całe szczęście,
jak się pracuje w takiej szmacie jak Meganewsy, nie trzeba
specjalnie przejmować się reputacją ;D

>[15:55:03] Piotr.Miasek: Amen

>[15:55:14] Piotr.Miasek: To... Co teraz zrobisz?

>[15:55:49] Julita.Wojcicka: Nie bardzo mam wybór. Mackowicz
powiedziała, że jeśli nie oddam tekstu do końca dnia,
zabierze mi temat. No i groziła mi spotkaniem z HR.
Pewnie nie w sprawie premii :)

>[15:56:00] Piotr.Miasek: Serio? Wow, ostro...

>[15:56:33] Julita.Wojcicka: No, ostro. Wiesz, nieźle się na niej
przejechałam. Znaczy wiedziałam, że ma swoje jazdy,
chodziły plotki

Julita obejrzała się za siebie, żeby upewnić się, że nikt jej nie patrzy przez ramię. Oczywiście, nikogo nie obchodziło, co robi, wszyscy byli zajęci swoimi sprawami.

>[15:56:44] Julita.Wojcicka: Ale miałam nadzieję, że będzie dla mnie mentorką, wiesz, że zależy jej na mnie, na moim rozwoju, a nie tylko na jebanych odsłonach, jak Adamowi.

>[15:56:59] Julita.Wojcicka: Ale widzisz, koniec końców okazała się zwykłą korpopizdą.

>[15:57:09] Piotr.Miasek: Kurde, strasznie mi przykro :///

>[15:57:15] Julita.Wojcicka: Nie no, spoko, żadna tragedia. Jak masz współczuć jakiemuś dziennikarzowi, to znajdź sobie kogoś w Rosji ;)

>[15:57:29] Julita.Wojcicka: Dzięki za wsparcie, Piotrek. Jesteś słodki :*

Aj, niedobrze, pomyślała, wklepując pośpiesznie sprostowanie.

>[15:57:39] Julita.Wojcicka: Żeby nie było – jako kumpel!!! :D

>[15:57:40] Piotr.Miasek: :-D

>[15:57:54] Julita.Wojcicka: Dobra, muszę spadać. Bo wiesz, jak nie wrzucę tekstu o Buczku za półtorej godziny, to mogę już jutro nie przychodzić :)

>[15:58:04] Piotr.Miasek: Pewnie, rozumiem. To trzymaj się – i powodzenia!

>[15:58:05] Piotr.Miasek: <3 <3 <3

Julita posłała mu całusa, po czym wzięła się do roboty. Po wylaniu żalów pisało się już lekko.

BUCZEK PŁAKAŁ PRZED ŚMIERCIĄ!
Sensacja! Wedle zeznań świadka, Ryszard Buczek († 53 l.) w momencie WYPADKU płakał! Co doprowadziło go do ŁEZ?!

PRZECZYTASZ TYLKO U NAS!!!
Julita Wójcicka

Ryszard Buczek († 53 l.) kilka dni temu zginął w MAKABRYCZNYM wypadku drogowym: prowadzony przez niego samochód przeleciał przez barierki i spadł z dużej wysokości, ROZTRZASKUJĄC SIĘ O ASFALT [UWAGA! DRASTYCZNE ZDJĘCIA!].

Wedle zeznań naszego świadka, w momencie śmierci Ryszard Buczek BYŁ ZALANY ŁZAMI I KRZYCZAŁ. Co mogło doprowadzić popularnego aktora do takiego stanu?

Wedle policji, Buczek stracił panowanie nad samochodem z powodu zbyt wysokiej prędkości. W świetle ostatnich wydarzeń musimy jednak zadać pytanie – CZY TO BYŁO SAMOBÓJSTWO?! Nasz świadek twierdzi, że Buczek NIE PRÓBOWAŁ NAWET SKRĘCAĆ. Czyżby więc znany aktor postanowił TARGNĄĆ SIĘ na własne życie?

W kolorowych czasopismach Buczek sprawia wrażenie człowieka szczęśliwego i spełnionego. Ale czy to cała prawda? Czy ukochany Pan Migdał ukrywał przed nami swój smutek? Dziennikarskie śledztwo trwa! Jeśli macie informacje, które mogą pomóc, piszcie koniecznie na: info@meganewsy.pl!

Prokurator Cezary Bobrzycki był prenumeratorem „Tygodnika Powszechnego" i magazynu „Książki", w spokojniejsze weekendy czytywał „Liberté!", a w dłuższą podróż zabierał nowy „Przekrój"; lekturę zaczynał od absurdalnych rymowanek na ostatniej stronie. Internetu używał do trzech rzeczy: prowadzenia korespondencji, sprawdzania rozkładu pociągów i dyskutowania na forum o squashu, gdzie jako jedyny użytkownik zamiast pseudonimu używał pełnego imienia i nazwiska, pisał, używając polskich znaków diakrytycznych, i nigdy nie przeklinał. Spytany o ulubioną osobę z życia publicznego, wymieniłby zapewne Grzegorza Turnaua albo księdza Bonieckiego. Spytany o ulubionego celebrytę, zmarszczyłby tylko pogardliwie nos.

Innymi słowy, prokurator Cezary Bobrzycki nie należał do targetu portalu Meganewsy.pl. Ale artykuł Julity Wójcickiej przeczytał z wielkim zainteresowaniem. A następnie wydrukował go, włożył kartkę do tekturowej teczki, po czym schował do najniższej szuflady w biurku.

= 4 =

od: Ilona Więckowska <ilona.wieckowska@poczta.onet.pl>
do: info@meganewsy.pl
data: 19 października 2018 11:12
temat: Oburzona

Drodzy Państwo,
pizzę z pytaniem do autorki tekstu „Buczek płakał przed
śmiercią" – czy pani straciła rozum i nie zdaje sobie
sprawy, co robi, czy jest taka podła, że już pani wszystko
jedno? Wie pani, jak się czuje człowiek, kiedy traci kogoś
bliskiego? Wie pani, jaki to ból? Najwyraźniej nie, bo na
grobie pana Ryszarda jeszcze palą się znicze, a pani robi
z tego cyrk! Pomyślała pani, jak się poczuje jego żona,
kiedy usłyszy o pani „rewelacjach"? Albo jego syn? Wydaje
pani się, że jak człowiek jest sławny, to nie ma prawa do
prywatności ani świętego spokoju? Do godnej żałoby?

Pani „artykuł" to nie jest dziennikarstwo. To zarabianie na
cudzym nieszczęściu i zwykłe draństwo. Niech pani spojrzy
czasem w lustro i zada sobie pytanie – jakby pani się czuła,
gdyby to panią tak potraktowano? Gdyby w najcięższym,
najczarniejszym momencie pani życia ktoś rozdrapywał
pani rany dla kilku złotych?

Życzę, żeby pani nigdy się o tym nie przekonała.
Z wyrazami szacunku,
Mgr Ilona Więckowska

Julita nie miała pojęcia, kim jest magister Ilona Więckowska. Brzmiała jak emerytowana nauczycielka albo urzędniczka średniego szczebla. Wyobraziła ją sobie w małym mieszkanku: meblościanka zastawiona książkami i bibelotami z porcelany, kryształowy wazon ze sztucznymi kwiatami, na ścianie reprodukcja Chełmońskiego i kalendarz ze zdjęciem uśmiechniętego wnuczka. Siedzi przy biurku i stuka w klawiaturę z nawykiem kogoś, kto długie lata używał maszyny do pisania: używając tylko dwóch palców, za mocno uderzając w klawisze. Obok, na kanapie, śpi stary kot, a za oknem dzwonią tramwaje.

Julita dostawała takie e-maile już wcześniej. Zwykle były napisane koślawym językiem, niezdarne, wulgarne. Łatwo je było obśmiać: wyszydzić formę, zignorować treść. Ale listu od magister Ilony Więckowskiej nie dało się tak łatwo rozbroić. Był szczery, mądry. Dotknął ją. Julita czuła potrzebę, żeby odpisać, jakoś się wytłumaczyć. Że to nie ona decyduje o tym, jakim językiem napisany jest tekst, że to nie od niej zależy, kiedy zostanie puszczony. Że wolałaby prowadzić tę sprawę inaczej, spokojniej, nie wrzeszcząc ciągle wykrzyknikami, ale nie ma wyboru. Chciała też spytać: skoro tak panią oburza tabloidowe dziennikarstwo, to jak pani wylądowała na naszej stronie? Przez przypadek? Bo jednak lubi pani czasem poczytać ploteczki? Czy może chciała się pani oburzyć? W końcu jednak nie odpowiedziała. Po trosze dlatego, że argumenty, które mogłaby przytoczyć na swoją obronę, nie przekonywały nawet jej samej. A po trosze dlatego, że w skrzynce info@meganewsy.pl było jeszcze trzysta piętnaście nieprzeczytanych wiadomości, a dochodziła już jedenasta.

Zgodnie z przewidywaniami Mackowicz artykuł o Buczku chwycił. Internauci czytali, komentowali, głosowali, wciskając strzałki w górę albo w dół, nade wszystko zaś klikali, rozgrzewając heatmapę portalu do czerwoności. Wielu odpowiedziało na apel, by słać listy do redakcji. Większość e-maili zawierała rzecz jasna obelgi, pełne błędów ortograficznych propozycje seksualne albo donosy o innych, znacznie ważniejszych aferach, w których pierwsze skrzypce grali najczęściej masoni, Żydzi, komuniści albo wszyscy naraz. Niektóre, tak jak list od magister Ilony Więckowskiej, wyrażały oburzenie i gniew. Te, które obiecywały informacje na temat Ryszarda Buczka, były rzadkie i średnio interesujące, jak wiadomość od niejakiego Mateusza Kota.

od: Mateusz Kot <thebesciakooo3@wp.pl>
do: info@meganewsy.pl
data: 19 października 2018 09:12
temat: Ryszard Buczek – informacja!!!

Witam,
Mam informację na temat Ryszarda Buczka. W zeszłym
roku w Międzyzdrojach wpadłem na niego w barze przy
deptaku. Wypił dwa piwa i zamawiał trzecie. Czyli na mój
rozum chyba alkoholik. Mam zdjęcie zrobione komórkom.
Jak mi zapłacicie tysiąc złotych to wyślę.
Mateusz Kot

Julita westchnęła. Ryszard Buczek rok temu pił piwo, no naprawdę, przełomowy materiał, to rzuca zupełnie nowe światło na wypadek, już ślemy pieniądze. Kretyn. Opierając głowę na ręku, znudzona i sfrustrowana, Julita kliknęła w guzik „następna wiadomość". Czytała nagłówek, patrząc na ekran spod półprzymkniętych powiek. Nagle się wyprostowała, o mało nie wywracając kubka z kawą.

od: Anna Kowalska <anna.m.k.kowalska87@gmail.com>
do: info@meganewsy.pl
data: 19 października 2018 08:12
temat: Byłam kochanką Buczka

Przejdę od razu do rzeczy. Byłam kochanką Ryszarda Buczka. Poznaliśmy się pięć lat temu, w studiu nagraniowym, gdzie pracowałam jako technik dźwiękowy przy realizacji dubbingu do filmu *Tu Lata Tata Wombata*. Buczek podkładał głos pod jedną z postaci. Był zabawny, coś między nami zaiskrzyło. Po nagraniach zaprosił mnie na kolację. Reszty możesz się domyślić.

Dzień przed wypadkiem żona Ryszarda dowiedziała się o naszym związku. Podobno ktoś nas widział razem na mieście i powiedział Barbarze, a Ryszard się do wszystkiego przyznał. Barbara była wściekła, zapowiedziała, że złoży pozew o rozwód. Ryszard mówił, że mieli podpisaną taką intercyzę, że zostanie bez grosza. Był załamany. Mieliśmy się spotkać następnego dnia i porozmawiać, co dalej – ale rano Ryszard wysłał SMS-a, że odwołuje spotkanie, nie odbierał telefonów. Chwilę później miał wypadek. Trudno uwierzyć, że to przypadek. Moim zdaniem Ryszard rzeczywiście popełnił samobójstwo.

W załączniku przesyłam plik z materiałami, które uwierzytelnią moją historię – nasze wspólne zdjęcia, SMS-y i tak dalej. Proszę się z nimi zapoznać. Czekam na kontakt.

Z pozdrowieniami,
Anna Kowalska

O, cholera… – szepnęła Julita, pośpiesznie klikając w załącznik, plik o nazwie „dowod.kowalska.doc". Kursor zamienił się w kółeczko, pokazało się okno z paskiem ładowania, który przesuwał się w żółwim tempie z lewej do prawej… Aż nagle się zatrzymał i na ekran wyskoczył komunikat z błędem.

Plik jest uszkodzony i nie może zostać odczytany.

– Nie, nie, nie… – wymamrotała Julita i kliknęła raz jeszcze. To samo. – Cholera… Szlag by to trafił…

Julita wstała od biurka i pobiegła do pokoju chłopaków z IT. Pracowało ich w Meganewsach dwóch: Staszek i Olek. Staszek był niski, grubawy i nosił włosy na jeża. Interesował się dwiema rzeczami: komputerami i piłką nożną, a konkretnie Legią Warszawa. Nosił bluzy Legii, koszulki Legii, skarpetki Legii i spodnie Legii, o szaliku nie wspominając. Podejrzenia Julity, że jego majtki również zdobiła dumna litera „L" wpisana w okrąg, potwierdziły się, kiedy któregoś dnia kucał pod jej biurkiem, żeby poprawić jakieś kabelki, wypięty w pozie na hydraulika. Jako że Julita nie była komputerem, ani tym bardziej drużyną piłkarską, ich stosunki nie były najlepsze. Olek wyglądał z kolei jak australijski surfer: splątane blond loki, rozpięta lniana koszula odsłaniająca opaloną klatę, naszyjnik z drewnianych koralików i sportowy zegarek. To jego Julita prosiła zwykle o pomoc. Częściej niż wymagał tego jej komputer.

Niestety, w pokoju był tylko Staszek, oglądał akurat powtórki z wczorajszego meczu, zagryzając kanapką z kiełbasą. Usłyszawszy, że Julita ma niecierpiącą zwłoki sprawę, zatrzymał nagranie, skrupulatnie zawinął niedojedzoną bułkę w folię, uprzątnął okruszki z blatu, otarł usta i zablokował klawiaturę. Potem wstał, przeciągnął się i ruszył za Julitą, skrzypiąc podeszwami sportowych butów.

– No? – powiedział, kiedy już byli przy komputerze.

– Patrz, dostałam taki plik. Klikam... I o, wyskakuje takie okienko.

– Aha. No i?

– No i czemu nie mogę go otworzyć?

– Pisze przecież. – Staszek wskazał palcem okienko. – Plik jest uszkodzony.

Julita policzyła w myślach do dziesięciu, po czym zapytała, trzepocząc rzęsami:

– A możesz go naprawić?

Staszek pochylił się nad biurkiem, rozsiewając woń świadczącą o tym, że brał na wiarę zapewnienia o czterdziestoośmiogodzinnym czasie działania dezodorantów, kliknął parę razy myszką, otworzył jakieś dziwne okna, wpisał komendy, z których nic nie rozumiała, coś przekleił, coś skasował.

– Nie – powiedział wreszcie. – Nie da się.

– No to co ja mam zrobić?

– Napisz, żeby przysłali ci ten plik raz jeszcze, tylko na przykład w innym formacie. Albo wrzucili na chmurę.

– Na chmurę? Jaką znowu chmurę?

Staszek posłał jej spojrzenie tak pełne pogardy, że aż skurczyła się w sobie.

– Po prostu tak napisz – powiedział, po czym podreptał do swojego pokoju.

Julita myślała desperacko nad jakąś ciętą ripostą, dzięki której to ona wyjdzie z tego starcia górą, ale nic nie przyszło jej do głowy. Uznając swoją porażkę, usiadła do komputera i postąpiła zgodnie z radą Staszka: napisała do Anny Kowalskiej z prośbą o ponowne wysłanie pliku. Ucieszyła się, kiedy dosłownie minutę później dostała odpowiedź. Ale radość nie trwała długo.

od: Mail Delivery Subsystem <mailer-daemon@googlemail.
 com>
do: info@meganewsy.pl
data: 19 października 2018 11:29
temat: Re: Re: Byłam kochanką Buczka (e-mail
 niedostarczony)

Nie znaleziono adresu.
Wiadomość nie została dostarczona, ponieważ nie znaleziono
 adresu odbiorcy (anna.m.k.kowalska87@gmail.com) lub
 odbiorca nie może odebrać wiadomości.
Diagnostic-Code: smtp; 550-5.1.1 The email account that you
 tried to reach does not exist.

„Księżna Kate odwiedziła sierociniec. Wzruszające zdjęcia!", „Anna Lewandowska wrzuca zdjęcie BEZ SPODNI!", „Nie uwierzysz, ile kosztuje nowy płaszcz Kendall Jenner!!!" – Julita pobiła swój rekord, publikując trzy teksty w niecałą godzinę. Owszem, były krótkie, głupie i pełne literówek, ale to nie miało większego znaczenia: klikały się, zazieleniły. Wyrobiła dzięki nim dzienne minimum i mogła wrócić do sprawy Buczka.

Na zapytanie „Anna Kowalska" Google zwróciło grubo ponad dwieście tysięcy wyników. Ale za to zawężenie wyszukiwania do „Anna Kowalska" i „technik dźwięku" dało ich już tylko trzydzieści, głównie listy płac z różnych filmów. Ale Anna Kowalska figurowała tam jako kostiumografka, i to w tytułach sprzed dwudziestu lat, co nie pasowało do roku urodzin zawartego w nazwie konta, z którego wysłano list – musiało więc chodzić o inną osobę. Julita spróbowała ugryźć sprawę od drugiej strony i wyszukała informacje na temat wspomnianego w liście filmu, *Tu Lata Tata Wombata*. Polskie udźwiękowienie przygotowało studio Dziesiąta Muza – które ogłosiło upadłość dwa lata temu. Ich strona była już wyłączona, telefony głuche. Julita przejrzała artykuły o Buczku z ostatnich kilku lat – może gdzieś pojawiły się plotki o kochance, może na którymś zdjęciu znalazł się w towarzystwie jakiejś młodej dziewczyny? Nie, kolejny ślepy zaułek, na czerwonym dywanie występuje jedynie z żoną: oboje uśmiechnięci, zadbani, doskonale ubrani.

Co się właściwie stało? Jak to możliwe, że konto, z którego wczoraj dostała list, dzisiaj już nie istnieje? Staszek nie palił się do pomocy. Wybąkał tylko, że może jest jakiś problem z konfiguracją serwera, co absolutnie nic jej nie mówiło, albo konto zostało w międzyczasie skasowane. Ale czemu tajemnicza Anna Kowalska miałaby to zrobić? Poniewczasie uznała, że nie powinna była kontaktować się z Meganewsami, postanowiła zatrzeć ślady, odciąć się? Mało prawdopodobne. Taki drastyczny krok nie był potrzebny, przecież wystarczyło nie odpowiadać na ich listy. Więc może ktoś ją do tego zmusił, chciał ją w ten sposób uciszyć?

Z jednej strony, Julita była sfrustrowana – mimo że spędziła dwie godziny na szperaniu w sieci, niczego tak naprawdę nie znalazła, waliła ciągle głową w ścianę. Z drugiej, była podekscytowana, czuła, że rzeczywiście jest na tropie jakiejś afery, że nie wymyśliła sobie tej sprawy. Wiedziała, że to jest jej szansa, żeby napisać Artykuł przez wielkie „A", tekst, który będzie przepustką do Poważnej Gazety. Nie mogła zmarnować tej okazji, nie mogła odpuścić.

Zrobiła listę osób, które mogłyby wiedzieć coś więcej na temat Kowalskiej: rodzina Buczka, przyjaciele, aktorzy z seriali, w których grywał, współpracownicy z TVP, którzy robili z nim Niebieskie Migdały. Telefony do części z nich można było po prostu znaleźć w internecie – na ich profilach na Facebooku, LinkedInie, Twitterze. Pozostałe dostała od znajomych z branży: dziennikarzy brukowców, blogerów, pomniejszych gwiazdek. Blisko sto nazwisk.

Julita zakładała już kurtkę, żeby wyjść przed biuro i podzwonić, kiedy zaczepił ją wicenaczelny.

– Gdzie idziesz?

– Na papierosa – odparła Julita, owijając się szalikiem. Po ostatniej rozmowie z Mackowicz uznała, że im mniej będzie mówiła o swoim małym dochodzeniu, tym lepiej.

– Aha. Miałabyś coś przeciwko, gdybym się dołączył?

– To ty palisz?

– Tylko biernie.

Julita uniosła brew. Wicenaczelny i żarty? Coś jej tu nie pasowało.

– Dobra. To będę dmuchać w twoją stronę.

– Ha, ha! – Adam zaśmiał się jak android, który desperacko próbuje przekonać wszystkich dookoła, że też jest człowiekiem z krwi i kości, tak, tak. – No to chodź.

Ruszyli razem w stronę wyjścia, Adam przepuścił ją w drzwiach, gnąc się w szarmanckim ukłonie. Ich głosy niosły się po klatce schodowej, zniekształcone echem, zagłuszone stukaniem obcasów. Komputer Julity, wciąż włączony, szumiał cicho, pozornie bezczynny. Nagle kursor drgnął, mimo że nikt nie dotykał myszki. Biała strzałeczka przesunęła się o milimetr, może dwa w prawo, a potem znów zastygła bez ruchu.

Robiło się ciemno, siąpił deszcz. Po drugiej stronie ulicy facet w eleganckim płaszczu narzuconym na dres ciągnął na smyczy otyłego labradora, prowadząc z kimś jednocześnie ożywioną rozmowę przez telefon. Pies dokładnie obwąchiwał skrawek zwiędłej trawy, nie zwracając uwagi na to, że przejeżdżające obok samochody ochlapywały go wodą. Wreszcie, najwyraźniej ukontentowany wynikami oględzin, zgarbił się i zapatrzył gdzieś w dal spojrzeniem pełnym melancholii, wspominając być może czasy beztroskiego szczenięctwa. Facet szarpał labradora za smycz, widać gdzieś się śpieszył i nie miał czasu na dłuższe przystanki. Julita odwróciła wzrok, powoli wypuściła z ust tytoniowy dym. Im dłużej mieszkała w Warszawie, tym mniej lubiła warszawiaków.

– To o czym chcesz pogadać? – spytała, strącając popiół z papierosa.

– Pewnie już słyszałaś, że odchodzę z Meganewsów – odparł Adam. W kurtce trekkingowej i polarowej czapce wyglądał, jakby wybierał się na Spitsbergen.

– No, są takie plotki.

– A plotki wspominają może, gdzie?

– Gdzieś na koło podbiegunowe?

– Słucham?

– Nieważne. – Julita rozgniotła niedopałek o popielniczkę. – Mów dalej.

– No więc… Zakładam nowy portal. To będzie coś totalnie świeżego, inna jakość.

– Mhm. Ale w jakim sensie?

Labrador załatwił swój interes, zadowolony z siebie zaczął rozdrapywać i tak już sfatygowany trawnik. Jego właściciel wyciągnął foliową torebkę, kucnął, ale zobaczywszy z bliska, jak wielkie stoi przed nim wyzwanie, skapitulował. Rozejrzał się na boki, czy nikt przypadkiem nie patrzy, po czym schował torebkę do kieszeni i pociągnął za sobą psa, oddalając się pośpiesznie z miejsca zbrodni.

– O czym piszesz dla Meganewsów, Julita?

– Szczerze? – Zaciągnęła się. – O gównie.

– Hm, tak. – Adam się zmieszał. – Można tak powiedzieć. Ale zasadniczo piszesz o tym, o czym ludzie chcą czytać, prawda?

– Zgadza się.

– A skąd wiesz, o czym chcą czytać?

Czując, że zapowiada się dłuższa rozmowa, i to najwyraźniej o charakterze etyczno-filozoficznym, Julita wyciągnęła jeszcze jednego papierosa. Kilka razy przejechała kciukiem po mokrym kółeczku zapalniczki, wreszcie wykrzesała płomień.

– Sprawdzam, co wrzucają inne portale, co jest w gazetach. Co się dzieje w mediach społecznościowych. A potem patrzę, co się klika. Jak jakiś temat jest gorący, to go ciągnę, jak nie, szukam następnego.

– Dokładnie. Tak właśnie działają Meganewsy i każdy inny tego typu portal w Polsce. To działa, owszem... Ale można to robić lepiej. I być o krok przed konkurencją.

– Mhm. Ale jak?

– Zamiast zgadywać, o czym ludzie chcą czytać, można ich po prostu posłuchać. Wystarczy prosty algorytm, który sprawdza, jakie tematy trendują na Twitterze i co ludzie akurat wpisują do wyszukiwarki. Pytanie „gdzie kupić świeżaki?" padło dzisiaj piętnaście tysięcy razy? No, to robimy mapę Biedronek z informacją, gdzie można je jeszcze dostać. Hashtag „BlackFriday" robi się popularny? To szybko dajemy artykuł, skąd się wzięła ta tradycja i gdzie są najlepsze przeceny. I to wszystko na żywo, z ręką na pulsie, w oparciu o dane z ostatniej godziny.

Julita zaciągnęła się dymem. Chociaż ta wizja budziła w niej tak naprawdę uśpioną luddystkę, odpowiedziała tak, jak oczekiwał Adam.

– Wow, brzmi super.

– Prawda? No, to przejdźmy do rzeczy. Chciałabyś mi pomóc?

– Ojej, nie wiem... – Julita poprawiła zsuwającą się czapkę. – Znaczy, dzięki, że w ogóle zwracasz się z taką propozycją, ale... A co dokładnie miałabym robić?

– Tytuły. To jest najważniejsze w tekście, to decyduje, czy czytelnik kliknie, czy nie kliknie. Sam tekst, no wiadomo, musi być, ale oboje wiemy, że ma drugorzędne znaczenie. A ty masz świetną intuicję do tytułów. Wiesz, jak przykuć uwagę, wkurzyć, zaintrygować. To się przekłada na konkretne pieniądze.

Na skrawek zieleni, na którym przed chwilą załatwiał się labrador, wjechała teraz furgonetka firmy kurierskiej, miażdżąc trawę i mieszając ją z błotem. Kierowca włączył światła awaryjne, których magiczna moc neutralizuje przepisy drogowe, i pobiegł z paczką do biurowca.

– Przemyślę to, dobra? – odpowiedziała w końcu Julita. – To naprawdę brzmi ekstra, ale muszę się jeszcze zastanowić.

– Rozumiem... Byle nie za długo, bo chcę wystartować już w przyszłym miesiącu. To jak, wracamy?

– Idź. Ja muszę jeszcze gdzieś zadzwonić.

Leon Nowiński leżał bez ruchu, ukryty w trawie, czekając, aż przeciwnik podejdzie bliżej. W magazynku karabinu M16A4 zostały mu już tylko dwie kule, więc nie mógł sobie pozwolić na to, żeby chybić. Wymierzył broń w głowę nieświadomego zagrożenia mężczyzny. Sto pięćdziesiąt metrów. Sto metrów. Pięćdziesiąt metrów. Wiatr był lekki, nie powinien zaburzyć trajektorii pocisku. Leon wstrzymał oddech, przygotowując się do oddania strzału.

Nagle usłyszał ryk silnika. Obrócił się. Zza drzew wyskoczyło terenowe auto, rozbryzgując wokół błoto. Jechało prosto na niego.

– *Fuck, fuck, fuck...* – wymamrotał Leon, zrywając się na nogi. Zaczął gnać w stronę domu na wzgórzu. Był daleko, ale nie miał innego wyboru: to była jedyna szansa na ratunek, jedyne miejsce, gdzie mógł się schronić przed rozpędzonym jeepem. Biegł zygzakiem, żeby zmylić pościg. Serce dudniło mu w uszach, gdzieś w oddali niósł się szczekot broni maszynowej: *tat-tat-tat*. Doskoczył do drzwi, wszedł do środka... I padł na ziemię, trafiony serią w plecy. Dopiero teraz zobaczył, że przy wejściu czyhał strzelec: miał na sobie kamizelkę kuloodporną i przesłaniający całą twarz kask motocyklowy.

– Pieprzony kamper – mruknął Leon, popijając wygazowaną coca-colę.

Ekran ściemnił się, u góry pojawił się napis „Więcej szczęścia następnym razem, L3ffL3on!", nieco niżej tabela rankingowa: zajął trzydzieste piąte miejsce na dziewięćdziesięciu dwóch zawodników, dostał w nagrodę sześćdziesiąt monet. Koleś w kasku motocyklowym zabrał jego karabin, po czym wrócił na czaty. Nie mógł wyjść na zewnątrz: jeep krążył wokół domu, szukając ofiary.

Leon wyłączył grę. Nazywała się *PlayerUknown's Battlegrounds* i była równie prosta, co wciągająca: stu graczy wyskakuje w spadochronach na bezludną wyspę, szukają broni, pojazdów, ekwipunku. Próbują zabić się nawzajem, wygrywa ten, który jako jedyny zostaje przy życiu. Całkiem jak *Igrzyska śmierci*, tylko bez naiwnej polityki i łzawego wątku romansowego.

Komputer pokazywał teraz okno przeglądarki internetowej, otwartej na stronie ze zdjęciami z pogrzebu Ryszarda Buczka. Leon westchnął i wrócił do przeklikiwania fotografii, od którego robił sobie przerwę, biegając po krzakach z karabinem. Znalazł w sumie sześć galerii, przejrzał już pięć – i nigdzie nie mógł znaleźć chłopaka z tunelami w uszach. Ostatni strzał.

Klik. Zdjęcie uśmiechniętego Buczka przepasane czarną szarfą. *Klik.* Wnętrze kościoła, kobieta ocierająca łzy. *Klik.* Wieńce przy ołtarzu. *Klik.* Wyniesienie trumny. *Klik.* Żałobnicy przed kościołem. Leon zatrzymał się na tych zdjęciach, poprawił okulary. Jeśli chłopak gdzieś będzie, to tu…

– Jest! – Leon zacisnął pięść w geście tryumfu. Rzeczywiście, w rogu fotografii, na wpół zasłonięty przez drzewo, stał mężczyzna, który napluł potem na grób Buczka. Nie było to może idealne ujęcie, rozdzielczość też pozostawiała wiele do życzenia, ale i tak na podstawie zdjęcia dałoby się go rozpoznać. Leon skopiował fotografię, oznaczył faceta czerwonym kółkiem.

Uruchomił skrzynkę e-mail, stworzył nową wiadomość. Załączył zdjęcie, przekleił znaleziony w sieci adres Julity, napisał pierwsze zdanie. Przeczytał je i skrzywił się, niezadowolony. Zbyt formalnie, przecież przeszli już na „ty". Spróbował jeszcze raz, bardziej swobodnie. Też niedobrze, brzmiał jak kretyn, kto dzisiaj zaczyna e-maile od „hejka"? Skasował wszystko, zaczął od nowa. Zastukały klawisze, Leon mamrotał do siebie pod nosem.

– Cześć... Na wszelki wypadek się przypomnę... Obiecywałaś, że znikniesz... Ale ja nie składałem podobnej deklaracji, więc... Przesyłam zdjęcie, może ci się do czegoś przyda... Powodzenia ze śledztwem... Pozdrowienia...

Leon odchylił się w krześle, przeczytał list. Udawał przed sobą, że robi to z poczucia obywatelskiego obowiązku. Jeśli Ryszard Buczek nie zmarł w wyniku normalnego wypadku drogowego, jak uznała prokuratura, to zwykła ludzka przyzwoitość nakazywała mu pomóc Julicie w ustaleniu faktów. Prawda była oczywiście znacznie bardziej przyziemna. Gdyby o sprawie pisał pięćdziesięcioletni facet z zaczeską, imperatyw moralny Leona byłby znacząco słabszy.

Kliknął „wyślij" i podreptał do kuchni zrobić sobie herbatę. Kiedy zalewał torebkę wrzątkiem, zawibrował telefon w kieszeni. Leon odstawił w pośpiechu czajnik, rozlewając wrzątek po blacie, odblokował ekran. Nowy e-mail.

od: Julita Wójcicka <julita.wojcicka@meganewsy.pl>
do: Leon Nowiński <l.nowinski@yahoo.com>
data: 19 października 2018 17:03
temat: [OOO] Out of office Re: Może ci się przyda

Dziękuję za wiadomość. Do 16.11.2018 jestem na wakacjach, odezwę się po powrocie.

Julita Wójcicka

Dziwne, pomyślał, dosypując do herbaty dodatkową łyżeczkę cukru, jakby chciał osłodzić sobie zawód. A wydawała się taka zmotywowana, żeby pociągnąć tę sprawę.

Julita wykonała kilkadziesiąt telefonów. Większość numerów była albo ciągle zajęta, albo nie odpowiadała. Ci, którzy w końcu odbierali, dzielili się na dwie grupy: tych, którzy kończyli rozmowę w momencie, kiedy się przedstawiła, i tych, którzy przed odłożeniem słuchawki jeszcze ją wyzywali. Usłyszała, że jest hieną, mendą, szmatą, że ma się odpieprzyć, że jest spalona w środowisku i nikt nie będzie z nią rozmawiał. Dlatego kiedy wybrała numer Aliny Tomkowicz, producentki *Niebieskich Migdałów* z TVP, nie spodziewała się wiele. *Bip-bip. Bip-bip. Bip-bip. Bip-bip.*

– Halo? – odezwał się kobiecy głos. Miękki, miły.

– Dobry wieczór, z tej strony Julita Wójcicka, Meganewsy.pl.

– Tak, kojarzę panią.

Julita przewróciła oczami i czekała na wyzwiska. O dziwo, te jednak nie nadchodziły. Można mówić dalej.

– Być może wie pani, że zajmuję się okolicznościami śmierci pana Ryszarda Buczka – ciągnęła, ostrożnie dobierając słowa. Tej części nie miała dobrze przećwiczonej, rzadko kiedy rozmowa dochodziła do tego momentu. – Chcę ustalić, co naprawdę się stało, i szukam osób skłonnych porozmawiać ze mną na temat tego, co się działo z panem Ryszardem w ostatnich dniach.

– Rozumiem… Hmm… Nie jestem zainteresowana. Żegnam i…

– Niech pani zaczeka. – Julita weszła jej w słowo, gwałtownie, zdesperowana. – Mam podstawy, żeby podejrzewać…

– Proszę więcej nie dzwonić.

Rozłączyła się. Julita miała ochotę trzasnąć telefonem o chodnik, zamiast tego kopnęła kosz na śmieci. Na liście było jeszcze jakieś dwadzieścia nazwisk, ale nie miała już siły, żeby dziś do nich dzwonić. Oparła się o ścianę biurowca, zziębnięta i zła. Profesor Drucker miał rację, pomyślała. Trzeba było zostać bartodziejem.

Ding-ding. Dostała SMS-a. Westchnęła, sięgnęła po telefon. Wiadomość od nieznanego nadawcy.

+48787656444
19/10/2018, 19:23
Nie przez telefon. Spotkajmy się. AT

Julita otworzyła szeroko oczy. Numer był inny niż ten, z którego dzwoniła Tomkowicz, ale to musiała być ona. Szybko wystukała odpowiedź zgrabiałymi z zimna palcami.

Ja
19/10/2018, 19:24
Rozumiem. Niech pani
powie kiedy i gdzie.

+48787656444
19/10/2018, 19:24
Może być dziś? Okolice Woronicza?

Ja
19/10/2018, 19:25
Oczywiście. Proszę mi tylko dać
jakieś 20 minut na dojazd.

+48787656444
19/10/2018, 19:25
Cafe Le Jacques, Broniwoja 3, 20:00

Julita przebiegła między stojącymi w korku samochodami na przystanek tramwajowy.

Kawiarnia Le Jacques była jednym z tych miejsc, gdzie całymi dniami przesiadują modnie ubrani ludzie, popijając koktajle z pietruszki i jarmużu. Na środku stół z blatem ze starego nieheblowanego drewna, wokół – plażowe leżaki w biało-niebieskie paski i ogromne pufy. Z tyłu kontuar, przyprószone cukrem pudrem croissanty na porcelanowej paterze, tablica z menu wypisanym kolorową kredą i doniczki z ziołami. Z sufitu zwisały żarówki w drucianych koszach, z głośników leciał *Pour un flirt* Michela Delpecha, a w kącie bawiły się dzieci.

Julita wpadła do środka, zgrzana, zdyszana. Rozejrzała się wokół, szukając Aliny Tomkowicz. W sieci znalazła tylko jedno jej zdjęcie. Około czterdziestu lat, chuda, krótkie czarne włosy, okrągłe okulary o drucianych oprawkach; wyglądała jak ktoś, kto żywi się głównie kofeiną, nikotyną i aspiryną. Siedziała w rogu, przy niewielkim okrągłym stoliczku. Kiedy Julita podeszła bliżej, wstała i podała jej rękę.

– Dziękuję, że zgodziła się pani spotkać – zaczęła Julita, wieszając mokry płaszcz na oparciu leżaka.

– Mów mi Alina. I nie ma sprawy.

– Słuchaj, zanim zaczniemy… Chciałam powiedzieć, że głupio mi, że mój ostatni tekst wyszedł w dniu pogrzebu Buczka. Gdyby to ode mnie zależało, puściłabym go później, ale…

– Proszę cię. Pracuję w TVP, nie musisz mi się tłumaczyć. Oglądałaś wczorajsze *Wiadomości*?

– Nie.

– No to żałuj. Najlepszy kabaret, jaki leciał w telewizji od czasów Laskowika.

– Ale w *Niebieskich Migdałach* chyba nie odczuwaliście dobrej zmiany?

– Do tej pory nie, Ryśkowi jakoś udawało się nas obronić... Ale teraz, kto wie. Albo w ogóle zakończą program, albo będą od tej pory przychodzić wyłącznie dzieci, które marzą o byciu żołnierzem wyklętym, drwalem w Puszczy Białowieskiej bądź ewentualnie rycerzem niepokonanego imperium Lechitów.

– Imperium czego?

– Lechitów. Nie słyszałaś, że nasi pradziadowie władali ziemiami od Łaby po Ural? Niedługo pewnie będzie na ten temat dokument na kanale historycznym. Tuż po filmie o tym, jak to żeśmy spuścili Niemcom łupnia w powstaniu.

Podeszła do nich kelnerka. Julita nerwowo skanowała menu w poszukiwaniu jakiejkolwiek pozycji poniżej dziesięciu złotych: na próżno. W końcu, pogodzona, zamówiła cappuccino. Kiedy oddawała kartę przewiązaną lawendową wstążeczką, uderzył ją absurd całej sytuacji. Nie tak wyobrażała sobie pierwsze w karierze spotkanie z informatorem. W artykule trzeba to będzie jakoś udramatycznić, pomyślała, zmienić kawiarnię na bar, najlepiej jakąś blaszaną budę przy wylotówce, gdzie spoceni tirowcy zatrzymują się na flaczki. Ale to potem.

– Alina... To czemu nie chciałaś rozmawiać ze mną przez telefon?

Producentka rozejrzała się wokół. Przy stoliku obok dwie dziewczyny robiły sobie ironiczne selfie, para zajmująca kanapę kłóciła się nad rozłożoną planszą do scrabble'a, czy słowo „grajmyż" jest dozwolone. „Pewnie, czemu nie!", perorował oburzony chłopak, „Ułóżmyż takież jakżeż częstokroć używaneż słowo!". Ani jedni, ani drudzy nie wykazywali najmniejszego zainteresowania ich rozmową.

– Wiesz, to śmieszne, ale... – zaczęła Alina, ale zaraz urwała. – Albo nie, zacznę lepiej od początku. Spotkałaś kiedyś Ryśka?

– Nie, znałam go tylko z telewizji.

– Żałuj, dziewczyno. To był wulkan energii. Ja wiem, że to nadużywany zwrot, ale ten człowiek to naprawdę był żywioł. Wchodził do biura, rzucał torbę na ziemię i od razu zaczynał jakąś anegdotkę. A to jak w latach osiemdziesiątych kręcili film kostiumowy w Ciechanowie i biegał po zamku w stroju Krzyżaka, strasząc wycieczki szkolne, a to jak chciał udowodnić kolegom, że potrafi przepić górala, i następnego dnia rano obudził się w stroju niedźwiedzia w wagoniku jadącym na Kasprowy... Z jednej strony, byłaś na niego zła, bo wiedziałaś, że będzie tak pieprzyć przez godzinę i marnuje ci czas, ale z drugiej... nie sposób było się nie śmiać. On to opowiadał na głosy, skakał po meblach, raz to mi nawet stłukł lampę. W charakteryzatorni trzeba było mu rezerwować podwójne okienko, bo dziewczyny sikały po nogach ze śmiechu i nie były w stanie go umalować, a dzieci to już w ogóle potrafił rozbroić w minutę...

Alina urwała, przygryzła wargę. Para na kanapie wciąż kłóciła się o „grajmyż", sprawdzali, czy słowo figuruje w internetowych słownikach.

– Tak mniej więcej tydzień temu zaczął się dziwnie zachowywać – ciągnęła Alina. – Nagle zrobił się cichy, odzywał się tylko, jak się go ktoś zapytał. Wszystko trzeba było mu dwa razy powtarzać, ewidentnie był myślami gdzie indziej. Do tego zaczął się spóźniać, przestał odbierać telefony...

– Pytałaś go, co się dzieje?

– Żeby to raz! Z początku mnie zbywał, próbował obrócić sprawę w żart... Ale w końcu go przyparłam do muru, powiedziałam: „Rysiek, nie pierdol, znamy się dziesięć lat, przecież widzę, że coś cię gryzie".

– I? – spytała Julita, odbierając od kelnerki filiżankę cappuccino. Barista namalował na spienionym mleku serduszko.

– Poszliśmy pogadać. Rysiek powiedział, że... Boże, aż głupio powtarzać... Powiedział, że ktoś go chyba podsłuchuje. Że jego telefon dziwnie się zachowuje, że słyszy jakieś trzaski... Wiesz, na początku myślałam, że to sobie wymyślił. On się w ogóle nie znał na tych nowych technologiach, przelewy robił jak emeryt: przy okienku, na karteczce, a konto na Facebooku prowadziła mu agencja pijarowa. Myślałam, że może coś źle kliknął, coś tam włączył i nie potrafił wyłączyć... Ale on naprawdę był przerażony. Mówił, żebym uważała, co mówię, bo może też jestem na podsłuchu. No i poprosił, żebym mu pomogła założyć nowy numer, sam nie wiedział jak...

– Zastanawiałaś się, czemu nie poprosił żony? Albo syna?

– Nie wiem, może nie chciał ich martwić... To by było w jego stylu, on nie lubił mówić o problemach, o ile naprawdę nie musiał.

– Mhm. Mów dalej.

– No to załatwiłam ten numer i nowy telefon. Dał mi swój kalendarz, żebym przepisała kontakty, bo sam nie potrafił... Ale nigdy go już nie odebrał. Dzień później miał wypadek.

Julita napiła się kawy. Była cudowna, aż się chciało przymknąć oczy i zamruczeć jak kot, niczym w głupiej reklamie... Jednak zważywszy na kontekst spotkania, raczej nie wypadało. Skupiła się na rozmowie. Kalendarz... Brzmi obiecująco. Ale najpierw postanowiła spytać o co innego.

– Wiesz, kogo mógł się obawiać? Miał jakichś wrogów?

– Wrogów? – parsknęła Alina. – To był facet, który biegał po studiu w cekinowym fraku i śpiewał piosenki o krasnoludkach. Jakich on mógł mieć wrogów?

– Okej... A mówi ci coś nazwisko Anna Kowalska?

– Nie bardzo. Brzmi jak postać z elementarza.

– Odezwała się do mnie kobieta o takim nazwisku. Utrzymuje, że była kochanką Ryszarda.

Alina uniosła brew. Bardzo wysoko.

– Pierwsze słyszę.

– A słyszałaś o jakichś innych kobietach...?

– Oczywiście, były jakieś plotki, jak to w środowisku. Wiesz, wyjazdy na zdjęcia, alkohol, imprezy, zdarzały się różne skandale i skandaliki... – Alina zająknęła się, urwała, nagle zmieszana. – Ale żeby miał kogoś na stałe? Nie wydaje mi się. Baśka zaraz by to zwęszyła.

– Była o niego zazdrosna?

– Jak to druga żona... – westchnęła Alina. – Wiedziała, że „aż do śmierci" to tylko taka figura retoryczna.

Zachrobotał młynek do kawy, zagłuszając rozmowę, zasyczał spieniacz do mleka. Julita wzięła głęboki oddech. Teraz albo nigdy.

– Masz jeszcze ten kalendarz?

– Hm? Tak, mam...

– Czy możesz mi go pożyczyć?

Alina pokręciła głową.

– Masz tupet, dziewczyno.

– Alina, posłuchaj. Prowadzę śledztwo i potrzebuję…

– Potrzebujesz tematu, to rozumiem, sama też kiedyś pracowałam w gazecie. Ale jeśli ten kalendarz rzeczywiście ma jakieś znaczenie, to powinien trafić na policję.

– Oni mówią, że to był zwykły wypadek. Musiałaś słyszeć.

Alina nie potwierdziła. Parka na kanapie skończyła partię: zbierali literki, naburmuszeni na siebie nawzajem.

– W takim razie oddam go rodzinie – powiedziała w końcu, głośno i dobitnie.

– I co z nim zrobią? Podziękują, wrzucą do pudła z pamiątkami i zapomną. Alina, proszę cię… Wygląda na to, że Buczek się kogoś bał. I ten ktoś albo tak go zaszczuł, że w końcu Buczek popełnił samobójstwo, albo najzwyczajniej w świecie został zabity. Z tego, co wiem, jestem jedyną osobą, która się tym jeszcze zajmuje, która chce ustalić, co tak naprawdę się stało. Naprawdę mi nie pomożesz?

– Słuchaj, to nie jest takie proste. Zgodziłam się z tobą porozmawiać, ale…

– Buczek to był dla ciebie ktoś więcej niż kolega z pracy, prawda? – Julita weszła jej w słowo. – Znacznie więcej. I co, tak po prostu przejdziesz do porządku nad tym, że być może go zamordowano? Żeby tylko przypadkiem nie mieć kłopotów? Bo tak ci łatwiej i wygodniej?

Alina zdjęła okulary, potarła zmęczone, okolone zmarszczkami oczy. A potem sięgnęła do torby.

– No, no. Wróżę ci świetlaną przyszłość w zawodzie – powiedziała, kładąc na blacie gruby notes w skórzanej okładce. – Naprawdę nie odpuszczasz.

– Dziękuję.

– To nie był komplement.

Alina podniosła się i zarzuciła na plecy kurtkę. Julita chciała wstać, coś powiedzieć, ale nim zdołała dźwignąć się z plażowego leżaka, producentka już zniknęła za drzwiami. Kelnerka, wyraźnie zaintrygowana, wychyliła się zza kontuaru, żeby zobaczyć, co się właściwie stało; przyłapana na podglądaniu, uśmiechnęła się szeroko i wróciła do wycierania filiżanek.

Julita przeniosła wzrok na leżący na stole kalendarz Buczka. Błyskał światłem odbitym w miedzianym zatrzasku, kusił jak zakazana księga. Schowała go do wewnętrznej kieszeni płaszcza i zapięła ją na guzik.

A potem, wzdychając ciężko, poprosiła o rachunek.

Julita weszła do mieszkania. Ciemność rozświetlał jedynie włączony telewizor: nastawiony na kanał z kreskówkami, migał jaskrawymi kolorami jak stroboskop. Na podłodze w przedpokoju walały się ubłocone dziecięce buty, z kuchni rozchodził się swąd przypalonych paluszków rybnych, przerażony kot miauczał pod kanapą. Znaczy niania miała dziś wolne.

Julita zdjęła przemoczony płaszcz, zaczęła sprzątać. Z łazienki niósł się śmiech dzieci i chlupot wody. Słychać było też głos Magdy: spokojny, ale w ten fałszywy, udawany sposób, charakterystyczny dla rodziców małych dzieci.

– Słuchajcie, na niebie są już gwiazdki, wszystkie ptaszki idą… Saszka, miałaś już nie polewać Wojtusia, wiesz, że tego nie lubi. Proszę, oddaj mi konewkę. Tak, wiem, że to twoja konewka, ale… Wojtuś! Nie szczyp jej! Liczę do pięciu. Raz… Dwa…

Julita otworzyła zmywarkę, zaczęła wkładać do środka tłuste naczynia. Na dnie zlewu znalazła ludzika Lego i papierek po cukierku.

– ...Cztery i trzy czwarte... Cztery i cztery piąte... Pięć. Dobrze, jesteście gotowi, żeby wyjść? Ale taką mieliśmy umowę. Aha. A czy Pan Żółwik może zanurkować po raz ostatni? Bo wiecie, on już... Mhm. To ja wyjdę i poczekam, aż mnie zawołacie.

Magda wyszła na korytarz. Miała mokrą koszulę, spodnie umazane keczupem. Choć ewidentnie miała ochotę trzasnąć drzwiami, przymknęła je delikatnie.

– O, cześć – powiedziała, słysząc brzdęk naczyń. – Może chcesz położyć dzieciaki spać?

– Kusząca propozycja, ale nie, dzięki.

– Cóż... Przynajmniej spróbowałam.

– Jak się trzymasz? – Julita podnosiła z podłogi kawałki zwęglonej panierki.

– Mam ochotę urwać Panu Żółwikowi główkę, rączki i nóżki, a potem wsadzić to wszystko do mikrofalówki, nastawić ją na pół godziny i patrzeć, jak się roztapia. Czyli standardowo.

– Próbowałaś go schować?

– Próbowałam. – Magda wyjęła coś z włosów, z obrzydzeniem wytarła ręce o spodnie. – Wycie było słychać aż na Polach Mokotowskich. Powiedz lepiej, jak tam twoje śledztwo?

– Dobrze. Spotkałam się z producentką Buczka i...

– Mamoooo! Juuuuż! – Krzyk został stłumiony przez drzwi.

– Muszę iść. Pogadamy później, okej?

– Okej. – Julita przytaknęła, choć podejrzewała, że żadnego później nie będzie. Usypiając dzieci, Magda zapewne sama zaśnie, obudzi się dopiero koło północy, po czym walnie się na kanapie i będzie oglądać *Orange Is the New Black* do trzeciej nad ranem, zagryzając popcornem i popijając merlota.

Julita weszła do swojego pokoju, usiadła przy biurku i drżącymi rękoma otworzyła kalendarz Buczka. Nazwiska, numery telefonów. Miejsca i godziny spotkań. Przepis na *pad thai* z kurczakiem, zapisany ołówkiem na marginesie. Esy-floresy rysowane podczas jakiejś nudnej rozmowy. Paragony wetknięte pod skrzydło skórzanej okładki: ze stacji benzynowej, ze spożywczaka, z apteki.

Julita przewracała kartki, aż dotarła do 15 października, dnia, w którym Buczek miał wypadek. Z trudem odczytała spisane niedbale słowa:

- zapłacić ubezpieczenie
- 11:00 - nagrania Woronicza
- 14:00 - DKiP-rzy
- 17:30 - Odebrać Rafała z piłki

Wpis „DKiP-rzy" przykuł jej uwagę. Nie miała pojęcia, co to może być. Dom Kultury i Piłkarzy? Dranie Kieszonkowcy i Paserzy? Tomkowicz pewnie by wiedziała, ale Julita zdawała sobie sprawę, że wyczerpała już zasoby dobrej woli producentki. Zamiast do niej dzwonić, wrzuciła tajemniczy skrót do Google'a – ale nic ciekawego nie znalazła. Zrezygnowana, zamknęła przeglądarkę. Była na nogach od siódmej rano, nie miała już siły. Zresztą, jak na jeden dzień pracy, i tak miała niezłe rezultaty.

Julita już miała odłożyć telefon, ale jej wzrok padł na białą ikonę z czerwonym płomieniem. Tinder. Zawahała się. Po ostatnich porażkach obiecywała sobie, że nie będzie już z niego korzystać, że go odinstaluje, że przez internet można spotkać tylko dupków. Z drugiej strony, faceci, których poznawała tradycyjnymi kanałami, też nie byli jacyś fantastyczni. Tu przynajmniej można było uniknąć takiego blamażu jak z Piotrkiem: od razu wiadomo, co i jak.

Julita usiadła po turecku, uruchomiła aplikację. Sprawdziła swoje zdjęcie profilowe – z wakacji na Mazurach, na pomoście, z nogami w wodzie, w lekkiej lnianej koszulce, która pokazywała dość, żeby przykuć wzrok, ale nie aż tyle, żeby wyszła na desperatkę. Może być. Przeciągnęła kciuk po ekranie i zaczęła przeglądać propozycje. Pierwszy w kolejce był Kamil, lat dwadzieścia siedem. Postanowił uwieść panie poczuciem humoru: wrzucił zdjęcie z imprezy Halloween, jak w przebraniu wampira wgryza się w limonkę, podpis: „Wyssę z ciebie wszystkie soki!". Ummm, nie, nie i jeszcze raz nie; kciuk przesuwa się w lewo, Kamil będzie musiał obejść się smakiem. Następny jest Olek, lat dwadzieścia jeden. Olek poszedł w klasykę: zdjęcie z siłowni, napięte bicepsy, przepocona koszulka, mina twardziela. „Prawdziwy facet szuka prawdziwej kobiety". No, będzie musiał jeszcze trochę poszukać. Trzeci kandydat, Łukasz, lat dwadzieścia siedem, typ pretensjonalnego intelektualisty: włosy na Jamesa Deana, niedopałek w kąciku ust jak u Hłaski, okulary o grubych oprawkach à la Cybulski. „Bóg stoi w sprzeczności ze samym sobą. Mimo to jestem boski!" Kojarzyła tę maksymę, Derrida bodajże? Pewnie zerżnął to z jakiejś strony z zabawnymi cytatami, ale niech mu będzie, na bezrybiu i rak ryba. Julita przeciągnęła kciukiem w prawo.

Kilka minut później aplikacja obwieściła: „Mamy parę! Ty i Łukasz polubiliście swoje profile!". Po chwili dostała pierwszą wiadomość.

Łukasz: Hejka! To co, idziemy na miasto? ;D

No cóż, pomyślała Julita, nie dostanie punktów za romantyczne otwarcie, ale skoro się już kliknęło „a"...

Julita: Hej! Czemu nie :)
Łukasz: Super! To co, może jakaś kolacja? Znam tu w okolicy
 fajną knajpę z sushi.
Łukasz: Nazywa się Totoro, obczaj sobie.

Julita się zawahała. Co prawda nic nie jadła od czternastej i ssało ją już w żołądku, ale wyjście do restauracji było ryzykowne. Albo zapłaci za siebie i wyda ćwierć swojej pensji na ryż owinięty w wodorosty, albo pozwoli zapłacić Łukaszowi – który może wówczas uznać, że jest mu w związku z tym coś winna i jeśli będzie chciała się jednak szybko zmyć, zrobi się nieprzyjemnie. Poza tym to „obczaj sobie"... Minus pięć punktów.

Julita: Wiesz, już jadłam. Może kawa?
Łukasz: Okej :) U mnie czy u ciebie?
Julita: Najlepiej w kawiarni :)
Łukasz: Pewnie, żartuję tylko. Może Cztery Kąty?
Julita: Brzmi dobrze. Za pół godziny?
Łukasz: Dobra
Łukasz: Do zobaczenia
Łukasz: Bokserki czy slipy?]:)
Julita: Hm?
Łukasz: No wiesz, wolę się przygotować
Łukasz: Jakby co, ja wolę stringi :)

Julita pokręciła głową, przewróciła oczami. Derrida, kurwa. To się, chłopie, zdekonstruowałeś.

Julita: To sobie załóż
Julita: Dobranoc

Rzuciła telefon w kąt, rozłożyła kanapę, zgasiła światło – i zasnęła wtulona w poduszkę.

Dwudziesty drugi października zaczął się dla Julity przyjemnie. Obudziła się przed budzikiem, wyspana i gotowa do pracy, autobus podjechał, kiedy tylko doszła na przystanek, a do tego na chodniku przed biurem znalazła pięć złotych – za które następnie kupiła swoją ulubioną kanapkę u Pana Bagietki, salami z zielonym pieprzem i papryką.

Ustaliły razem z Mackowicz, że napisze jakiś krótki tekst na temat śledztwa w sprawie Buczka, żeby podtrzymać zainteresowanie czytelników. Oczywiście, Julita wolałaby poczekać jeszcze trochę: aż dokładnie przewertuje kalendarz aktora, aż uda jej się porozmawiać z kolejnymi osobami z jego otoczenia, słowem – aż będzie miała pełen obraz. Ostatecznie jednak odpuściła. Nie chciała konfliktu z redaktorką naczelną, a poza tym… doszła do wniosku, że może niepotrzebnie się wzbraniała przed publikowaniem tekstów na gorąco. Owszem, było to wbrew wpojonym na studiach prawidłom fachu, owszem, istniało ryzyko, że czasem postawi tezę, która zaraz potem okaże się nieprawdziwa, że rozdmucha jakiś mało istotny szczegół, byle tylko mieć materiał na kolejny artykuł. Ale może tak właśnie miało być, może takie właśnie było dziennikarstwo dwudziestego pierwszego wieku. Szybko, dynamicznie, mocno – a potem jakby co puści się aktualizację. W końcu tekst opublikowany w internecie nigdy nie jest skończony, zamknięty, zawsze można do niego wrócić – w przeciwieństwie do gazety, gdzie artykuł, który już poszedł do druku, nigdy nie zmieni brzmienia.

Julita mieszała kawę – strasznie dzwoniąc przy tym łyżeczką o kubek, z czego nie zdawała sobie sprawy, bo miała założone słuchawki – i czytała pierwszą wersję tekstu.

KOGO BAŁ SIĘ RYSZARD BUCZEK?
Nowe informacje! Według współpracowników, Ryszard Buczek († 53 l.) obawiał się, że ktoś PODSŁUCHUJE jego rozmowy! Kto mógł źle życzyć znanemu aktorowi?

Julita Wójcicka

Ryszard Buczek († 53 l.), znany aktor i prezenter telewizyjny, zginął w zeszłym tygodniu w MROŻĄCEJ KREW W ŻYŁACH kraksie [UWAGA! MAKABRYCZNE ZDJĘCIA!]. Choć policja uznała śmierć celebryty za nieszczęśliwy wypadek, nowe fakty przeczą tym ustaleniom. Śledztwo MEGANEWSÓW wykazało już, że Buczek płakał tuż przed śmiercią. Teraz udało nam się dotrzeć do współpracowników, którzy zeznali, że aktor obawiał się PODSŁUCHÓW! Tuż przed TRAGICZNĄ ŚMIERCIĄ zmienił numer telefonu i aparat. Czy rzeczywiście miał podstawy, by sądzić, że ktoś na niego czyha? Tego dowiecie się już wkrótce!

Julita zmarszczyła czoło. Coś jej nie pasowało. Nie chodziło o poetykę tekstu, ta była taka, jaka być musiała. To „i aparat" na końcu zdania czyta się niezręcznie, lepiej skasować... „Czyha" brzmi archaicznie, a przez to komediowo, trzeba wymienić na jakiś synonim... No i to „dowiecie się już wkrótce" było jednak obietnicą bez pokrycia, tak naprawdę nie miała przecież pojęcia, czy Buczek rzeczywiście miał z kimś na pieńku – a jeśli tak, to na pewno nie ustali tego w ciągu dwudziestu czterech godzin. Trzeba to osłabić, pomyślała Julita, może zamiast tego by...

Nagle tekst artykułu zniknął. Ot tak, w jednej sekundzie był, w drugiej miała przed sobą pustą stronę. Julita zamrugała, odruchowo odsunęła się od biurka.

– Co jest, do cholery? – mruknęła, rozglądając się wokół siebie. Nikt nie zwracał na nią uwagi. Piotrek coś pisał, Natalia przeglądała witrynę sklepu z butami do joggingu, Staszek robił sobie herbatę.

Julita spojrzała znów na ekran. Już nie był pusty.

Przestań pisać o Buczku.
Przestań zajmować się tą sprawą.
To moje pierwsze i ostatnie ostrzeżenie.
Napisz „tak" na potwierdzenie, że zrozumiałaś.

Julita siedziała bez ruchu, zdębiała. To jakieś żarty? Ktoś jej podmienił plik, kiedy odwróciła się od komputera? Ale nie... To niemożliwe. Obróciła się w krześle.

– Ej, Staszek!

– No?

– Mój komputer wariuje.

– Wyłącz i włącz raz jeszcze – odpowiedział informatyk, wycierając papierowym ręczniczkiem kubek z napisem „TURYŚCI 97".

– Nie, słuchaj, to coś poważnego, bo...

Julita urwała. Na ekranie pojawił się kolejny komunikat.

Rozmawiamy tylko we dwoje.

Powiedz koledze, że nie potrzebujesz pomocy.

Teraz.

– Bo? – spytał Staszek. Bez entuzjazmu.

– Bo… – Julita przełknęła ślinę, powstrzymała drganie głosu. – Bo piszę samymi wielkimi literami!

– Caps Lock. Lewa strona klawiatury, nad shiftem i controlem. Shift jest długi i ma taką strzałeczkę do góry, a control…

– Już mam! Dzięki! – odkrzyknęła, siląc się na uśmiech.

Na ekranie pojawiały się kolejne litery. Same z siebie, mimo że nie dotykała klawiatury ani myszki.

Napisz „tak", żeby potwierdzić, że zrozumiałaś.

– Ale jak to w ogóle…? – Julita znów rozejrzała się wokół, kompletnie zdezorientowana. Kto to robi? Ktoś w biurze? Położyła palce na klawiaturze, powoli wypuściła z ust powietrze. Zastukały klawisze.

Kim ty, do cholery, jesteś?

Nie będziemy rozmawiać. Napisz „tak", żeby potwierdzić, że akceptujesz moje warunki.

A co, jeśli tego nie zrobię?

Długa pauza, kursor miga na ekranie. Julita czuła, jak cieknie jej pot po plecach, jak suchy język przylepia się do podniebienia. W końcu pojawiły się dwa słowa.

Zniszczę cię.

Przez internet? – prychnęła Julita, tonem, który w zamierzeniu miał być nonszalancki, ale wcale tak nie brzmiał. – Chciałabym to zobaczyć.

Pocałuj mnie w dupę.

Julita odsunęła się od klawiatury, skrzyżowała ramiona na piersiach. Czekała. Dziesięć sekund. Trzydzieści. Minuta. I nic. Serce przestało jej walić, przestało ją mdlić. No tak, pomyślała, to jednak były tylko głupie żarty, w ogóle to...

Nagle jej ekran zrobił się czarny: zniknął pasek „Start", foldery, tapeta. Zamiast tego wyświetlił się tylko krótki napis: „Twój komputer został zaszyfrowany". Julita zerwała się z krzesła, prawie je wywracając. Nim zdążyła cokolwiek powiedzieć, usłyszała głos Adama.

– Ej, patrzcie na heatmapę! – zawołał zachwycony, podchodząc pod ekran wyświetlający główną stronę portalu. – Mamy pięćdziesiąt tysięcy wejść! Sto tysięcy! Sto pięćdziesiąt...

Ekran zgasł. Adam wciąż się w niego wpatrywał, skołowany, z rozdziawionymi ustami. Po pokoju przeszedł szept, ludzie odwracali się od komputerów.

– Staszek... Staszek! – zawołała Natalia. – Strona padła.

– Jak to „padła"? – Chłopak odstawił kubek z niedopitą herbatą.

– No... Próbuję wejść na główną i... mam tylko napis „Error 503, strona tymczasowo niedostępna"...

– U mnie to samo! – krzyknął Piotrek.

Julita stała jak kołek przy biurku, nie wierząc własnym oczom, blada.

– Poczekajcie, zadzwonię do… – zaczął Adam, ale nie dokończył. Nagle włączyły się wszystkie drukarki: ta koło kuchni, w pokoju informatyków, w gabinecie Mackowicz. Szumiały, wypluwając stronę ze stroną. Adam podbiegł do jednej z nich, podniósł świeżo wydrukowaną kartkę i usiadł ciężko, aż zaskrzypiało pod nim krzesło. Widząc jego reakcję, pozostali pracownicy też pobiegli do drukarek, tylko Julita wciąż tkwiła w miejscu, przerażona, sparaliżowana. Znów fala szeptów, potem śmiech… I wszyscy patrzą w jej stronę. Niektórzy z politowaniem, współczuciem. Inni z głupimi uśmieszkami. Julita otrząsnęła się ze stuporu, zaczęła iść w stronę drukarki, ale na miękkich nogach, łapiąc się mebli.

– Julita, może lepiej nie… – zaczął Piotrek, zastępując jej drogę. Odepchnęła go, sięgnęła po jedną z kartek. Było na niej zdjęcie młodej kobiety. Była zupełnie naga, leżała na łóżku, oświetlona tylko lampką nocną. Jedną rękę trzymała na piersi, drugą między nogami. Masturbowała się. Przygryzione usta, półprzymknięte oczy, zarumienione policzki.

Julita dobrze znała tę twarz. W końcu codziennie widziała ją w lustrze.

= 5 =

Paweł Chociński zaserwował – delikatnie, wyraźnie markując kierunek. Czarna piłeczka poszybowała przez kort, uderzyła w ścianę tuż nad czerwoną linią, po czym odbiła się w stronę jego partnera, Czarka Bobrzyckiego. Ten stał w miejscu, lekko pochylony; oczy za sportowymi okularami skupione na czarnej piłeczce, ręka zaciśnięta na rakiecie. Zrobił krok do przodu, skręcił biodra, zamachnął się i chybił. Piłeczka uderzyła w szklaną ścianę z tyłu kortu, poturlała się po podłodze.

– Pamiętasz, mówiłem, że nie musisz brać takiego dużego zamachu, to nie tenis – powiedział Chociński, ukrywając irytację. – Wystarczy lekko odgiąć ramię, o tak.

– Rozumiem. – Cezary Bobrzycki otarł spocone czoło frotką. – Spróbujmy jeszcze raz.

Chociński spojrzał na wiszący za kortami do squasha zegar. 10:47. Jeszcze trzynaście minut. Westchnął, podniósł piłeczkę płynnym, wyćwiczonym do perfekcji ruchem. Zwykle lubił swoją pracę. Kasa była niczego sobie, a patrzenie, jak za jego sprawą ludzie robią postępy, sprawiało satysfakcję. Poza tym czasem trafiał się jakiś ciekawy klient, jak Maciek, młody bankier, który między setami doradzał mu, jak grać na giełdzie, albo Beata, weterynarka racząca go anegdotami o operacji na otwartym sercu u chomika czy resuscytacji ratlerka.

Cezary Bobrzycki był antytalentem sportowym: zero koordynacji, fatalny refleks, wolny jak mucha w smole, a do tego nudziarz. Kiedy Chociński usłyszał, że nowy uczeń jest prokuratorem, miał nadzieję na soczyste historie z sali sądowej: jak to wsadził za kratki księgowego mafii, przyłapał na kłamstwie skorumpowanego polityka albo na przykład dostał wyklejoną literami z gazet groźbę od seryjnego mordercy. Już przy pierwszej rozgrzewce, tak z półtora roku temu, spytał go więc, co tam w pracy. Bobrzycki, wykonując cały czas skłony do kolan, opowiedział mu, uff, o lipcowej nowelizacji kodeksu karnego, uff, a konkretnie o zmianach w artykule, uff, dwieście czterdziestym, uff, traktującym o obowiązku informowania organów ścigania, uff, o karalnym przygotowaniu albo usiłowaniu, uff, lub dokonaniu czynu zabronionego, uff. Chociński nie miał więcej pytań.

Instruktor stanął w kwadracie serwisowym, ugiął kolana, uderzył piłkę. Tym razem zagrał ją wysoko, tuż pod linią autową, żeby Bobrzycki miał więcej czasu na reakcję. Prokurator znów wykonał wyuczoną sekwencję ruchów, odgiął rękę... I trafił. Piłka odbiła się od rakiety, uderzyła w boczną ścianę.

– *Weeee aaaare the chaaaampions, my friends!* – zaryczał Freddie Mercury. – *Aaand we'll keeeep on fiiiiighting 'til the eeeend!*

Chociński rozejrzał się wokół, zdezorientowany.

– Bardzo przepraszam. – Bobrzycki oparł rakietę o ścianę. – Zaraz wracam.

Prokurator otworzył szklane drzwi, wyciągnął z torby telefon i odebrał połączenie, przerywając wokaliście Queen w pół słowa.

– Tak, słucham... – powiedział, zasłaniając usta dłonią. – Aha... Aha... Ale już ją uruchomili z powrotem?

Nie? Mhm. To było po publikacji czy... Tak, tak. A co z naszą panią...? Jeszcze nie wiadomo, rozumiem... No nic, to trzymaj rękę na pulsie... Hm? Jeśli tylko nadarzy się okazja, żeby to zrobić bez wzbudzania podejrzeń, to tak... Oczywiście, mam tego pełną świadomość... Mhm. Do usłyszenia.

Prokurator Bobrzycki odłożył telefon i wrócił do gry.

Julita zrobiła to zdjęcie pięć lat temu, kiedy była jeszcze na studiach. Rafał wyjechał na roczną wymianę do Leicester. Nie mieli pieniędzy, żeby do siebie latać, pozostawały rozmowy przez Skype'a. Z początku gadało im się świetnie. Rafał dzielił się codziennymi frustracjami z życia za granicą: że nigdzie nie można dostać dobrego chleba, że bilety na autobusy są tak drogie, że wszędzie łazi na piechotę, nawet jak leje deszcz, że ciągle nie potrafi wyczuć, kiedy powinien użyć *the*, a kiedy *a*, że koledzy z roku myślą, że Polska to Trzeci Świat, gdzie dziki biegają po ulicach.

Ale po kilku miesiącach rozmowy przestały się kleić: zaczęło brakować tematów, a kiepska jakość połączenia, na którą wcześniej jakoś nie zwracali uwagi, nagle irytowała. Wciąż dzwonili do siebie każdego dnia, ale już bardziej z poczucia obowiązku niż z potrzeby. Połączenia stawały się coraz krótsze, coraz więcej było w nich pustych, nic nieznaczących zwrotów, zapychaczy ciszy: „no i tak...", „jakoś tam leci", „dzień jak co dzień". E-maile, które sobie słali, wcześniej sążniste, zaczęły przypominać pocztówki z kolonii: świeciło słońce, graliśmy w piłkę, a na obiad była pomidorowa. Mimo to – a może właśnie dlatego – Julita przywiązywała do każdego słowa coraz większą wagę. Doszukiwała się ukrytych przekazów jak kabalistka próbująca rozszyfrować utajone znaczenie Pisma, jak prawniczka czytająca po raz dwudziesty ten sam paragraf w nadziei, że odkryje jego nową interpretację. Czy kiedy Rafał pisał, że przyzwyczaił się do życia w Anglii, chciał tak naprawdę powiedzieć, że już nie tęskni? Czy kiedy wysłał jej SMS-a o treści „brakuje mi ciebie", rzeczywiście tak myślał, czy napisał tak, żeby się nie martwiła? Czemu nie dał na końcu zdania emotikonu pocałunku – ani nawet wykrzyknika?

Julita chodziła struta, rozdrażniona, zła na Rafała, że nie dość się stara, zła na siebie, że popada w paranoję. Chciała mu napisać, co czuje: że czasem brakuje go jej tak bardzo, że nie może zasnąć, że boi się, co będzie, kiedy wreszcie wróci, że popłakała się, kiedy niechcący stłukła kubek, który dał jej na którąś walentynki. Ale nie potrafiła znaleźć słów, które nie brzmiałyby fałszywie, miała już alergię na te wszystkie „kocham", „uwielbiam" i „całuję", użyte tyle razy, że aż pozbawione smaku, mdlące, jak żuta zbyt długo guma.

Któregoś wieczoru, kiedy skasowała kolejną wersję napisanego dopiero co e-maila, uznała, że zamiast tego wyśle mu zdjęcie. Było niewinne: piżama w serduszka, włosy spięte kolorową gumką, usta złożone do pocałunku, podpis „śpij smacznie". Odpisał chwilę potem. Że dziękuje, że jest piękna, że prosi o więcej. Tym razem odsłoniła brzuch, rozchyliła usta. Odpowiedź Rafała była dłuższa. Co by chciał, na co ma ochotę, jak bardzo go podnieca. Wahała się, co zrobić. W końcu zdjęła koszulkę. A potem spodnie.

– Julita? – W drzwiach stanęła Iga, dziewczyna z HR-u; włosy w kok, biała koszula, złoty łańcuszek z krucyfiksem dyndający w dekolcie. Siedziała piętro wyżej, razem z zarządem, widywała ją więc tylko na rozmowach okresowych. Była uśmiechnięta, jak zawsze, tyle że tym razem

nie był to uśmiech pod tytułem „o-hej-cieszę-się-że-cię-
-widzę", tylko raczej „ojej-tak-bardzo-mi-ciebie-szko-
da". – Wejdź, proszę, do środka.

Mackowicz siedziała za biurkiem, prosta jak struna.
Czytała rozłożone na blacie papiery. Widząc Julitę, wskazała jej gestem puste krzesło. Telewizor na ścianie był wyłączony.

– Zacznijmy od tego, że bardzo nam przykro z powodu
dzisiejszych wydarzeń – powiedziała Iga. – Domyślam się,
że było to dla ciebie wyjątkowo trudne doświadczenie.

– Można tak to ująć – powiedziała Julita, próbując powstrzymać drżenie głosu.

– Gdybyś chciała złożyć zawiadomienie na policję, możesz liczyć na naszą współpracę i wsparcie.

– Dziękuję.

– Tym niemniej... – Iga złożyła ręce jak do modlitwy. –
Uznaliśmy, że w świetle zaistniałych wydarzeń najlepiej
będzie, jeśli zakończymy dziś naszą współpracę.

Julita poczuła się, jakby ktoś ją uderzył w twarz.

– Słucham? – zapytała wreszcie. – Ale dlaczego?

– Jak wiesz, jesteś zatrudniona na umowę-zlecenie, nie
mamy więc obowiązku...

– Dlaczego? – powtórzyła Julita.

– Naszym zdaniem... – Iga zamilkła na chwilę, ostrożnie dobierała słowa. – Naszym zdaniem twoja dalsza
obecność w firmie działałaby destabilizująco na zespół
i odbiła się niekorzystnie na reputacji firmy.

– Nie wierzę, że to się dzieje... Iga, ja jestem ofiarą przestępstwa. I co, zostaję za to zwolniona? Za to, że ktoś mnie
zaatakował i upokorzył?

– Oczywiście, że nie. – Dziewczyna z HR-u pokręciła głową. – Tak jak powiedziałam, jest nam niezmiernie

przykro z powodu dzisiejszych wydarzeń i w imieniu zarządu przekazuję ci serdeczne wyrazy wsparcia. Jednakże mając na uwadze dobro firmy, uznaliśmy...

– Uznaliście, że skoro reszta zespołu zobaczyła moje cycki, nie mogę tu już pracować? Odbiło wam, do cholery?

Iga pokiwała głową, odczekała chwilę.

– Julita, słyszę, że jesteś dotknięta. Naprawdę, bardzo przykro mi z tego powodu. Ale decyzja została już podjęta: postanowiliśmy zakończyć naszą współpracę.

– Miałabyś chociaż jaja, żeby powiedzieć, że mnie wypieprzacie – syknęła Julita, po czym odwróciła się w stronę Mackowicz. Ta wciąż milczała, zaczytana. – A ty co, nic nie powiesz? To jest twoim zdaniem w porządku?

– W sumie, to tak – odpowiedziała redaktorka naczelna, podnosząc głowę znad papierów. – Jestem w końcu zwykłą korpopizdą, prawda? Poza tym, czemu tak nagle zaczęło ci zależeć na tej pracy? Przecież Meganewsy to, jak to ujęłaś, straszna szmata.

Julita zrozumiała, co czytała Mackowicz. Zapis czatu z Piotrkiem. To też wypluła drukarka.

– Ja... Przepraszam, ja tak tylko... – wydukała. – Przecież wiesz, że wcale tak nie myślę, po prostu byłam wtedy zdenerwowana i...

– Pozwól, że wejdę w tryb zimnej suczy – przerwała jej redaktorka. – Nic mnie to nie obchodzi.

– Magda, poczekaj, lepiej, żebym to ja... – Iga próbowała wejść jej w słowo, ale Mackowicz ją zignorowała.

– Twoje zachowanie naraziło Meganewsy na ogromne straty – ciągnęła. – Wyrażasz się o przełożonej w sposób ordynarny, poniżej jakiejkolwiek krytyki, i jeszcze zachęcasz do tego kolegów. W ostatnich dniach nie wywiązywałaś się z obowiązków, ignorując moją reprymendę. A do tego te okropne zdjęcia... Naprawdę, miałam cię za kogoś innego, Julita.

– To było pięć lat temu, ja nigdy nie chciałam, żeby...

– Tak jak powiedziałam: nic mnie to nie obchodzi. – Mackowicz podarła leżące na biurku papiery, wrzuciła je do kosza. – Masz piętnaście minut, żeby spakować swoje rzeczy. Ochroniarz cię wypuści.

Julita chciała jej coś powiedzieć. Że przecież miała najlepsze wyniki. Że siedziała tu po nocach. Że kiedy trzeba było, pracowała w weekendy. Że każdy powie czasem coś głupiego, że obiecuje, że to się nie powtórzy. Że nie muszą jej wyprowadzać z budynku jak przestępcy. Że po tych wszystkich latach należy jej się chyba coś więcej. Że to wszystko jest kurewsko nie fair.

W końcu jednak wcale się nie odezwała, bo wiedziała, że jeśli tylko otworzy usta, zacznie płakać. I nie będzie to dystyngowany płacz niesłusznie pokrzywdzonej, który wzbudzi wyrzuty sumienia i roztopi skute lodem serca, tylko że całkiem się rozklei, rozpadnie, rozleci. Że zacznie się trząść, wyć, że będzie mokra od łez i śliny, usmarkana, czerwona, upieprzona rozmazanym tuszem. Nie mogła sobie na to pozwolić, nie mogła dopuścić, żeby zobaczyli ją w takim stanie. Musiała wytrzymać jeszcze parę minut, aż się spakuje, ubierze, wyjdzie na dwór. Musiała bronić resztek swojej godności.

W newsroomie było dziwnie cicho: żadnych rozmów, śmiechów, stukania w klawisze, trzaskania drzwi, bulgotania wody w czajniku. Dziennikarze siedzieli przy komputerach, udawali, że pracują, choć strona Meganewsów wciąż leżała. Unikali jej wzroku. Natalia, Staszek, nawet Piotrek; wszyscy. Przy drukarkach leżały sterty zadrukowanego papieru. Bała się myśleć, co tam jeszcze było.

Przy biurku Julity stał już ochroniarz, Mietek, wąsaty, brzuchaty pan w czarnym polarze z napisem „Security". Przyniósł tekturowe pudło: za duże, nieporęczne. Zaczęła wkładać do niego swoje rzeczy. Kapcie. Krem do rąk. Notatnik. Jej pierwszy tekst oprawiony w ramkę. Wieczne pióro, które dostała od rodziców, kiedy poszła na studia: z wygrawerowaną dedykacją, nigdy nieużywane.

– Jest pani gotowa? – spytał ochroniarz.

Julita pokiwała głową, założyła płaszcz. Zjechali windą w milczeniu, pan Mietek przytrzymał jej drzwi wyjściowe.

– Proszę pani… – powiedział, kiedy wychodziła na ulicę. – Pani się tak nie smuci. To jeszcze nie koniec świata.

Julita próbowała się uśmiechnąć, ale nie kontrolowała drgających ust, nie była w stanie ich unieść. Wybąkała coś i poszła na przystanek, usiadła na mokrej ławce. Czekając na tramwaj linii osiemnaście, oparta o słup z rozkładem jazdy, zaczęła wreszcie płakać.

Pan Mietek obserwował ją zza szklanych drzwi. Czuł, że powinien coś zrobić, ale nie miał pojęcia co. Zadzwonić po kogoś, żeby ją odebrał? Ale do kogo? Pójść tam do niej, pocieszyć? Ale co on mógł jej jeszcze powiedzieć? On, samotny rencista z podwyższonym cholesterolem i lanosem na gaz?

Ochroniarz wrócił do stróżówki, ciasnej i zimnej, nijak nieprzystającej do eleganckiego biurowca. Nastawił wodę na herbatę, otworzył puszkę ze szprotkami w oleju i włączył malutki telewizorek. Leciał *Czas Apokalipsy*.

Leon Nowiński stał w drzwiach do biurowej kuchni, niezdecydowany. Wszystkie stoliki były obsadzone. Pod oknem siedział ich manager, Michał. Jadł obiad przygotowany przez żonę – mięsko, ziemniaczki, buraczki, wszystko popakowane w osobne pojemniczki – czytając jednocześnie jakąś książkę. Leon nie widział okładki, ale znając gusta Michała, był to zapewne poradnik z cyklu *Jak być dobrym szefem?* albo *Zarządzanie dla bystrzaków*. Stolik pod ścianą okupowały Ilona i Asia, które wznowiły zaciętą licytację, która z nich ma wspanialszego syna ("A bo mój Stasio... To jeszcze nic! Bo mój Henio to już..."). Ostatnie miejsce, koło lodówki, zajmował Krzysiek z księgowości, fan teorii spiskowych i ryb odgrzewanych w mikrofali. Dosiąść się do kogoś czy nie dosiąść...?

– Leon, chodź – zawołał Michał wesoło. – Zmieścimy się obaj!

– Wiesz, mam dziś tyle roboty, że chyba zjem przy komputerze...

– O? A co się dzieje?

– No, ta, no... – Leon improwizował. – Ta etykieta do Don Kiszona. Pisali z drukarni, żebym naniósł parę poprawek.

– Aha. No dobra, to następnym razem.

Leon wrócił do biurka, otworzył pudełko z zimnym makaronem. Czy to ze mną jest coś nie tak, zastanawiał się, dziobiąc widelcem tłuste kluski, czy z nimi? Siedział w Diet-Polu już trzeci rok i nie mógł tu znaleźć choć jednej bratniej duszy, kogoś, z kim mógłby pogadać, umówić się po pracy na piwo. Nudziły go biurowe ploteczki, mierziły rozmowy o niczym, męczyła niewygodna cisza. Zaczął unikać współpracowników, ale jednocześnie miał im za złe, że go ignorują: że nikt nie pyta, jak zdrowie, kiedy pociąga nosem, ani nie skomentuje nowej fryzury. Muszę zmienić robotę, pomyślał. Albo pójść na terapię.

– Ej, Leon – zawołał Ignacy, z którym dzielił pokój. – Jak się nazywała ta wariatka, która ci się wpakowała do samochodu?

– Wójcicka. Julita Wójcicka.

– Tak myślałem... Chodź, coś ci pokażę na telefonie.

– Jem teraz – odpowiedział Leon. – Wyślij mi link.

– No, lepiej, żebyś tego nie oglądał na firmowym komputerze.

Leon przewrócił oczami, po czym okręcił się w krześle, spojrzał na wyświetlacz telefonu. I prawie się udławił.

Julita siedziała przy oknie sieciowej kawiarni, wypełnionej książkami, których nikt nie czytał. Kawa w kubku stygła, nieruszona. Nie chciało jej się pić: wciąż ją mdliło, ściskało w gardle. Kupiła ją, bo potrzebowała przepustki do tego przyjaznego świata miękkich kanap, beżowych ścian i lukrowanych ciasteczek. Tu, w tej mało przekonującej atrapie amerykańskiego salonu, mogła zasłuchać się w gwar cudzych rozmów i śmiechu, co dawało ułudę czyjegoś towarzystwa, mogła ochłonąć przed powrotem do domu, na który nie była gotowa.

Mieląc bezwiednie saszetkę z cukrem trzcinowym, Julita próbowała poukładać sobie w głowie, co się stało. Jeśli potrzebowała jakiegoś potwierdzenia, że Buczek nie zginął w zwykłym wypadku, teraz je uzyskała. Ktoś doprowadził do jego śmierci, pośrednio albo bezpośrednio – i zadbał o to, żeby ją uciszyć. W jakiś sposób przejął kontrolę nad jej komputerem, śledził, co robiła, słyszał ją i widział. Do tego musiał włamać się do jej prywatnej skrzynki pocztowej i dokopał się do kompromitujących ją zdjęć. Co jeszcze mógł tam znaleźć? Listy, które dostała albo wysłała w ciągu ostatnich kilku lat, zapisy czatów, rachunki, wyniki badań lekarskich... Słowem, wszystko.

I co teraz, pomyślała, iść na policję? O, dziękuję bardzo. Kiedyś zgłaszała na posterunku napaść. Poszła z koleżankami do klubu i upatrzył ją sobie jakiś obleśny facet: sprane dżinsy rurki i mokasyny z czubkiem, T-shirt opinający piwny brzuszek, włosy zaczesane na żel. Zaczepiał ją na parkiecie, rzucał chamskie teksty, nalegał, że kupi jej drinka. Spławiła go, ale dopadł ją potem, kiedy poszła do łazienki. Przyparł do ściany, zaczął całować, włożył spoconą włochatą rękę pod bluzkę. Całe szczęście ktoś to zauważył, przyszło dwóch chłopaków, ściągnęli go z niej, wyrzucili na ulicę. Ale nie to interesowało policjantów. Pytali, co na sobie miała. Jak tańczyła. Co mu mówiła. Może wysyłała mu sprzeczne sygnały, no bo wiadomo, że kobiety czasem jedno mówią, a drugie robią, zwłaszcza po alkoholu, he, he. Na samą myśl, że miałaby przejść to po raz drugi, że jeszcze musiałaby pokazać policjantom zdjęcie, o które chodzi, robiło jej się niedobrze. Nie ma mowy.

To może zadzwonić do którejś przyjaciółki, wygadać się, wyrzucić z siebie cały ten brud, upokorzenie? Tego też wolała nie robić. Im mniej osób będzie wiedziało o całym zajściu, tym lepiej. Oczywiście, w środowisku będą chodziły ploteczki, faceci będą jej posyłać dwuznaczne uśmieszki, kobiety obgadywać ją za plecami. Ale w końcu sprawa przycichnie i dadzą jej święty spokój. Musi zacisnąć zęby, przeczekać to, jakoś przecierpieć.

Pytanie, co z pracą. Całe szczęście nie miała kredytu, za pokój płaciła siostrze grosze, miała odłożone parę stów na czarną godzinę, więc nie groziło jej, że wyleci na bruk. Mogła spróbować freelance'u, popisać teksty na zamówienie... Ale doświadczenia kolegów i koleżanek po fachu nie zachęcały do pójścia tą ścieżką. Honoraria były śmiesznie małe, przychodziły z wielomiesięcznym opóźnieniem – o ile w ogóle. Próby ponaglania zalegających z wypłatą redakcji kończyły się fochem, oskarżeniami o roszczeniowość i narzekaniem na pozbawionych etosu pracy millenialsów.

Więc może Adam? Wczoraj proponował jej przejście do nowej firmy... Oczywiście, też widział to zdjęcie, ale on akurat nie powinien zagrywać tym skandalem. Adam był profesjonalny do przesady, zawsze skrupulatnie rozdzielał sprawy zawodowe od prywatnych. Co prawda pisanie tytułów do wymyślonych przez algorytm tekstów nie było jej marzeniem, ale pieniądz nie śmierdzi, a poza tym we własnym czasie mogłaby dalej zajmować się ambitniejszymi tematami, na przykład sprawą Buczka... Albo może czymś bezpieczniejszym. To trzeba było jeszcze dobrze przemyśleć.

Julita sięgnęła po telefon, wyciszony, z wyłączoną wibracją, leżał na dnie torby. Mrugające światełko sygnalizowało, że dostała nowe wiadomości. Było ich dwadzieścia siedem. A do tego siedemnaście nieodebranych połączeń.

– Cholera... Co się dzieje? – szepnęła Julita. Patrzyła na listę osób, które próbowały się do niej dodzwonić: matka, ojciec, siostra, Maja, Anka i Werka, Rafał, nawet ten cały Nowiński... Musieli się dowiedzieć, że ją zwolnili. Ale skąd, jak? Ktoś im powiedział? Może Piotrek? Ale on przecież nie miałby do nich wszystkich numerów...

Zdenerwowana, otworzyła pierwszego z brzegu SMS-a. Od Majki, kumpeli ze studiów.

Majka
22/10/2018, 12:45
Hej, próbuję się do ciebie
dodzwonić, ale nie odbierasz :/
Pewnie już wiesz, co się stało,
ale jeśli jakimś cudem to jeszcze

do Ciebie nie dotarło...
http://ratlerek.pl/ngh5h
Trzymaj się, kochana. I daj znać,
jeśli będziesz chciała pogadać.

xoxo

Ratlerek był serwisem podobnym do Meganewsów: pisał o wszystkim, co tylko się klikało, od domowych remediów na grzybicę stóp po romanse żon trzecioligowych piłkarzy. O co mogło chodzić? Może ukradli jej temat Buczka i rozwiązali sprawę? Albo zjechali jej artykuły? Julita kliknęła w link.

NAGIE FOTKI DZIENNIKARKI! TA PUPA...
MUSICIE TO ZOBACZYĆ! [GALERIA – 20 ZDJĘĆ!!!]
Kto by pomyślał, że nasza koleżanka po fachu, Julita Wójcicka (27 l.), ma ciało, którego pozazdrościłaby jej niejedna gwiazdka porno?

Kolejna dziewczyna przekonała się dziś, że nie warto robić sobie pieprznych zdjęć. Seksowne fotki, które cyknęła Julita Wójcicka (27 l.), o której było ostatnio głośno w związku z jej kontrowersyjnymi artykułami na temat śmierci Ryszarda Buczka, wyciekły dziś do sieci. Na jednym z nich dziennikarka robi zdjęcie odbitej w lustrze pupy, na drugim leży w łóżku bez koszulki, a na kolejnych... Słowa tego nie oddadzą! Jest tak gorąco, że musieliśmy ocenzurować zdjęcia... Ale zdeterminowani na pewno odnajdą w sieci oryginalne fotografie!

Nie wiadomo, kto umieścił zdjęcia w sieci ani
jak je uzyskał. Jedno jest pewne: Julita ma ciało,
które niejedną dziewczynę wpędzi w kompleksy... A wielu facetom zawróci w głowie! Może
Julita powinna pomyśleć o zmianie branży? Po-
wiedzcie, co myślicie, w komentarzach!

663 komentarze. Filtr: najwyżej punktowane

Aztek 13
Ta, wyciekły. Kolejna szmata próbuje nakręcić karierę gołymi
fotkami i tyle.

Juleko203
Zdzira teraz ma!!!!!! DEBILKI same sobie robiom zdjęcia
a potem płaczą!

Cunterstrike
Mówcie co chcecie, ruchałbym :D :D :D

JankaBronice
Jakie kompleksy? Cycki ma wyciągnięte jak u ŚWINI, a na
dupie cellulit. Paskuda!!!

Gość
Po co ta lafirynda podnieca się sama sobą przed lustrem
i robi onanistyczne fotki?

Binbong
Tandentna rura z pryszczem na czole xD Może co najwyżej
tirowcom obciągać :D

Pika192
Fajna kobietka, a nie wychudzony wieszak jak te modelki. Jest
   co przytulić!!!

0233345kot
I takim ścierom wydaje się, że są seksowne? Hahahaha :-)

Przepraszam... Wszystko w porządku? – zapytał kelner.
Julita oderwała się od telefonu. Dopiero teraz zoriento-
wała się, że znów płacze. Stał przed nią młody chłopak
z kręconymi włosami i rzadką brodą. Nie, nie jest w porządku, chciała mu powiedzieć. I chyba już nigdy nie
będzie. Ale znów poczuła, jak ściska ją w gardle, jak nią
trzęsie. Musiała wyjść. Natychmiast. Zerwała się z kanapy, przewracając kubek z wystygłą kawą, i wybiegła na
ulicę.
   Julita wróciła do domu przed północą: przemoczona,
szczękająca zębami. Magda czekała w drzwiach. Przytuliła ją bez słowa, przycisnęła do piersi. Julita znów zaczęła
ryczeć, aż zabolało ją zdarte gardło, aż zapiekły czerwone
oczy, aż zakłuło w pustym brzuchu. Magda pomogła jej
zdjąć płaszcz i brudny sweter, po czym wzięła ją pod ramię i posadziła w fotelu, otuliła kocem.
   – Zrobię ci herbatę – wyszeptała Magda.
   – Mhm.
   – A zjesz coś?
   – Nie.
Zagwizdał czajnik, Magda zalała torebkę, postawiła pa-
rujący kubek na stoliku.
   – Julka, siostrzyczko... – westchnęła. – Tak strasznie,
strasznie mi przykro.
   – Mnie też. Uwierz.

– Mogę coś dla ciebie zrobić?

Julita napiła się gorącej herbaty, poparzyła sobie język.

– Nie sądzę.

Deszcz walił o szyby, kot chłeptał mleko z miski, tykał wiszący na ścianie zegar.

– Co... Co się właściwie stało? – spytała Magda; mówiła cicho, ostrożnie, gotowa w każdej chwili zamilknąć. – To Rafał wrzucił te zdjęcia? Jeśli tak, to urwę mu...

– Nie. – Julita weszła jej w słowo. – Ktoś mnie zaatakował. Żebym przestała pisać o Buczku.

– O matko...

– No.

Kot wskoczył na fotel, umościł się na kolanach Julity. Kiedy próbowała go pogłaskać, ugryzł ją w palec.

– Aj... – syknęła. – To zjeżdżaj, niewdzięczniku.

– Teraz to by się raczej przydał pies, co?

– Mhm. Najlepiej dwadzieścia szczeniaków. I bernardyn z beczką koniaku.

– Jak chcesz, mogę ci nalać, została mi jeszcze butelka po Leszku...

– Nie, nie, tak tylko gadam.

Julita ścisnęła poduszkę, oparła o nią brodę. Wzięła głęboki oddech, wypuściła powoli powietrze.

– To... Co teraz zrobisz? – Magda oparła stopy o stół. Miała na sobie narciarskie skarpety w choinki i śnieżynki.

– Nie wiem... Pojadę w Bieszczady pasać owce... Albo pójdę do zakonu...

– Aha. Do którego?

– Mmm... Może do karmelitanek bosych. Tak się ładnie nazywają. I fajne mają te, no wiesz, czepki.

– Chyba welony. Będziesz się musiała nauczyć nazewnictwa, moja droga.

– Tak po prawdzie… – Julita otarła kolejną łzę, znów zaczął jej się rwać głos. – To po tym wszystkim raczej mnie nie przyjmą.

Magda położyła rękę na jej ramieniu, ścisnęła mocno. Wyglądała, jakby sama miała się rozpłakać.

– A tak na poważnie, Julka?

– Nie wiem… Naprawdę, nie wiem. Nawet nie chcę o tym myśleć.

– Pewnie. Ale… Może zostaw tę sprawę, co?

– Buczka?

– Tak. Nie chcę, żeby ktoś ci zrobił jeszcze większą krzywdę. Rozumiesz?

– Mhm. – Julita wzięła kolejny łyk herbaty. Wreszcie zrobiło jej się ciepło w środku. – Masz rację.

– Obiecujesz?

– Mhm. Obiecuję – odpowiedziała, tłumiąc ziewnięcie. – Słuchaj… Pójdę już spać, dobra?

– Dobra. Jutro sobota… Zabiorę gdzieś dzieciaki, żebyś miała rano spokój. Śniadanie będziesz miała w lodówce.

– Dzięki, duża siostro.

– Nie ma za co. – Magda wstała, poprawiła szlafrok. – Gdyby coś się działo… Dzwoń, dobra? I odezwij się do rodziców, bo już wariują.

– Ufff. – Julita potarła czoło. Było rozpalone, chyba coś ją brało. – Nie wiem, czy jestem na to gotowa.

– To chociaż coś do nich napisz, okej?

– Okej. Dobranoc.

Julita poszła do swojego pokoju, położyła się na rozkładanej kanapie i zwinęła w kłębek. Po raz pierwszy od dawna zostawiła zapalone światło. Długo nie mogła zasnąć, jej myśli kleiły się do siebie jak rozgotowany makaron, który zbyt długo leżał w cedzaku: jeden obraz przechodził bez ostrzeżenia w drugi, klisze nachodziły na siebie. Twarze ludzi z redakcji, przecinane przez wielkie czerwone litery i wykrzykniki. Jej zdjęcia, te okropne, straszne zdjęcia, ten jebany dżinn, który uciekł z butelki, i łapki w górę, łapki w dół, uśmieszki, gwiazdeczki, pierdolone serduszka, i tak bez końca. Zasnęła tuż przed trzecią, z głową pod poduszką.

Julita obudziła się następnego dnia o dziewiątej. O dziesiątej zmusiła się, żeby wstać z łóżka. Potem weszła pod prysznic i długo stała pod strumieniem gorącej wody, z zamkniętymi oczami i czołem opartym o ścianę. Lustro całkiem zaparowało. I dobrze, pomyślała, szorując zęby. Nie miała ochoty się oglądać, nie chciała patrzeć na swoje ciało, brudne, ohydne ciało, była na nie zła. Zapomniała o tym głupim, irracjonalnym uczuciu, wymazała je z siebie. Teraz wróciło.

W podstawówce była wzorową uczennicą. Co roku wybierali ją na skarbniczkę klasy, co roku zapisywała się na wszelkie możliwe olimpiady przedmiotowe, choć bez większego powodzenia, była w szkolnym poczcie sztandarowym – strasznie podobały jej się te białe rękawiczki, takie eleganckie i wykwintne, a przynajmniej tak jej się wtedy wydawało, zupełnie nie pasowały do Żukowa i szkoły tysiąclatki, z podłogami wyłożonymi burozielonymi płytami PCV i stołówką, w której zawsze śmierdziało wilgocią i gotowaną kapustą, były jak z jakiejś angielskiej powieści o damach, dżentelmenach i zaprzężonych w gniade konie karocach. We wrześniu wychodziła na scenę i deklamowała z wielkim przejęciem wiersze, których nie rozumiała, to znaczy rozumiała słowa, ale nie ich treść; śmierć, ojczyzna, krew, dzieci, germanić, nijak to przecież nie przystawało do jej rzeczywistości, do kolekcji kolorowych karteczek, do podrobionego plecaka z Myszką Miki, do skakania przez gumę na popękanym chodniku, białym od pokruszonej kredy.

A potem urosły jej piersi. Nagle, w wakacje między czwartą a piątą klasą, dużo wcześniej niż koleżankom. Na początku jej się to nawet podobało. Mama kupiła jej dwa staniki, pamiętała je doskonale: czarne, obszyte koronką, trochę za ciasne. Stała w łazience, między wirującą pralką a spękaną wanną, w której ociekał sfatygowany mop, i oglądała się w lustrze, to z lewej, to z prawej; piersi były duże, odstawały od chudego ciała. Zrozumiała wtedy, że dorosłość nie jest wcale tak odległa, jak jej się wydawało, że ona i jej rodzice to jednak ten sam gatunek, że też kiedyś będzie miała pracę, płaciła rachunki, chodziła do mięsnego po kurę na niedzielny rosół. Że ważne momenty w życiu nie zawsze przychodzą zapowiedziane, w określony dzień, jak początek wakacji albo egzamin na koniec szkoły, tylko po prostu się pojawiają i już, trudno, trzeba się z tym pogodzić.

Wróciła do szkoły i od razu poczuła, że coś jest nie tak. Chłopcy, którzy wcześniej byli zupełnie zaabsorbowani sobą, tymi swoimi idiotycznymi pokemonami, dragonballami i mortalkombatami, którzy rozmawiali z nią, tylko kiedy potrzebowali odpisać zadanie z matematyki, nagle nie mogli przestać się na nią gapić, bili się o to, kto za nią usiądzie, podkradali jej gumki do włosów i chowali plecak. Kiedy na WF-ie grała w siatkówkę, miała widownię: każdemu serwisowi, każdemu wyskokowi do bloku towarzyszyły oklaski i śmiechy. Tydzień później miała pierwszą rozmowę z wychowawczynią, panią Kubryło: matematyczką, która śmierdziała papierosami, kawą i naftaliną, z włosami zafarbowanymi na wściekle czerwony kolor. „Nie można tak dekoncentrować kolegów, rozpraszać ich w nauce", mówiła, wyciągając w jej stronę palec zwieńczony tipsem, „trzeba myśleć o tym, jak się wygląda, przyzwoicie się ubierać". Na początku nie rozumiała, o co w ogóle chodzi, czego od niej chce, dopiero matka jej wytłumaczyła. Więc zaczęła chodzić w workowatych bluzach i wyciągniętych swetrach po kuzynie. Niewiele to pomogło. Koledzy z klasy wciąż się „zalecali", jak ujmowała to pani Kubryło, na każdej przerwie znajdując nową zabawę: a to kopali jej piórnik, a to wystawiali jej discmana za okno – wyproszony prezent na urodziny, w środku była płyta Red Hot Chili Peppers – i wołali: „Wójcicka, pokaż cycka". Przewodził temu wszystkiemu Łukasz, ogromny chłopak o rumianej twarzy dziecka, jakby ta jego część ciała nie dostała jeszcze instrukcji, że najwyższa pora zacząć dojrzewać. Koleżanki nie były dużo lepsze: też się wyzłośliwiały, chociaż w mniej widowiskowy sposób. A to któraś niby przypadkiem zmoczyła jej koszulkę, więc resztę dnia Julita musiała chodzić z ramionami skrzyżowanymi na piersiach, inna wymyśliła jej ksywę Pamela, której nie mogła się pozbyć aż do końca podstawówki. Potem na ścianie przed jej blokiem ktoś napisał czarnymi kulfonami: „JULITA, CZY ZAROSŁA CI TEŻ PSITA?"; ojciec to potem zamalował resztką fiołkowej farby, która została po remoncie, ale po dwóch dniach napis zaczął spod niej przebijać. Ksiądz pytał przy spowiedzi, czy ma nieczyste myśli, a jeśli ma, to musi się do nich przyznać, opisać te poczynione w wyobraźni występki, bo inaczej nie dostanie rozgrzeszenia. No to opisywała, powoli, wypychając z ust lepkie słowa, które nie chciały odkleić się od języka; kręciło jej się w głowie od kadzidła, kamfory i pasty do mycia podłóg, była czerwona ze wstydu. Kiedy klęczała z różańcem i klepała karne zdrowaśki, czuła się brudna, jakby całą oblepiało ją cuchnące błoto, była wściekła na te swoje głupie, niepotrzebne cycki. Ale potem przyszło kolejne lato, we wrześniu poszła do gimnazjum, gdzie już tak nie odstawała na tle koleżanek, i było nawet w porządku. Workowate bluzy zawisły znowu gdzieś z tyłu szafy, a wspomnienia z podstawówki powoli się zacierały, blakły, jak trzymany długo w portfelu paragon. Teraz wróciły.

Zjadła śniadanie, żując mechanicznie, nie czując smaku, na siłę wypełniając ściśnięty żołądek. Próbowała czytać, ale nie mogła się skupić, po kilka razy wracała do tego samego zdania. Włączyła telewizor, skakała po kanałach. Mecz piłki nożnej. Koreańska telenowela. Telezakupy. Teledyski. Teleturniej. Antrykot to: a) rasa kota b) taniec, odmiana fokstrota czy c) mięso z tuszy wołowej. Odłożyła pilota, schowała twarz w dłoniach.

Muszę się ogarnąć, pomyślała, pocierając skronie, wziąć za siebie, bo inaczej zwariuję. Ubrała się, spięła włosy. Usiadła przy biurku, położyła telefon na blacie. Wpatrywała się przez chwilę w ciemną, lustrzaną taflę, a potem odblokowała wyświetlacz.

Najpierw odpisała rodzinie i znajomym: krótko, do rzeczy. „Dzięki. Jakoś się trzymam", „Zadzwonię, jak dojdę do siebie", „Nie martwcie się". Potem Facebook. Odrzuciła ponad dwieście zaproszeń od napalonych facetów, wywaliła z osi czasu linki do stron z wykradzionymi zdjęciami, wrzucone przez kilku „przyjaciół". Spróbowała wejść na swoją skrzynkę pocztową. Nie dało się, stare hasło nie działało, założyła więc nowy adres, rozesłała go do znajomych. Wreszcie napisała do wszystkich portali, które wrzuciły jej zdjęcia, z żądaniem natychmiastowego ich usunięcia. Wątpiła, żeby przyniosło to większy efekt.

Widziała przecież, jak podobne roszczenia były traktowane w Meganewsach. Poza tym, nawet gdyby jakimś cudem wszystkie portale postąpiły zgodnie z jej prośbą, zdjęcia i tak były już skopiowane przez setki, może nawet tysiące ludzi, wylądowały na stronach z pornografią, blogach, redditach. Ale przynajmniej miała poczucie, że nie jest bierna, że zrobiła, co mogła. Potem zadzwoniła do Adama. Odebrał dopiero po siódmym sygnale; już po pierwszych słowach, drętwych i nieszczerych, zrozumiała, że oferta pracy jest nieaktualna.

Julita położyła się na kanapie, wbiła wzrok w sufit. Co dalej? Może podrasować CV, rozesłać je po redakcjach… Ale kto ją teraz zatrudni? Kto ją potraktuje poważnie? Puszczalską, zdzirę, nimfomankę? A nawet jeśli – czy wytrzyma w jakimkolwiek biurze dłużej niż tydzień, ze świadomością, że każdy, absolutnie każdy, może ją obejrzeć nago, kiedy tylko zechce? Co jej pozostawało? Zmienić nazwisko? Wyprowadzić się za granicę? Łzy znowu napłynęły jej do oczu. Ależ ja byłam głupia, pomyślała. Idiotka, kretynka, debilka.

Zawibrował telefon. Nowa wiadomość. Leon Nowiński.

Ż. Leon
23/10/2018, 14:01
Dzięki, że się odezwałaś.
Nie wiem, czy to cię jeszcze
interesuje – ale jakiś czas
temu wysłałem Ci mejla z informacją,
która może mieć jakieś znaczenie
dla śledztwa o Buczku. Dostałem
zwrotkę, że jesteś na urlopie.
W świetle ostatnich wydarzeń podejrzewam,

że to mogła nie być prawda...
Jeśli nadal zajmujesz się tą sprawą,
daj znać, to zadzwonię.

Julita siedziała bez ruchu, bijąc się z myślami. Rozsądek podpowiadał, żeby dać sobie spokój: dość już straciła, zajmując się tą sprawą, nie miała żadnych środków, żeby kontynuować śledztwo, ryzyko było ogromne, a ponadto miała bardziej palące problemy na głowie. Julita odpowiedziała rozsądkowi, żeby się pieprzył. Wcisnęła zieloną słuchawkę; chwilę później usłyszała znajomy głos.

– Halo? Tak, tak, dzięki... – Przytrzymała telefon między ramieniem a policzkiem, sięgnęła po notatnik i długopis. – No, bywało lepiej... Mhm... No tak, ja nic takiego nie ustawiałam. Na pogrzebie? I co, tak po prostu podszedł i napluł? Aha... Możesz go opisać? Tunele w uszach i szary płaszcz... Tak, tak... Słuchaj, bardzo ci dziękuję. Naprawdę. Gdybyś jeszcze na coś... Super. To cześć, trzymaj się.

Julita włączyła komputer. Chwilę później była na stronie blogspot.com, założyła nowy blog. I zaczęła pisać.

Pierwszy materiał, który Leon Nowiński przygotował dla Diet-Polu, promował nową linię zdrowych ciasteczek, Lekkie Kąski. Były wegańskie, bezglutenowe, niskokaloryczne i co wcale nie jest takie oczywiste, zważywszy na poprzedzające przymiotniki, całkiem smaczne. Szefostwo wiązało z nimi duże nadzieje: z badań focusowych wynikało, że ciasteczka mają szansę zdobyć uznanie masowego odbiorcy. Dotychczas produkty Diet-Polu były kupowane głównie przez, cytując raport zewnętrznego konsultanta, „kobiety z wielkich miast, w wieku 20–30 lat, z wykształceniem średnim, niepełnym wyższym oraz wyższym, zainteresowane zdrową żywnością i/lub odchudzające się".

Leon, który nie znał jeszcze wówczas gustów szefostwa, popuścił wodze fantazji. Tłumaczył swoją wizję Michałowi: wyobraź sobie dwie krainy w odwiecznym konflikcie, Smakostany i Demokratyczną Republikę Diet. Smakostany to taka Ameryka, kolorowe, dostatnie i bogate: płyną tu rzeki karmelu i syropu glukozowo-fruktozowego, a nad polami, na których rosną ziemniaczane chipsy, suną leniwie kłębiaste chmury waty cukrowej. Mieszkańcy Smakostanów są otyli i głośni, lubują się w prostych przyjemnościach. Żyją chwilą, niby szczęśliwie, ale z poczuciem wewnętrznej pustki, której nie potrafią niczym wypełnić. Demokratyczna Republika Diet jest zupełnie inna: surowa, wręcz ascetyczna. Wszyscy jej mieszkańcy są szczupli i zadbani, noszą jednakowe lniane mundury, wstają skoro świt i co najmniej raz w tygodniu biegają maratony. Monumentalne miasta, zbudowane z bloków tofu wspartych na przęsłach z selera naciowego, okalane są przez gęste brokułowe lasy. Z szarego nieba sypie często grad ziaren cieciorzycy, surowe zimy skuwają lodem brunatne jeziora soku wielowarzywnego, w sklepach jest tylko niefiltrowany ocet jabłkowy i pasztet z fasoli pinto. Ale mieszkańcy DRD są niepomni na wszelkie przeciwności. Rozpala ich idea, która pozwala zapomnieć o codziennych trudach: w zdrowym ciele zdrowy duch! Joggerzy wszystkich narodów, łączcie się! Niski cholesterol to niskie ciśnienie!

Smakostany i Demokratyczna Republika Diet hołdują tak różnym wartościom, że nie potrafią nawiązać dialogu, przez co skazane są na wieczny konflikt. Aby je pogodzić, trzeba by połączyć smakostański hedonizm z dietetycznym dyktatem DRD. Powszechnie uważa się, że to niemożliwe… Aż przyjętej prawdzie zadaje kłam słynny alchemik, Lekki Kąsek! Jego ciasteczka, jednocześnie pyszne i zdrowe, smakują zarówno Smakostanianom, jak i obywatelom autorytarnej DRD! Pojawia się nić porozumienia, szansa na pokój, na…

– Tak, tak, to bardzo ciekawe – przerwał mu Michał, po czym złożył dłonie w trójkąt. – Ale szef ma inny pomysł.

– Aha? Jaki?

– No, jest taka dziewczyna… Burczy jej w brzuchu, zjadłaby coś. Na jej ramieniu pojawia się wtedy diabełek i mówi: kup sobie batona, batooooonaaaa… I ona idzie pod automat, już ma wrzucić monetę, ale…

– Niech zgadnę. Na drugim ramieniu ląduje aniołek?

– O, widzę, że już czujesz temat. – Michał ucieszył się. – No właśnie, aniołek. I on mówi: „A może byś spróbowała Lekkich Kąsków?".

– Mhm. I co dalej?

– No wiesz, próbuje, potem się uśmiecha i wraca do biurka cała w podskokach. Wtedy wjeżdża taki napis… „Lekkie Kąski – Brzuszek Wąski".

Leon zamrugał, nie do końca pewny, czy Michał mówi serio, czy to element jakiegoś okrutnego rytuału kocenia nowych pracowników.

– Ale brzuch nie może być… Mhm. No okej, dobra.

– Tylko tak sobie myślę… – ciągnął Michał – że zamiast diabła byś zrobił diablicę. Wiesz, taką seksowną.

– Tak… Aha…

Zrobił to, co mu kazano: poszczuł cycem. Diablica miała czerwoną skórę, długie nogi obute w lateksowe kozaki, skórzany gorset eksponujący biust i pełne usta, spomiędzy których wyślizgiwał się wilgotny rozdwojony język, jak u węża. Patrzyła wyzywająco spod półprzymkniętych

157

powiek, prężyła się, owijając ogon wokół trójzębu. Jej kwestie nagrywała aktorka o niskim, aksamitnym głosie, od którego faceci dostawali gęsiej skórki.

Teraz, siedząc na kanapie z telefonem w ręku, Leon sobie o niej przypomniał. Czuł się, jakby ta diablica siedziała teraz na jego ramieniu i szeptała mu do ucha: no dalej, wyszukaj ją. Wystarczy wpisać dwa słowa i będzie twoja. W pracy nie zdążyłeś się przyjrzeć, było ci głupio. Ale teraz jesteś sam, w domu. Nikt się nie dowie, nie będzie cię oceniał. Przecież już na pierwszym spotkaniu gapiłeś jej się w dekolt, wyobrażałeś sobie, jak wygląda nago, no to teraz sobie zobaczysz. Że co? Że te zdjęcia wykradziono? No cóż, trudno, smutna historia, ale mleko już się rozlało. I tak zobaczyło je już dziesięć tysięcy ludzi, co za różnica, jeśli ty też sobie popatrzysz? Nikomu nie robisz krzywdy. Zresztą, co cię nagle wzięło na zgrywanie świętego? Już ja wiem, co ty robisz wieczorami przy komputerze, jakie strony odwiedzasz, co tam oglądasz, mnie okienkiem incognito nie oszukasz.

W końcu uległ i wstukał dwa słowa: „Julita Wójcicka". Pomocna wyszukiwarka podpowiadała: „Julita Wójcicka nago? Julita Wójcicka zdjęcia? Julita Wójcicka cycki? Julita Wójcicka dupa?". Leon zignorował te sugestie, wcisnął enter. Ponad dwadzieścia tysięcy wyników, prawie wyłącznie galerie. Kliknął w losowy link. Po chwili załadowało się pierwsze zdjęcie – Julita patrzyła na nim prosto w obiektyw. W jego oczy.

Leon odłożył telefon – i wyszedł z domu, naciągając czapkę na czerwone uszy.

Julita sczytała tekst po raz ostatni, po czym wcisnęła przycisk „opublikuj". Chwilę później na blogu julitawojcicka. blogspot.com pojawił się pierwszy wpis.

NOWY ROZDZIAŁ
Czytelnicy, Czytelniczki

Tych z Was, którzy weszli na moją stronę z nadzieją na więcej nagich zdjęć, czeka zawód. Jedyne, co znajdziecie pod tym adresem, to teksty dokumentujące moje śledztwo w sprawie śmierci aktora Ryszarda Buczka (jeśli chcecie wiedzieć, ile miał lat w chwili śmierci, sprawdźcie sobie na Wikipedii).

Spotkałam się z opiniami, że wyssałam sobie całą sprawę z palca, że szukam taniej sensacji – raniąc uczucia bliskich zmarłego. Pozwólcie, że ostatecznie rozwieję Wasze wątpliwości.

Wczoraj rano zostałam zaszantażowana. Anonimowy rozmówca żądał, abym zakończyła swoje dochodzenie – albo zniszczy moje życie. Odmówiłam. Chwilę potem okazało się, że nie były to puste groźby. Szantażysta opublikował zdjęcia wykradzione z mojej prywatnej skrzynki e-mailowej, rozpętał się skandal – w wyniku którego zostałam zwolniona z pracy.

Chciałabym móc napisać, że odmówiłam szantażyście, bo wierzę w wolność słowa i niezależną prasę. Chciałabym móc napisać, że świadoma konsekwencji, dokonałam wyboru zgodnego z moim sumieniem i w imię podniosłych ideałów.

Niestety, prawda jest taka, że zignorowałam zagrożenie, przekonana, że szantażysta jedynie blefuje, że jestem poza jego zasięgiem. Gdybym mogła cofnąć czas, gdybym wiedziała to, co wiem teraz – na pewno uległabym jego żądaniom.

Ale nie mogę tego zrobić – tak samo, jak nie mogę odzyskać utraconej reputacji, godności i anonimowości. Muszę żyć z konsekwencjami swojego wyboru i albo schować głowę w piasek, a ogon między nogi – albo robić dalej swoje.

Wybieram to drugie. Po pierwsze, dlatego że nie mam już nic do stracenia. Po drugie, po prostu chcę ustalić prawdę, jak dziennikarce przystało. Po trzecie wreszcie – żeby pokazać mojemu szantażyście środkowy palec.

Chciałeś mnie uciszyć? No to masz.

Julita wrzuciła link do wpisu na kilka stron – na wykop.pl, reddita, różne fora dyskusyjne – po czym wstała od biurka. Ku własnemu zdziwieniu czuła, jak rozpiera ją energia: miała ochotę pójść biegać, boksować się z workiem treningowym, zrobić sto pompek, a potem machnąć kolejny tekst. Jakież to było wyzwalające – pisać swoim własnym językiem, używając słów, które miały więcej niż trzy sylaby, bez wykrzykników, głupich tytułów i całej reszty tych tanich chwytów, którymi zwykła wabić czytelników.

Poszła do kuchni, puściła muzykę z telefonu i zrobiła sobie obiad: makaron z pesto ze słoika. Po raz pierwszy od ataku jadła z apetytem. Po raz pierwszy czuła, że jakoś to będzie, że da sobie radę. Zmywając naczynia, nuciła nawet pod nosem.

Kusiło ją, żeby sprawdzić, jak sobie radzi jej tekst: ile ma wyświetleń, ile razy go skomentowano, a ile udostępniono w mediach społecznościowych. Ale powstrzymała się: przecież minęło tylko pół godziny, to za mało, żeby tekst chwycił. Zamiast tego wzięła do ręki kalendarz Buczka, otworzyła go na dwudziestym października.

- zapłacić ubezpieczenie
- 11:00 - nagrania Woronicza
- 14:00 - DKiP-rzy
- 17:30 - Odebrać Rafała z piłki

Znów zastanawiała się, jak rozwinąć tajemniczy skrót. Kluczem było ostatnie słowo, skrócone do „P-rzy". Pionierzy? Pasterzy? Paserzy? Pęcherzy? Psałterzy? Bez sensu. Julita wertowała notatnik, ciekawa, czy ten skrót pojawia się gdzieś wcześniej. Znalazła go we wpisach z 25 stycznia, 13 marca, 11 maja, 2 lipca. Zawsze w dzień roboczy, zawsze wczesnym popołudniem. Co ciekawe, był to jedyny używany przez niego skrót: reszta notatek była pisana pełnymi zdaniami. Jakby chciał coś ukryć. Julita wyszukała słowa „Buczek" i „DKiP-rzy". Zero wyników, „Czy miałaś na myśli *Buczek do harcerzy*?". Nie, nie miałam, pomyślała, zamykając kartę przeglądarki.

Julita spojrzała na zegarek. Minęła godzina, odkąd opublikowała tekst. Pora sprawdzić, jak sobie radzi. Weszła na nowo założoną stronę, otworzyła panel administratora. Zrzedła jej mina. Dwadzieścia trzy wyświetlenia, jeden komentarz. Może coś ciekawego? Nowe informacje? Wyrazy wsparcia albo chociaż inteligentna polemika?

Gość
Poka cycki

Julita przewróciła oczami i skasowała komentarz. Zastanawiała się, co dalej. Tekst trzeba było jakoś wypromować, wykręcić z niego *viral*, który zacznie latać po sieci. W Meganewsach miała ten komfort, że każdy, nawet najgłupszy tekst, mógł przyciągnąć uwagę tysięcy ludzi odwiedzających codziennie tę stronę. Portal miał – jakkolwiek by to nie brzmiało – wyrobioną markę i stałych czytelników. Odwiedzali go redaktorzy z innych stron, głodni nowych tematów, ponadto jako popularna strona pojawiał się wysoko w wynikach wyszukiwania. Jej blog nie miał tych atutów. Oczywiście, z czasem sytuacja mogła się zmienić: publikując kolejne wyważone i ciekawe teksty, Julita prędzej czy później dotarłaby do szerszej grupy odbiorców, ci zaczęliby polecać stronę znajomym, i tak dalej. Alternatywnie można było wykupić reklamę: wówczas każdy, kto szukałby wyników dla, dajmy na to, „Julita Wójcicka cycki" albo „Julita Wójcicka dupa", zobaczyłby też okienko z informacją o jej nowej stronie. Ale Julita nie miała czasu – ani tym bardziej pieniędzy. Musiała radzić sobie inaczej.

Założyła skrzynkę pocztową na wymyślone nazwisko, Marcin Mrówczyński. Zajęło jej to trzy minuty. Następnie napisała krótkiego e-maila, którego rozesłała do redakcji kilku internetowych portali. Nie było wśród nich gigantów – Plotka, Pudelka, Pomponika i innych stron na „p" – tylko reprezentanci wagi lekkiej i koguciej, w tym oczywiście Meganewsy. Liczyła na to, że będą mniej wybredni i łykną haczyk.

od: Marcin Mrówczyński <marcin.mrowczynski@wp.pl>
do: Ratlerek <info@ratlerek.pl>
data: 23 października 2018 15:12
temat: Wójcicka kontratakuje!

Co się stało, że jeszcze o tym nie piszecie?!!! Cały mój Facebook i Twitter aż o tym huczy! Julita Wójcicka założyła bloga – po raz pierwszy odnosi się do afery ze zdjęciami i zdradza kulisy zwolnienia z Meganewsów! Poczytałbym o tym coś więcej!

Wasz stały czytelnik
Marcin Mrówczyński

PS Ratlerek rządzi!

Długo nie trzeba było czekać. W końcu ci redaktorzy też musieli wypuścić kilka, czasem nawet kilkanaście tekstów dziennie. Skoro materiał sam pukał do drzwi – a czytelnik podkreśla jeszcze, że temat jest gorący, co może się przełożyć na kliknięcia – czemu nie napisać dwóch zdań? Z siedmiu portali, do których napisała, cztery wrzuciły teksty o jej blogu po piętnastu minutach, kolejne trzy – po godzinie. Jeden z dziennikarzy odpisał z podziękowaniem za podesłanie sugestii i prosił o więcej. Julita siedziała z telefonem w ręku, na wszelki wypadek, gdyby któryś z redaktorów postanowił spytać, czy to faktycznie ona prowadzi wspomnianego bloga. Nikt jednak nie zadzwonił.

Tytuły artykułów były dokładnie takie, jak się spodziewała: „Ukradli jej NAGIE zdjęcia. Co ona na to? Nie uwierzycie!!!", „Szantażysta groził, że ZNISZCZY JEJ ŻYCIE! Co zrobił? Tego się nie spodziewała...", „Tych z Was, którzy weszli na moją stronę z nadzieją na więcej nagich zdjęć... SEKSBOMBA Wójcicka odpowiada amatorom swoich wdzięków!". Dobór ilustracji też jej nie zaskoczył: oczywiście nigdzie nie pojawiła się jej oficjalna fotografia, którą wrzuciła na bloga – koszula w prążki, naszyjnik i kolczyki ze sztucznych pereł – tylko wypikselowane nagie zdjęcia. Nie miała o to pretensji. Na ich miejscu zrobiłaby to samo.

Temat szybko powędrował w górę internetowego łańcucha pokarmowego. Skoro o stronie Julity wspomniał Ratlerek, Pudelek nie chciał być gorszy, a jako że o sprawie pisał Pudelek, musiał o niej napisać też Pomponik. Ruch na blogu poszedł w górę, pojawiły się komentarze. Niektórych nie trzeba było nawet kasować.

Julita wstawała od komputera z poczuciem satysfakcji.

Ojciec Jarosław Kłos wyciągnął z kieszeni kurtki orzecha włoskiego i kucnął, przytrzymując się ławki. Wiewiórka stanęła na dwóch łapkach, niezdecydowana. Pierwotny instynkt mówił gryzoniowi: uciekaj, ten stary hominid nie ma żadnego interesu, żeby cię dokarmiać, jak tylko się zbliżysz, ukręci ci głowę, wypatroszy, zeżre na miejscu! Ale w brzuchu burczało, a zima była za pasem.

– No chodź, malutka. – Ojciec Kłos wyciągnął dłoń przed siebie, uśmiechnął się. Jego głos był ciepły, budził zaufanie. – Basia, Basia, Basia.

Wiewiórka zmarszczyła nosek, ruszyła wąsami. W końcu podbiegła do księdza, złapała orzech w pazury i czmychnęła na drzewo. Ojciec Kłos dźwignął się w górę, krzywiąc się z bólu; staw biodrowy znowu się odzywał. Otrzepał kolano z piachu, zadarł głowę. Wiewiórka siedziała na gałęzi i obracała orzech w łapkach. Po chwili słychać było *zgrzyt, zgrzyt, zgrzyt* zębów trących o skorupę.

– Szczęść Boże.

Kobiecy głos. Ojciec Kłos odwrócił się. Zobaczył kobietę w pomarańczowej kurtce i ogromnych okularach przeciwsłonecznych. Trzymała za rękę chłopca: miał siedem, może osiem lat. Blond włosy, zadarty nosek, czerwone policzki, spodnie upstrzone błotem. Pewnie wracali z placu zabaw.

– Szczęść Boże – odparł ojciec Kłos, kłaniając się lekko. – Mam nadzieję, że nie podebrałem wam wiewiórki? Jakby co, widziałem drugą tam koło krzaków.

– Nie, nie, nawet nie mamy orzechów…

– Ach, cóż prostszego, zaraz temu zaradzimy. – Ksiądz sięgnął do kieszeni. – Jak się nazywa młody człowiek?

– No, powiedz, jak masz na imię. – Kobieta szturchnęła lekko chłopca. Mały był zakłopotany, odwracał wzrok.

– Maks – wybąkał.

– Chodzisz już do szkoły, Maks?

– Tak, proszę pana.

– Proszę księdza – syknęła matka.

– Ach, proszę się nie przejmować. – Ojciec Kłos machnął ręką. – Nie jesteśmy przecież w kościele, tylko tak sobie gadamy jak dwaj spacerowicze. Co nie, Maks? Powiedz, grzeczny jesteś?

– Raczej tak.

– No, to najważniejsze. – Ksiądz poczochrał chłopca po głowie. Jego włosy były miękkie, wilgotne od potu. – Masz tu orzecha. Pamiętaj: nie możesz się gwałtownie ruszać, inaczej wiewiórka się wystraszy. Dobra?

– Mhm.

– Nie „mhm", tylko podziękuj – wtrąciła matka.

– Dziękuję.

– Nie ma za co. Niech wam Bóg błogosławi.

Ojciec Kłos ruszył dalej żwirową alejką, trzymając ręce z tyłu, splecione na plecach. Minął wycieczkę Japończyków i obściskującą się parkę, która speszyła się na jego widok, gdzieś w oddali zaskrzeczał paw. Nawet dziś, w szary październikowy dzień, Łazienki Królewskie wyglądały pięknie: oaza zieleni w zbyt gęsto zabudowanym, duszącym się mieście.

Ksiądz wszedł na brukowaną alejkę prowadzącą pod górę, ku Ujazdowskim. Dzieci zbierały z ziemi kasztany, turyści robili sobie zdjęcia telefonami w selfie-stickach, coś szeleściło w krzakach; pewnie ryjówka. Ojciec Kłos znał tu każdy płot. Wiedział, gdzie szukać jedynej żyjącej w parku sarny, gdzie ma swoją dziuplę puszczyk, a gdzie można znaleźć sikorki, które jedzą z ręki. Mieszkał w tej okolicy od dwudziestu trzech lat. Z każdą ławką, z każdym drzewem łączył jakieś wspomnienie.

Ojciec Kłos minął gablotę z prezydenckim cadillakiem i zatroskanego nad losem ojczyzny Piłsudskiego, przeszedł przez pasy. Zgrzał się od tego marszu, musiał chwilę odpocząć, rozpiąć kurtkę pod szyją. Za ambasadą Szwecji skręcił w lewo, w ulicę Flory. Wszedł w bramę narożnej kamienicy, wcisnął guzik domofonu. Chwilę później był już w prywatnej klinice. Białe ściany ozdobione zdjęciami kwiatów, pomarańczowe kanapy, uśmiechnięte recepcjonistki z nienagannym manikiurem i włosami spiętymi w koki.

– Niech będzie pochwalony – przywitała go jedna z dziewczyn.

– Na wieki wieków. Amen.

– Gabinet piąty, proszę księdza.

Kiedy dwa lata temu ojciec Kłos dowiedział się, że stan jego nerki pogorszył się na tyle, że będzie musiał być regularnie dializowany, przyjął to ze smutkiem i rozczarowaniem. To oznaczało koniec wyjazdów w góry na obozy Klubu Inteligencji Katolickiej, koniec pielgrzymek, koniec wyjazdów rekolekcyjnych. Co drugi dzień musiał być w klinice na Flory 5, leżeć bez ruchu trzy, cztery godziny, podłączony do szumiącej maszyny, która oczyszczała krew z toksyn.

Okazało się, że do wszystkiego można się przyzwyczaić. Wizyty w klinice traktował jako pretekst do długiego spaceru po ukochanym parku, a samą procedurę jako okazję do nadgonienia zaległej lektury albo modlitwy. Wiara pomagała: wiedział, że każdy musi nieść swój krzyż.

Ojciec Kłos położył się na leżance i rozpiął koszulę, odsłaniając cewnik. Pielęgniarki błyskawicznie podpięły go do aparatury: czystej, lśniącej nowością. Ksiądz podziękował im i pobłogosławił, po czym wyjął z torby ostatni numer „Gościa Niedzielnego". Otworzył magazyn na spisie treści. „Kanada: totalitaryzm w imię tolerancji", nie, nie warto, nie chciał się denerwować. „Skok tygrysicy: bezprecedensowe zwycięstwo polskiej lekarki w Szwecji w sporze o klauzulę sumienia". Strona trzynasta. Brzmi ciekawie.

Ksiądz przerzucił kilka stron, zaczął czytać. Polska lekarka... Wyjechała do Szwecji w 2008... Pracodawca złamał jej wolność sumienia... „Bóg jest moją mocą", mówi Katarzyna Jachoń... Ciekawe, jak dopięła swego, pomyślał ojciec Kłos.

Nie było dane mu się dowiedzieć. Nim doczytał artykuł do końca, stracił przytomność.

Probierzy, premierzy, pancerzy, paździerzy, wyliczała w głowie Julita. Performerzy, pojezierzy, podoficerzy. Bez sensu, pomyślała, rysując kwiatki w notatniku. Nigdzie mnie to...

Wtedy ją olśniło. Partnerzy! Czyli nazwa jakiejś kancelarii? Pobiegła do komputera, ślizgając się po parkiecie, otworzyła nową kartę przeglądarki. Wpisała hasło wyszukiwania: „lista kancelarii prawnych w Warszawie". Pierwszy wynik: Krajowy Rejestr Kancelarii Prawnych. *Klik*. Wybierz województwo: mazowieckie, wybierz miasto: Warszawa, szukaj. Kilkaset wyników. Julita przewijała listę, szukając nazwy kancelarii zaczynającej się od litery „D". Znalazła ją na drugiej stronie: Dobrowolski, Kuchcik i Partnerzy, Prosta 32. Bingo.

Julita weszła na ich stronę. Kancelaria zatrudnia niemal dwustu prawników... Powstała w tysiąc dziewięćset dziewięćdziesiątym trzecim... Pełen zakres usług prawnych... Nasze wartości to otwartość, sumienność, bla, bla, bla... Głośne sprawy karne, adwokaci z DKiP bronili między innymi Tomasza O., skarbnika tak zwanego młodego Pruszkowa, oskarżonego o malwersacje finansowe senatora partii rządzącej... Siódme miejsce w rankingu kancelarii „Rzeczpospolitej" z bieżącego roku, w zeszłym piąte, wysokie pozycje w zestawieniach Chambers i Legal500. Słowem, pierwsza liga. W czym pomagali Buczkowi?

Ping. Nowy e-mail. Julita była zaciekawiona – dopiero co założyła tę skrzynkę, niewiele osób znało jej adres. Ale kiedy zobaczyła tytuł wiadomości, ścisnęło ją w żołądku.

od: Blog-spot <blog-spot@blogspot.com>
do: Julita Wójcicka <j.wojcicka.2018@gmail.com>

data: 23 października 2018 16:43
temat: Twoja strona jest zagrożona atakiem

Nasz algorytm wykrył kilkadziesiąt prób logowania przy
użyciu błędnych haseł na konto administratora strony
www.julitawojcicka.blogspot.com. Oznacza to, że twoja
strona jest zagrożona atakiem.

Zaleca się natychmiastową zmianę hasła na mocniejsze.
Kliknij w poniższy link, aby ustalić nowe hasło zgodnie ze
wskazówkami przygotowanymi przez naszych ekspertów
do spraw bezpieczeństwa.

www.blog-spot.com/zmianahasla.htm

Pozdrawiamy,
Zespół blogspot

O nie, myślała Julita, o nie, nie, nie. Znów mnie próbuje
dopaść, cholera jasna! Kliknęła w link podany w e-mailu,
otworzyła się nowa strona. Julita wpisała swój login,
julitawojcicka, a potem hasło: Sitno1999, czyli nazwa
miejscowości pod Żukowem, w której jej dziadkowie
mieli działkę, i rok, w którym robiono jej remont. Teraz
musiała ustawić nowe hasło. Po chwili namysłu wpisała
BialyKamien2018. Wyświetlił się komunikat: dziękujemy
za ustawienie nowego hasła. Julita weszła na stronę swojego bloga, żeby sprawdzić, czy zaloguje się bez problemu.
    – Nie… – Złapała się za głowę. – Kurwa, nie…
    Strona była pusta: zniknął banner z nazwą, zdjęcie, jej
pierwszy wpis. Nic, tylko białe tło. Co się stało? Przez
przypadek zresetowali jej też zawartość bloga? Spóźniła

się, atak doszedł jednak do skutku? Spróbowała się zalogować. „Nieprawidłowe hasło". No dobra, pomyślała, to ustawię je jeszcze raz. Kliknęła przycisk „zresetuj hasło" i czekała, aż dostanie wiadomość z tymczasowym kodem. Minęła minuta, dwie. Kwadrans. I nic. Co jest?!

Julita walnęła pięścią w blat i wstała od biurka.

Julita Wójcicka, 23.10.2018, 17:55
Drogi fejsbuczku – potrzebuję jak najszybciej pomocy kogoś, kto zna się na komputerach i znalazłby czas, żeby ze mną pogadać. Sprawa jest pilna. Tylko poważne oferty plz.

Werka Wicińska 27 minut temu:
Chodzi o te pieprzone zdjęcia...? :///
Julita Wójcicka:
Chyba chciałaś napisać „pieprzne" :P :P :P Nie, tu by mogła pomóc już tylko podróż w czasie. Chodzi ogólnie o kwestie cyberprzestępczości. Wolę tutaj nie rozwijać tematu.
Werka Wicińska:
Trzymaj się, kochanie :* I pamiętaj, że jak będziesz chciała pogadać, jestem do twojej dyspozycji!
Julita Wójcicka:
Pamiętam. Zadzwonię jak tylko się ogarnę.
Maja Żelich 12 minut temu:
Kurde, mam fajną koleżankę, która zna się na rzeczy, jest programistką, ale mieszka w Krakowie. Ale może chcesz jej numer?
Julita Wójcicka:
Dzięki, ale wolałabym z kimś spokojnie usiąść i pogadać.
Poza tym to nie jest sprawa na telefon.
Maja Żelich:
Dobra. Jak ktoś mi jeszcze przyjdzie do głowy, to dam znać.

Julita Wójcicka:
Dzięki :*
Mikołaj Parys 3 minuty temu:
Hej Julita – kopę lat! Słyszałem, co się ostatnio stało...
Masakra. Całe Żukowo łączy się w bólu. Czyli wiesz,
piętnaście osób ;) Ale w temacie: mam w stolicy kumpla
z judo, który jest administratorem sieci czy kimś takim.
Łebski facet, myślę, że mógłby ci pomóc. Jakby co to dawaj
znać. Trzymaj się!

Julita siedziała przed monitorem, oblana niebieskim
światłem, i bezwiednie obgryzała paznokcie. Ostatni raz
widziała Mikołaja jakieś piętnaście lat temu. Wołali wtedy na niego „Gruby", bo, uwaga – był gruby. Teraz pewnie
tę ksywkę nosi w Żukowie kto inny. Każde miasto, każde
osiedle w Polsce ma swojego Grubego, Chudego, Siwego
i Łysego, a kiedy któryś Schudnie, Utyje, Wyłysieje, Zaroś-
nie, ewentualnie po prostu się wyprowadzi albo weźmie
i umrze, na jego miejsce przychodzi zaraz kolejny i przejmuje jego miano, jakby to było jakieś niezmienne prawo
natury. W każdym razie Gruby był gruby, miał łupież
i ogromne pryszcze, istne różowo-białe wulkany, które
tworzyły na jego policzkach i czole długie łańcuchy, które ciągle zmieniały położenie i kształt, jak na powierzch-
ni młodej, jeszcze niewystygłej planety. Gruby chodził
w czarnych bluzach z kapturami, wojskowych spodniach
i glanach Dr. Martensa, nawet latem, ale w sumie chodził
rzadko, bo głównie siedział w domu. Czytał dużo fantas-
tyki, te wszystkie Tolkieny, Sapkowskie i inne Dukaje,
malował figurki brodatych krasnali, w kieszeniach bojó-
wek miał zawsze jakieś dziwne kostki i obłożone lamina-
tem kolorowe karty. Nosił ze sobą taki granatowy kajecik,

w którym tworzył własne światy, historie i języki, rysował w nim mapy, rycerzy, smoki i inne elfy. Chłopaki z klatki obok – Baran i Cegła, aspirujące dresiki w przydeptanych najkaczach i z komunijnymi łańcuszkami wyciągniętymi na piłkarskie koszulki – wrzucili mu kiedyś ten zeszyt do zsypu, i była z tego wielka afera: Gruby wpadł w furię, rzucił się na nich z pięściami i ku zdziwieniu całego Żukowa, spuścił im straszny łomot. Szukał potem tego swojego kajetu z latarką w zębach, po pas w śmieciach, ale go nie znalazł.

Julita rozmawiała z Grubym dosłownie kilka razy w życiu: chodzili co prawda do tej samej szkoły, ale on był dwa lata starszy, no i raczej nie mieli wspólnych zainteresowań. Potem znalazł ją na Facebooku, to było jakieś trzy, cztery lata temu. Wymienili grzecznościowe komunikaty, co tam u ciebie, co tam u mnie, dobrze, aha, to na razie. Czas był dla Grubego łaskawy: wyciągnął się, wyładniał, a bluzy wymienił na garnitur, bo sprzedawał ubezpieczenia.

Teraz Gruby postanowił pomóc. Napisała do niego, że tak, poprosi o kontakt do tego kolegi. Kolega nazywa się Janek Tran, to jego e-mail. Julita podziękowała, chwilę popisała jeszcze o niczym, żeby nie wyjść na interesowną, po czym pożegnała się, wysłała list pod podany adres i spytała, co powinna zrobić, żeby odzyskać dostęp do strony. Janek zaproponował spotkanie: bar Alfa, plac Hallera, o dwudziestej.

Julita włożyła workowatą bluzę i wyszła z domu.

Na Jagiellońskiej był korek. Znowu. Posterunkowy Radosław Gralczyk otworzył okno samochodu, żeby wpuścić trochę świeżego powietrza. Od siedzącego obok Jarka bił sztuczny kwiecisty zapach, od którego kręciło w nosie. Co on, kurwa, na siebie wylewa, pomyślał Gralczyk, płyn do spryskiwaczy? Odświeżacz do kibla?

– No i czego otwierasz, spalin tylko nawlatuje – obruszył się Jarek.

– Lepsze to niż Górska Świeżość.

– Co?

– Nico. Ruszyło się, jedź.

Przejechali dziesięć metrów, zatrzymali się. Kobieta w aucie na pasie obok gadała przez komórkę. Kiedy zdała sobie sprawę, że stoi przy radiowozie, natychmiast się rozłączyła. Jarek pogroził jej palcem.

– Gdzie na kolację? – spytał Gralczyk.

– A ty co, nie jesz w domu?

– Nie jem.

– Co, pokłóciliście się z Alą? – Jarek bębnił palcami o kierownicę, wystukując rytm lecącej w radiu piosenki.

– Nie. Wyjechała. A Aśka u teściów.

– Gdzie wyjechała? Do rodziców?

Radosław Gralczyk przypomniał sobie dworzec autobusowy na Wilanowskiej. Kostka brukowa poplamiona olejem samochodowym. Brudne gołębie wydziobujące okruchy spomiędzy płyt chodnikowych. Stragan z drożdżówkami przyprószonymi cukrem pudrem i ulicznym pyłem. Ludzie przepychający się do drzwi autobusu, kierowca z podkrążonymi oczami. I Ala, ściskająca w ręku bilet, blada, przerażona. Kiedy ją przytulił, nie chciała puścić, wczepiła w niego palce, jak małe dziecko, które nie chce być odłożone do łóżka. Wszystko będzie dobrze, szeptał, głaszcząc ją po włosach, kochanie, dasz sobie radę, zobaczysz.

– Nie. Na wycieczkę – powiedział w końcu.

– O? A gdzie?

– Na Hawaje, kurwa. Co cię to obchodzi?

– O Jezu, no tak tylko pytam, po prostu – mruknął Jarek. – Co się taki drażliwy zrobiłeś?

– Bo głodny jestem. Powiesz w końcu, gdzie chcesz zjeść?

– Może w tej stołówce za stacją benzynową? Mają niezły zestaw za dychę.

– Dobra.

Jarek wrzucił kierunkowskaz, skręcił w lewo. Zjechali z ulicy pod bramę parkingu. Otaczał go betonowy płot zwieńczony zwojami drutu kolczastego. Gralczyk wysiadł z auta i otworzył bramę, krzywiąc się na dźwięk metalicznego zgrzytu. Jarek wjechał na plac, wyłączył silnik.

– Załatwię tylko papiery i jedziemy – powiedział, dopinając kurtkę. – Dziesięć minut.

– Okej.

Jarek wszedł do niskiego, pomalowanego na beżowo budynku z kratami w oknach. Gralczyk rozejrzał się po parkingu. Zastawiony był wrakami samochodów: pogniecione, pogięte, wyglądały jak popsute zabawki. W oknie jednego z nich widać było żółty trójkąt z napisem „Uwaga! Dziecko w aucie!", trochę wyblakły od słońca. Gralczyka zawsze zastanawiało, jaką rolę miały właściwie odgrywać te nalepki. To ma być jakiś amulet? Że co, jak z naprzeciwka wyjedzie kretyn w stuningowanym golfie, wyprzedzając na trzeciego, to zamiast przypierdolić na czołowe, ruszony sumieniem zjedzie zamiast tego do rowu? Sorry, ale to tak nie działa. Jak masz pecha, to masz pecha, i tyle.

Gralczyk wyciągnął telefon, szedł dalej z wzrokiem utkwionym w ekranie. Ala o piętnastej napisała, że dojeżdżają do granicy i koło dziewiętnastej powinni być w Pradze. Ale dochodziła dwudziesta i nic, nie odzywa się. Zadzwonić? Nie zadzwonić? Będzie jej miło, czy się zdenerwuje? Chciała, żeby jechał razem z nią, ale przecież nie starczyło już na to pieniędzy. Co, miał wziąć chwilówkę, trzysta procent miesięcznie? Bez sensu. Na salę i tak by z nią nie wszedł.

Posterunkowy schował komórkę do kieszeni. Stał przed potrzaskanym czarnym jeepem. Poznał go od razu – to auto tego aktora, Buczka. Nie mając nic lepszego do roboty, podszedł trochę bliżej. Dachu nie było, strażacy wycięli go, żeby wyciągnąć ciało, w trzymadełku na kubek zbierała się więc woda, a fotele obite kremową skórą przykrywała cienka warstwa gnijących liści; śmierdziało stęchlizną i rdzą. Gralczyk złapał się na tym, że bardziej mu żal auta niż kierowcy. Facet sam się prosił o wypadek, ale to cacko... Komputer pokładowy, z GPS-em i kamerą cofania, podgrzewane siedzenia, klimatyzacja trzystrefowa, alufelgi... Musiało kosztować z trzysta tysięcy.

– Ej! – Posterunkowy usłyszał głos Jarka. – Załatwione, możemy jechać!

Gralczyk miał już iść, kiedy coś przykuło jego uwagę: czarny metalowy prostokącik wystający z deski rozdzielczej, nie większy niż paznokieć.

Ciekawe, pomyślał, wkładając rękę do wraku. Bardzo ciekawe.

= 6 =

Autobus linii 125 zatrzymał się na pętli, kierowca wyłączył silnik. Julita wyszła na przystanek i zatrzymała się, żeby wyciągnąć papierosy. Mijali ją pozostali pasażerowie: chuda dziewczyna z kryształowym kolczykiem w nosie, babcia w pożółkłym kożuchu, ciągnąca za sobą kraciasty wózeczek na zakupy, cuchnący moczem bezdomny z ikeowską torbą wypełnioną zgniecionymi puszkami po piwie, które pobrzękiwały przy każdym kroku.

Julita zapaliła cienkiego papierosa i przeszła przez ulicę. Unoszący się z budki z kurczakami z rożna zapach przypalonego tłuszczu mieszał się ze smrodem spalin. Z okien niskich, przysadzistych budynków, które miały niegdyś być reklamą komunizmu, wystawały zwrócone ku niebu talerze telewizji satelitarnej. Julita minęła zakład stomatologiczny i zepsuty bankomat, po czym stanęła przed barem Alfa: ogródek z czerwonymi parasolami i popękanymi fotelami ogrodowymi, brudne zakratowane okna, drewniany szyld z mosiężnymi literami. Ze środka dobiegał wytłumiony głos wokalisty jakiegoś zespołu disco-polo: „była taka miła, ale cię zdradziła, zeszła z dobrej drogi, przyprawiła rogi, o-o-o".

Julita wrzuciła niedopałek do betonowej donicy, wytarła buty o wyliniałą wycieraczkę i popchnęła ciężkie drzwi. W środku było ciepło, za ciepło; w powietrzu unosił się ciężki, oleisty zapach smażonej cebuli i frytek. Wnętrze wyglądało, jakby nic tu się nie zmieniło od wczesnych lat dziewięćdziesiątych. Podłoga była wyłożona tanimi kaflami udającymi bez większego sukcesu kamień, ściany wyłożone ceglanym klinkierem w kolorze beżu, a sufit – pomalowany na pomarańczowo. Na środku stał stół bilardowy: pod jedną z nóg była wepchnięta złożona na kilka razy serwetka, a sukno pokrywały plamy po rozlanym piwie. Bil i kijów nigdzie nie było widać. Do tego kilka kanap i foteli, a każde z innego zestawu, w innym wzorze, w innym stadium rozkładu.

Gości było tylko kilku: pod oknem siedziało dwóch facetów, jeden gruby, w dżinsowej kurtce i przykrótkiej koszulce, spod której wylewał się blady brzuch, drugi chudy, szary na twarzy, w wymiętej koszulce polo. Jedli schabowe, popijali piwo ze szklanek pokrytych tłustymi odciskami palców, milczeli. Stolik przy drzwiach do toalety zajmowała kobieta około czterdziestki: siedziała nad pustą filiżanką, skulona, z oczami czerwonymi od płaczu, wyglądała, jakby albo uciekła z domu, albo bardzo nie chciała do niego wracać. Bliżej baru był jeszcze jeden klient, młody Wietnamczyk w skórzanej kurtce i z rzadkim wąsem. Czytał coś na telefonie, sącząc colę przez słomkę.

Julita rozglądała się wokół, zakłopotana. Nie miała pojęcia, jak wygląda Janek Tran. Próbowała go wyszukać w internecie, ale, o dziwo, nic nie znalazła: nie miał swojego profilu w mediach społecznościowych, nie pisały o nim gazety. Wyciągnęła telefon, żeby do niego zadzwonić, ale czarna tafla ekranu nie reagowała na dotyk, bateria musiała się rozładować. Spojrzała na zegar na ścianie: było trzynaście minut po dwudziestej. Spóźniła się. Może facet stracił cierpliwość i sobie poszedł?

Zastanawiała się, do kogo zagadać. Za barem nikogo akurat nie było, na myśl o rozmowie z facetami od schabowych robiła jej się gęsia skórka, samotna kobieta wyglądała, jakby miała się zaraz znowu rozpłakać. W końcu postanowiła zagadnąć Wietnamczyka. Mówiła powoli i wyraźnie, żeby na pewno zrozumiał.

– Prze-pra-szam – zaczęła. – Mo-gę o coś spy-tać?

Wietnamczyk uniósł wzrok znad telefonu. Nie wiedzieć czemu, wyglądał na wkurzonego: zmrużył oczy w szparki, zmarszczył brwi.

– Wy-bacz, że prze-szka-dzam – wydukała – jes-tem tu z kimś u-mó-wio-na.

– No, jesteś. – Chłopak skinął głową. – Ze mną.

Julita otworzyła szeroko oczy. Ups.

– Ty... Ty jesteś Janek Tran?

– Ja.

– O matko... Przepraszam, nie myślałam, że...

– Że potrafię powiedzieć po polsku coś więcej niż „kuciak sodko-kaśny posię"? – Janek schował telefon do kieszeni. – Że mogę być informatykiem, a nie handlować skarpetkami w Wólce Kosowskiej?

– Sorry, naprawdę mi głupio...

– Ja myślę, że ci, kurwa, głupio.

Janek pokręcił głową, po czym dopił colę, siorbiąc głośno słomką.

– No, co się tak gapisz? – powiedział, odsuwając pustą szklankę. – Siadaj i mów.

– Aha... Dzięki... Gdzie by tu zacząć...

– Od początku. Mam czas.

Na kontuarze stały cztery puste szklanki po coli, Janek dopijał piątą. Julita opowiedziała o wypadku, artykule, o e-mailach, które potem dostała, o tekście, który pojawił się

179

nagle na ekranie w miejscu artykułu, o zdjęciach, o problemach z jej blogiem. Janek od czasu do czasu zadawał jakieś pytania, ale głównie milczał. Kiedy skończyła, było po dwudziestej drugiej. Poza nimi w Alfie była już tylko barmanka: znudzona kobieta po czterdziestce, w przyciasnej koszulce z napisem LOVE, wyszytym kryształkami na piersiach.

– No dobra – powiedział Janek. – Zacznijmy od tego, że nigdy nie było żadnej Anny Kowalskiej. Ten mejl od kochanki to był typowy *spear phishing*.

– Co? Sper... Sperfiszink? Jaki znowu sperfiszink?

– To z angielskiego. *Spear phi-shing.* – Teraz to on mówił wolno i wyraźnie. Widząc pusty wzrok Julity, westchnął i odchylił się w krześle. – Dostałaś kiedyś mejla od nigeryjskiego księcia, który ma pięć milionów dolarów na zablokowanym koncie i obiecuje odpalić ci połowę, jeśli tylko dasz mu kilka stów na start? Albo reklamę pigułek na powiększenie penisa, skutek gwarantowany albo zwrot pieniędzy?

– Dostałam.

– No to właśnie jest *phishing*, tak jak *fishing*, czyli łowienie ryb, tylko przez pe-ha na początku, a nie ef.

– A dlaczego przez pe-ha?

– Bo w latach dziewięćdziesiątych wydawało się ludziom, że to jest *cool*. Nieważne. W każdym razie te mejle zwykle zawierają link do jakiejś podejrzanej strony, która prosi cię o numer konta bankowego i hasło.

– I ktoś to w ogóle klika?

– Zawsze znajdzie się jakiś idiota. Albo idiotka – powiedział, patrząc jej w oczy. Tego już było trochę za wiele.

– No halo, ale ja nie dostałam listu od nigeryjskiego księcia, tylko mejla, który dotyczył mojego śledztwa, w którym ktoś się do mnie zwracał z imienia...

– No i to właśnie jest *spear phishing*, czyli wiesz, takie łowienie ryb, gdzie nie zarzucasz sieci, licząc na to, że coś się zawsze złapie, tylko precyzyjne uderzenie włócznią. Stąd *spear*. Ktoś napisał tego mejla specjalnie dla ciebie. W taki sposób, żeby cię zaciekawić, żebyś na pewno kliknęła w załącznik.

– Dobra, no ale co na tym zyskał? – zapytała. – Przecież tam był dołączony tylko ten popsuty dokument.

– Boże, dziewczyno... To nie był żaden dokument, tylko *malware* schowany za ładną ikonką.

Zapadła cisza. Julita otworzyła usta, jakby chciała coś powiedzieć, ale w końcu się nie odezwała.

– Nie wiesz, co to jest, prawda? – spytał Janek.

– No... Znaczy słyszałam kiedyś to słowo, ale...

– A *software*?

– To oprogramowanie komputera – odpowiedziała, zadowolona, że tym razem może się wykazać wiedzą.

– Mhm. No więc *malware* to złośliwe oprogramowanie. Takie, które działa bez wiedzy i zgody właściciela komputera. Z tego, co opowiadałaś, wygląda na to, że zainstalowano ci jakiegoś RAT-a. Czyli, uwaga, bo będzie kolejne trudne wyrażenie, *remote access trojan*.

Julita zabębniła palcami o blat.

– Janek, słuchaj, dzięki, że mi pomagasz i w ogóle, ale przestań do mnie mówić jak do niepełnosprawnej umysłowo. To, że nie znam się na komputerach, nie znaczy jeszcze, że jestem kretynką.

– Zgadzam się, nie znaczy. – Janek skinął głową. – Ale to, że się nie znasz, ale z nich ochoczo korzystasz, już tak. Dziewczyno... Ty i tak masz szczęście, że nie było gorzej.

– Gorzej? Przez tego skurwysyna, kimkolwiek on, kurwa, jest, straciłam pracę, zostałam upokorzona, cała Polska mi zagląda między nogi, a...

– A mógł ci jeszcze wyczyścić konto bankowe – Janek wszedł jej w słowo. – I do tego wziąć parę kredytów w twoim imieniu. Julita, ty naprawdę wpakowałaś się w niezłe gówno.

Barmanka włączyła telewizor: stary, kanciasty, zamontowany pod sufitem na metalowej podstawie. Skakała po śnieżących kanałach, szukając Bóg wie czego.

– To chcesz wiedzieć, co to ten RAT?

– Chcę – powiedziała. – Ale tylko jeśli przestaniesz zachowywać się jak cham.

– Dobra. Postaram się.

Janek wyciągnął plasterek cytryny z dna szklanki i zaczął go obgryzać.

– No więc – ciągnął – *remote access trojan* to rodzaj oprogramowania, które daje atakującemu pełną kontrolę nad komputerem. Może robić na nim wszystko tak, jakby przy nim siedział. Na przykład pisać w edytorze tekstu. Albo włączyć głośniki i kamerę.

Julita przypomniała sobie mały, maciupki obiektyw wbudowany w ramę jej służbowego monitora. Kamera. Nigdy jej nie używała, nie było takiej potrzeby. To by tłumaczyło, skąd atakujący wiedział, że odwróciła się od komputera i zawołała po pomoc. Po plecach przebiegł jej nagle dreszcz, jakby ktoś wrzucił jej za kołnierz kostkę lodu.

– A mając dostęp do twojego komputera, ten haker, czy ktokolwiek to był, mógł sobie przejrzeć zawartość twojej skrzynki mejlowej, przeskoczyć na laptopa twojej szefowej albo tych chłopaków z IT…

– Przeskoczyć? Ale jak?

– Przecież one są podłączone do tej samej sieci. Wystarczyłoby na przykład zainstalować mimikatz i sczytać hasze haseł z pamięci podręcznej... – Widząc, że Julita nie nadąża, Janek urwał w pół słowa. – No, nieważne. W każdym razie to nic trudnego.

– Ale czekaj, czekaj... Przecież ja miałam zainstalowanego antywirusa...

– Nie rozśmieszaj mnie – parsknął, bryzgając wokół kawałkami cytryny. – Antywirusy to przeżytek, no nie wiem, jak koło ratunkowe na łodzi podwodnej. Spoko, niech sobie wisi, ale jeśli naprawdę masz problem, raczej się nie przyda.

– Nie no, daj spokój, gdyby tak było, to przecież nie instalowaliby tego na każdym komputerze...

– Powiem ci coś zabawnego. – Janek wrzucił obgryzioną skórkę cytryny do szklanki. – Wiesz, jaki procent nowych wirusów komputerowych, no, powiedzmy, takich z ostatniego miesiąca, jest blokowany przez anty wirusy? No?

– Nie wiem.

– Wiem, że nie wiesz. Strzelaj.

– Hmm... No, dajmy na to, osiemdziesiąt?

– Pięć.

– Pięć?!

– Pięć.

Barmanka wreszcie zdecydowała się na kanał sportowy. Wyścigi na żużlu. *Wrrrr, wrrrr.*

– To, co by cię mogło w tej sytuacji ochronić, to ewentualnie dobrze skonfigurowany firewall... Ale ten chłopak z waszego IT, ten Stefan...

– Staszek.

– No, jak zwał, tak zwał. W każdym razie nie brzmiał jak ktoś, kto potrafiłby to zrobić. Dobra, mówić dalej?

– Mówić dalej.

– Okej, tylko zamówię sobie jeszcze jedną colę. – Janek machnął do barmanki. Ta niechętnie oderwała wzrok od ekranu i szarpnęła drzwiczki lodówki, aż zagrzechotały butelki.

– No więc ten ktoś, kto cię zaatakował...

– Ten skurwysyn.

– No dobra, nazwijmy go dla wygody Skurwysyn. Więc Skurwysyn miał dostęp do twojego komputera, do twoich mejli, do wewnętrznej sieci redakcji. Z jakiegoś powodu uznał, że nie chce, żebyś dalej pisała o Buczku, więc cię zaszantażował. Facet się nie certoli, bo jak powiedziałaś, że nie, to nie próbował cię nawet przekonywać, tylko od razu przywalił z grubej rury. Znalazł twoje zdjęcia, przygotował je sobie do wydruku. Musiał się jeszcze tylko upewnić, że będzie miał uwagę całej redakcji. Więc położył waszą stronę.

Pszszt, barmanka otworzyła butelkę coli.

– No właśnie, jak?

– Okej, nadciągają kolejne trudne słowa. – Janek podziękował barmance skinieniem głowy, sięgnął po szklankę. – Gotowa?

– Czekaj, wyciągnę notatnik. No, mów.

– Atak typu DDOS. Czyli *Distributed Denial of Service*. Czekaj, jakby ci to wytłumaczyć, żebyś zrozumiała... Kupowałaś kiedyś przez internet bilety na jakiś duży koncert? Nie wiem, czego tam słuchasz, no na przykład na Metallicę, Daft Punk, albo no, tego od seksu tantrycznego, Stinga?

– Kupowałam.

– No i?

– No i strona się co chwilę zawieszała.

– Dokładnie. Bo zbyt wiele osób na raz próbowało ją odwiedzić. DDOS to właśnie taka sytuacja, tylko że na zamówienie.

– Ale jak Skurwysyn spędził tylu ludzi na Meganewsy?

– Nie musiał. Wykorzystał jakiś botnet. Wiesz, co to bot?

– Wiesz, że nie wiem, co to bot.

– No, powiedzmy, taki zahipnotyzowany komputer, komputer zombie. – Szukając właściwego słowa, Janek uniósł wzrok ku sufitowi, gdzie powoli obracał się wiatrak, rozprowadzając zapach smażonej cebuli równomiernie po całym lokalu. – Skurwysyn zainstalował ci RAT, przez co mógł nim ręcznie sterować. Ale mógł wgrać zamiast tego inny *malware*, który zmusiłby twój komputer do wykonania jakiejś konkretnej czynności. Na przykład wejścia na wskazaną stronę, oczywiście bez twojej wiedzy. No to wyobraź sobie, że instalujesz taki *malware* na stu tysiącach komputerów.

– Aż tylu?

– To wcale nie tak znowu dużo – powiedział Janek. – Mirai, taki botnet, o którym ostatnio było głośno, miał pod sobą trzysta tysięcy zombie. Tylko że to głównie były podłączone do sieci rzeczy, nie pecety, tylko jakieś routery, kamery i tak dalej. Co ja miałem… Aha. Potem Skurwysyn wydaje jedną komendę, *pyk*, i Meganewsy leżą i kwiczą. A następnie puścił w ruch drukarki.

– Dobra, nie chcę do tego wracać. – Julita skrzyżowała ramiona na piersiach, zgarbiła się. – Przejdźmy do tego, co się stało dzisiaj. Jakim sposobem Skurwysyn skasował mi stronę?

– Sprawdzoną metodą. *Spear phishing.*

– Ale…

– Ten mejl z ostrzeżeniem, że strona jest atakowana, że trzeba zmienić hasło. Sprawdź, z jakiego był adresu.

– Wiem, z jakiego był adresu. Od Blogspotu.

– Sprawdź.

– Telefon mi się jeszcze ładuje. – Jej komórka leżała na szafce po drugiej stronie baru, podłączona do prądu.

– To weź mój. No, dalej.

Julita przewróciła oczami, ale weszła na swoją pocztę, wyszukała wiadomość.

– No, tak jak mówiłam, od Blog... – Urwała w pół słowa. – Czekaj, czekaj... W środku jest myślnik. Blog-spot, nie Blogspot.

– A widzisz. – Janek się uśmiechnął. – Skurwysyn wiedział, że następnym razem będziesz czujniejsza, że będziesz spodziewała się ataku... I że będziesz próbowała się przed nim obronić. Więc podszył się pod platformę, z której korzystałaś.

– Cholera...

– No. – Janek pokiwał głową. – Cwany jest. A potem... Potem to miał z górki. Wszedł na twojego bloga, wszystko skasował, pozmieniał hasła i mejl kontaktowy, żebyś nie mogła ich zresetować.

– Ale mogę jakoś odzyskać ten adres?

– Możesz. Tylko że to zajmie sporo czasu.

Julita oparła łokcie o lepki blat, wsparła czoło na dłoniach.

– Kim on jest?

– Skurwysyn?

– Nie, ten żużlowiec w telewizorze – żachnęła się.

– Nie wiem. – Janek wzruszył ramionami. – Kimś, kto chciał cię uciszyć. To jedyne, co o nim wiemy na pewno. Może to ktoś, kto załatwił Buczka. Może jacyś agenci. A może jakiś pryszczaty dwunastolatek, którego czymś wkurzyłaś.

– Teraz to się ze mnie nabijasz.

– No, może trochę. – Janek pokręcił głową. – Ale to naprawdę nie były żadne czary-mary, tylko podstawowe ataki. RAT-a można kupić za grosze, jeśli wie się, gdzie szukać. A botnety się wynajmuje, od czterdziestu dolarów za godzinę.

– To... Co ja mam teraz zrobić?

– Pierwsza opcja: dać sobie spokój.

– Nie ma mowy.

– Słuchaj, zastanów się. Kimkolwiek jest ten twój Skurwysyn, to naprawdę...

– Nie. Ma. Mowy – wycedziła. – Jaka jest druga opcja?

Janek patrzył jej w oczy. Długo, jakby czekał, aż spuści wzrok. Nie zrobiła tego.

– Druga opcja jest taka, że przestaniesz zachowywać się w sieci jak idiotka.

– Miałeś nie być chamski.

– Jestem szczery.

Barmanka zaczęła wycierać blat, niezbyt dyskretnie sugerując, że zbliża się pora zamknięcia lokalu.

– To jak mam to zrobić? – zapytała.

– Daj mi trochę czasu – powiedział Janek. – Ogarnę ci bezpieczny sprzęt i pokażę, jak go używać. A w międzyczasie wara od komputerów, rozumiesz? Nie wchodź do netu, nie sprawdzaj poczty, niczego nie klikaj. Bo znowu zrobisz coś głupiego.

– Okej, a mogę chociaż pisać w Wordzie? Bez łączenia się z netem?

– Nie, nie możesz. Twój komputer pewnie jest zainfekowany. Jak już weszłaś na tego pseudo-Blogspota, mógł ci przy okazji sprzedać jakiś syf. Na przykład *keyloggera*, który zapisuje każde słowo, które wystukasz. Więc jeszcze raz: póki co masz zakaz używania komputerów, a z telefonu tylko i wyłącznie dzwonisz. Jasne?

– Jasne.

– No. To chodź, zanim nas wyrzucą.

Janek wyjął z portfela pomięte banknoty, zapłacił za colę. Wyszli na zewnątrz. Było zimno. Padało.

– Ja idę na przystanek – powiedziała. – A ty?

– Mieszkam niedaleko. Wrócę na piechotę. No, to do usłyszenia.

– Czekaj, czekaj.

– No?

Janek patrzył wyczekująco. Na zewnątrz, bez światła, jego włosy zdawały się jeszcze ciemniejsze, oczy jeszcze węższe.

– Czemu mi pomagasz?

Wzruszył ramionami.

– Wiszę Grubemu przysługę – powiedział i odwrócił się na pięcie.

Następna stacja: Pole Mokotowskie. – Lektor z namaszczeniem wypowiadał każde słowo, dawał wybrzmieć każdej głosce. Julita lubiła jego głos. Przywodził na myśl przedwojennego amanta: w smokingu, z zaczesanymi do tyłu włosami lśniącymi od żelatyny, pijącego koniak z pękatego kieliszka. Nijak nie pasował do wnętrza nowoczesnego wagonu, do plastiku, ciekłokrystalicznych ekranów, ledowych lampek, gumy do żucia przyklejonej do foteli.

Metro ruszyło, zaturkotało. Naprzeciwko niej siedział facet w wytartych dżinsach i ortalionowej wiatrówce. Nogi miał rozwalone na boki, ręce w kieszeniach. Patrzył na nią, uśmiechnięty – w obleśny sposób, jakby ją rozbierał wzrokiem. Julicie zrobiło się gorąco, mokra od potu koszulka lepiła się do pleców. Czy widział jej zdjęcia? Czytał o niej? Czy dlatego się tak gapi? Przesiąść się?

Powiedzieć mu coś? Ale co? W końcu wyciągnęła telefon i przewijała bezmyślnie stare SMS-y, żeby tylko wyglądać na zajętą, żeby jakoś się od niego odciąć.

Mama
23/10/2018, 13:02
Kochanie, proszę cię, zadzwoń.
Martwię się.

Rafał
23/10/2018, 14:32
Hej... Wiesz, że to nie byłem ja,
prawda? Nawet nie mam już tych zdjęć,
skasowałem je. Oddzwoń, jak będziesz mogła.

Piotrek
23/10/2018, 15:20
Hej, odbierz proszę. Wiem, że dałem ciała.
Chcę pogadać.

O-bank
23/10/2018, 17:15
Rachunek: 86 9990 0005 0000 4612 7300 2109
Dostępne środki: 260,14 PLN

No tak, pomyślała, obiecanej premii za artykuł o Bucz-ku jak nie było, tak nie ma, już jej pewnie nie zobaczy. Miała jeszcze drugie konto, oszczędnościowe, ale po wakacjach we Władysławowie zostało na nim ledwie parę stów. A za tydzień trzeba będzie zapłacić Magdzie pięćset złotych za pokój, kolejne sto za kartę miejską, do tego abonament…

Zgrzytnęły hamulce, metro wjeżdżało na stację. Julita schowała telefon i podeszła do drzwi. Naciskała guzik raz za razem, żeby wreszcie się otworzyły. Cały czas obserwowała faceta z naprzeciwka w odbiciu w szybie. Wodził za nią wzrokiem, gapił się na jej tyłek – ale całe szczęście nie wstawał. Julita odetchnęła z ulgą i wyszła na platformę, potem wbiegła po schodach na ulicę.

Wiatr przybrał na sile: Julita postawiła kołnierz płaszcza i szła z opuszczoną głową, mrużąc oczy. Pod stopami przelatywały jej suche liście, foliowe siatki i pomięte ulotki. Jakby ktoś wreszcie postanowił zrobić w Warszawie porządki, wymieść cały ten syf i rozwiać smog. Skręciła w Batorego, potem w Boboli i Rostafińskich, stamtąd odbiła w Biały Kamień.

Okna w mieszkaniu świeciły na niebiesko. Wiedziała, co to oznacza, co zastanie: telewizor nastawiony na amerykański serial o przyjaciołach, pusta tacka po obiedzie odgrzanym w mikrofali i butelka po winie. Magda będzie siedziała na kanapie, z laptopem na kolanach, i pracowała do dźwięku śmiechu z puszki. Albo może spała: pilot w ręku, otwarte usta, okulary nasunięte na włosy.

Przed jej klatką ktoś stał: mężczyzna w czerwonej puchówce. Julita wsunęła rękę do torby, wyczuła pod palcami puszkę z gazem pieprzowym. Wtedy go poznała. To Piotrek.

Odetchnęła.

– Hej – powiedział, unosząc rękę na powitanie.

– Czego chcesz?

– Pogadać.

– To trzeba było zadzwonić.

– Dzwoniłem. Nie odbierałaś – powiedział. – Julita, słuchaj… Martwię się o ciebie.

– Doprawdy? Bardzo mi miło. Bo po tym, jak się zachowałeś, kiedy mnie zwalniali, to bym się nie domyśliła.

– A co miałem zrobić? Rzucić papierami w geście solidarności?

– Na przykład.

– Sorry, ja nie mam bogatej siostry.

– Ale mogłeś chociaż coś powiedzieć. Do tego nie trzeba pieniędzy.

– Na przykład co?

– Nie wiem. Że ci przykro, kurwa.

– Julita, nie rozumiesz. Ja też miałem problemy przez ten czat, jestem cały czas na wylocie i…

– Nawet na mnie nie spojrzałeś – warknęła. – Wiesz, jak ja się czułam? Potrafisz to sobie wyobrazić? Co?

Stali bez słowa w ostrym świetle lamp. Pod kloszem było pełno martwych owadów.

– Przepraszam – powiedział w końcu.

– Mhm. Proszę cię bardzo.

– Ja… – Urwał. – Słuchaj, powinnaś wiedzieć… Jutro puszczamy kolejny tekst o Buczku.

– Aha. No jasne. A co, macie jakieś nowe informacje?

– No wiesz, o kochance, tej Kowalskiej – powiedział. – Z tego mejla. Myślałem, że może sama chciałaś o tym napisać, to w końcu był twój temat, a…

– Nie ma żadnej Kowalskiej. – Julita weszła mu w słowo. – To była ściema.

– Co? Ale kto…?

– Długo by gadać, nieważne. W każdym razie cała historia jest wyssana z palca.

– Cholera… Ale numer.

– No.

Zawiało, zimne powietrze wchodziło pod ubrania. Julita się wzdrygnęła.

– Piotrek… Jest po jedenastej. Co prawda nie muszę jutro wstawać do pracy, ale wciąż…

– Pewnie, pewnie, nie chcę cię trzymać. – Pokiwał głową. – Słuchaj… Masz zamiar dalej ciągnąć tę sprawę?

– Mhm. Mam.

– Gdybym mógł ci jakoś pomóc… Dawaj znać, okej?

– Okej.

Julita wpisała kod w domofonie i weszła na klatkę.

Leon Nowiński doszedł do wniosku, że odkrył nową jednostkę chorobową: szok kolorystyczny. Tak jak szoku termicznego można doznać, kiedy nagle zmienia się temperatura otoczenia – wskakując do lodowatej wody, dajmy na to – szok kolorystyczny występuje wówczas, gdy dochodzi do gwałtownej zmiany zabarwienia. Jeszcze przed chwilą był na ulicy jednej z warszawskich sypialni, ciemnej, przygaszonej, w eleganckiej tonacji sepii: blokowiska pomalowane żółto-złotym światłem latarni, czarne niebo, na którym nie widać gwiazd, co najwyżej przelatujące samoloty, ciemny brąz pozbawionych liści drzew. A kiedy przekroczył próg kręgielni, nagle rzygnęło tęczą: tory podświetlone pulsującym ultrafioletem, ściany oklejone fototapetą z samochodami wyścigowymi, kule jak landrynki, czerwone, niebieskie, różowe, żółte, zielone i seledynowe, a jakby tego było mało, obok, na parkiecie, gdzie kilka osób podrygiwało do piosenki Adele w aranżacji techno, strzelał fleszami stroboskop. Przydałaby się jakaś komora dekompresyjna, pomyślał, mrużąc oczy, jakaś śluza, w której powoli nasycałyby się kolory, gdzie człowiek mógłby przyzwyczaić wzrok.

Zostawił kurtkę w szatni, wypożyczył buty do kręgli i zaczął rozglądać się za znajomymi. Byli przy torze czwartym, między grupką licealistów a wieczorkiem panieńskim. Na stoliku stało kilka tacek z nachosami i plastikowe kubki z piwem.

– Kogo ja widzę! Leon! – Robert wziął go w ramiona i poklepał po plecach, mocno, jakby chciał mu pomóc coś odkrztusić.

– Hej. Sorry za spóźnienie…

– Daj spokój, stary. Fajnie, że jesteś. Browara?

– Chętnie.

– No to łap, a ja cię szybko dodam… Cholera, gdzie to się robiło… – Robert pochylił się nad konsolką od komputera.

– Nie, nie, dograjcie do końca kolejkę. Dołączę w następnej.

– Na pewno?

– Na pewno.

Robert, Szymon, Maciek, Hanka. Poznali się w 2004. Piękne czasy. Byliśmy już w NATO, wchodziliśmy do Unii Europejskiej, a Amerykanie mieli lada moment znieść wizy. Wąsaci politycy w dwurzędowych garniturach co i raz otwierali nowe odcinki autostrad albo metra, a Nowy Świat po remoncie wyglądał tak, jakby go przeniesiono żywcem z Paryża. Polska nagle przestała być Europą Wschodnią, a stała się Europą Centralną, jakby któregoś dnia, w nocy, kiedy wszyscy spali, gwałtownie przesunęły się płyty tektoniczne. Świat stanął przed nimi otworem, historia się skończyła, wszystkie możliwe strzałki były zielone, wszystkie wykresy pięły się ku górze.

Pojechali na obóz żeglarski do ośrodka AZS gdzieś na Mazurach, wylądowali na tym samym jachcie – poobijanej, śmierdzącej stęchlizną sasance. Uczyli się o wiatrach, o węzłach i żaglach, ćwiczyli zwroty przez rufę i przez sztag, podejście do tonącego człowieka. Nocowali na dziko, w zarośniętych zatoczkach, przywiązując cumy do pni drzew. Zbierali chrust na ognisko, a potem, wędząc się powoli w wilgotnym dymie, fałszowali idiotyczne szanty o sztormach, wielorybnikach i wytatuowanych bosmanach, które nie miały nic wspólnego z Mazurami. Pili własnej roboty sangrię z plastikowego wiadra, jedli zwęglone kiełbasy i czerstwy chleb z serkiem topionym, a potem kąpali się w wodzie, zimnej i zielonej od glonów. Od tej pory trzymali się razem. Wspólne wyjazdy, działki, domówki; latem robili pikniki w Skaryszewskim albo nad Wisłą, zimą chodzili na biegówki w Lesie Kabackim, w sylwestra oglądali razem seriale, zapijając popcorn tanim szampanem.

A potem skończyły się studia i jakby coś pękło, i każdego zaczęło ciągnąć w inną stronę. Coraz trudniej było się zgrać, coraz trudniej znaleźć czas i wspólny temat. Maciek się ożenił, zaraz potem dzieci, od razu bliźniaki, więc po osiemnastej nie dało się go wyciągnąć z domu, o weekendach nie wspominając. Hanka została ważną panią manager w firmie robiącej jakieś kafelki, więc wyjęła kolczyk z nosa i zamieniła czarne bluzy z logo zespołu Nine Inch Nails na pastelowe garsonki. Robert, który kiedyś obsesyjnie czytał książki science fiction i fantasy, od Asimova po Zelaznego, i z wypiekami na twarzy dowodził, że kolonie na Marsie to kwestia czasu, teraz interesował się tylko procentami, stopami i innymi spreadami. Szymon, absolwent historii, został nauczycielem i był z tego powodu głęboko nieszczęśliwy, co podkreślał przy każdej okazji, jak również bez okazji.

Ale Robert się nie poddawał. Nie pozwolę, mówił, żeby nam się paczka rozpadła po tylu latach, żeby się to wszystko rozeszło. No i faktycznie, nie odpuszczał: dzwonił, pisał, wysyłał e-mailami ankiety, kto kiedy jest wolny, potem wkurzał się, kiedy całymi tygodniami nikt ich nie wypełniał, w końcu wyciągał ich na miasto prawie że siłą. Wybierał miejsca, w których kiedyś się spotykali, z którymi łączyły się fajne wspomnienia – tak jak ta kręgielnia na Gocławiu. Był głęboko przekonany, że ich przyjaźń wcale nie umarła, smutną, być może przedwczesną, ale jednak naturalną śmiercią, tylko weszła w stan uśpienia, że trzeba ją jakoś odnowić, odbudować. Miał być może nadzieję, że przyjaźń to coś jak jazda na rowerze, coś, czego się nie zapomina, co tkwi w pamięci mięśniowej, co przy odrobinie dobrej woli i wysiłku można przywrócić. Leon żałował, że nie potrafił podzielić jego optymizmu.

No więc grali w kręgle, sączyli piwo, zagryzali wyschnięte nachosy. Pytali się wzajem, co w pracy, co w domu, co w drodze między pracą a domem. Wspominali dawne dzieje, po raz setny śmiejąc się z tych samych anegdot, choć już trochę na siłę. Żadne z nich nie potrafiło zbyt dobrze grać w kręgle, ale nie o to przecież chodziło. Rzucanie kulą było tylko potrzebne, żeby nadać spotkaniu jakąś strukturę, rytm, dzięki któremu mniej będzie ciszy; zawsze można powiedzieć „No, twoja kolej", pogratulować dobrego wyniku, śmiać się ze złego.

Leon wziął zamach i puścił kulę. Ta upadła ciężko na tor i potoczyła się w stronę kręgli. W połowie drogi zaczęła zbaczać, skręcać, niebezpiecznie zbliżając się do krawędzi. Ostatecznie przewróciła tylko dwa piny, po czym zniknęła w dziurze na końcu toru, jak zły aktor, którego siłą ściągnięto ze sceny. Leon usiadł na kanapie, napił się piwa. Było ciepłe i gorzkie.

– Słyszałem o tym wypadku – powiedział Robert, przysuwając się bliżej; zaskrzypiała skajowa kanapa. – Kurde, ale akcja.

– No – powiedział Leon, żeby coś powiedzieć.

Kelner przyniósł dziewczynom z wieczoru panieńskiego tacę z Wściekłymi Psami. Wypiły na raz, duszkiem; różowe penisy na sprężynkach, sterczące z opasek do włosów, zadyndały, kiedy dziewczyny odchyliły do tyłu głowy.

– To prawda, co piszą? Że Buczek wjechał prosto w barierki? I ryczał?

– Mhm. Tak.

– Na mój rozum to wygląda tak, jakby ktoś przejął kontrolę nad jego autem.

– Niby jak? – Leon odstawił kubek. – Pilotem?

– E tam, pilotem. Chodź, pokażę ci coś – wyjął telefon z kieszeni, wstukał coś do wyszukiwarki. – Nie, nie... O, tu, to ten link. Patrz.

Leon pochylił się nad niewielkim wyświetlaczem i zaczął oglądać krótki, pięciominutowy filmik. Wrzaski dziewczyn z wieczorku, łupiące basem głośniki, grzechot upadających kręgli; wszystkie te dźwięki nagle przycichły, jakby wytłumione, ludzie wokół wyglądali jak zatrzymani w jednej klatce. Świat się skurczył, skupił na pięciocalowym, bijącym niebieskim światłem ekranie. Leon czuł, że jeżą mu się włosy, że dostaje gęsiej skórki. O ja pierdolę, pomyślał, przełykając gorzką od piwa ślinę.

– Nieźle, co? – powiedział Robert, kiedy film dobiegł końca. – A jak wam opowiadałem, że to będzie możliwe, to się ze mnie śmialiście. Że się za dużo *Star Treka* naoglądałem.

– Przepraszam. – Leon wstał od stołu, gwałtownie, potrącając blat. Widząc zdziwione spojrzenie Roberta, dodał: – Muszę do kogoś zadzwonić.

Ruszył w stronę wyjścia, przeciskając się przez podrygujących do jakiegoś dance'owego kawałku nastolatków, minął podchmielonego faceta, który niósł w rękach trzy kubki z piwem, rozlewając je dookoła.

Kiedy był już prawie przy drzwiach, zauważył, że w jego stronę idzie napakowany, łysy facet w czarnej podkoszulce; z ucha wystawała mu słuchawka. Leon poczuł, jak skoczyło mu ciśnienie, jak krew uderza do głowy. Co się dzieje? Czego od niego chce? Ktoś go obserwuje, jest na podsłuchu, nie chce, żeby kontaktował się z Julitą? Instynktownie przyśpieszył kroku, ale było za późno: facet zaszedł mu drogę, odciął go od drzwi.

– Buty – powiedział.

– Co?

– Buty pan najpierw oddaj, zanim wyjdziesz.

Leon spojrzał na swoje stopy. A potem odetchnął z ulgą.

Zastrzel mnie – wychrypiał Buczek, plując krwią i krzywiąc się z bólu. Z ust buchała mu para. – Na co czekasz?! Zastrzel!

– Wezmę pana porucznika na plecy... – Chłopak w postrzępionym mundurze przełykał łzy. – Najbliższa wieś niedaleko, dam radę...

– Nawet jeśli... Ja krwawię. Zostawię na śniegu ślad, znajdą nas... A ty... Ty jeszcze możesz uciec. Uratować się. – Twarz Buczka zniekształcił grymas, mężczyzna drapał palcami zmrożoną ziemię. – No, dalej. Strzelaj!

– Nie.

– To rozkaz, do diabła!

– Nie zrobię tego. – Żołnierzowi łamał się głos. – Jak mamy zginąć, to obaj.

Zagrały rzewnie skrzypce, zajęczały wiolonczele. Żołnierz kucnął, złapał Buczka pod ramię, po czym, ignorując protesty, przerzucił go sobie przez bark. Dopiero teraz było widać, jak poważne są jego rany: w przesiąkniętym krwią szynelu ziały cztery dziury po kulach. Młody żołnierz sapnął i postawił pierwszy krok, potem drugi; czarne oficerki ślizgały się na lodzie. W oddali słychać było szczekanie psów i nawoływanie w obcym języku, między drzewami błyskały latarki.

Buczek zacisnął zęby i wyciągnął drżącą dłoń w stronę kabury młodego żołnierza; ten, czerwony z wysiłku, skupiony na marszu, niczego nie zauważył. Buczek odpiął zatrzask i wyciągnął broń: walthera P-38. Brudne, sine z odmrożenia palce z trudem odbezpieczają pistolet, lufa naciska na spoconą skroń.

– Jeszcze Polska nie zginęła – wyszeptał Buczek, po czym pociągnął za spust.

Rozlega się huk, ciało Buczka spada bezwładnie na ziemię. Zdezorientowany żołnierz wpierw przewraca się na śnieg, ale zaraz dźwiga się do góry, rozgląda wokół. Dopiero po chwili zdaje sobie sprawę, co się stało. Łkając, przykrywa twarz Buczka rogatywką, po czym odbiega w las, ale kamera nie śledzi jego ruchu, pozostaje na ciele. Chwilę później w kadr wbiegają niewyraźne, rozmyte sylwetki żołnierzy w uszankach, a metalowy orzełek na czapce Buczka rozbłyskuje w świetle latarki. Wyciemnienie. Napisy.

– Ostatni raz dałam ci wybrać film – powiedziała Magda, powstrzymując ziewnięcie.

– Nie był aż tak zły – odpowiedziała Julita.

– Proszę cię.

– No okej, był zły, ale wiesz, moim zdaniem wpada do kategorii złych filmów, które dobrze się ogląda. Jak *Klątwa Doliny Węży* albo ten, no, *Sharknado*.

– Mhm. – Magda się przeciągnęła, strzeliła palcami. – Chcesz obejrzeć coś jeszcze?

– Daj spokój, jest druga w nocy.

– No i?

– Idziesz jutro do pracy.

– Ale dopiero na dziesiątą.

– Do łóżka. To rozkaz, do diabła! – huknęła Julita, naśladując tubalny głos Buczka.

– Dobra, już dobra. – Magda wstała z kanapy, przeciągnęła się. – A myślałam, że to ja jestem tą rozsądną siostrą… No, to słodkich snów!

– Pa!

Magda poczłapała do sypialni, a Julita zabrała się do sprzątania salonu: strzepała okruszki po paluszkach z kanapy, złożyła koce w kostkę, schowała brudne kieliszki do zmywarki. Potem wytarła ręce w kraciastą ściereczkę i podeszła do przeszklonej ściany, która biegła przez całą długość salonu. Wyjrzała na ulicę. Było ciemno, pusto, ani żywej duszy. Kiedyś podobało jej się, że mieszkanie Magdy ma takie wielkie, niczym nieprzesłonięte okna: było tak jasno, nowocześnie. Teraz żałowała, że nie ma grubej kotary, którą mogłaby je zasłonić.

Na Netfliksie wciąż wyświetlała się strona tytułowa filmu:

Niezłomny, 16+, rok produkcji: 2016, 1h 47m.
Kiedy wszyscy stracili nadzieję, on jeden nie składa broni.
Będzie walczył do końca. Na własnych zasadach.

Ostatni pełny metraż, w którym zagrał Buczek. Julita wyłączyła telewizor i odłożyła pilot na stolik kawowy. Film rzeczywiście był zły. I to nie z powodu słabej gry aktorskiej, kiepskich efektów specjalnych czy drewnianych dialogów, które były częstymi bolączkami polskich produkcji. Był po prostu naiwny, jednowymiarowy, zaludniony wyłącznie przez postaci krystalicznie czyste bądź do cna złe. Bajka dla dużych dzieci, po której miało się zrobić ciepło na serduszku.

Julita wybrała go, bo miała irracjonalną nadzieję, że jakoś ją to przybliży do Buczka – że wyczyta coś z jego twarzy, niczym wróżka z dłoni, dozna olśnienia. Nic takiego oczywiście się nie stało, aktor był wciąż enigmą. Jak to możliwe, myślała, idąc na palcach do swojego pokoju, jak najciszej, żeby nie obudzić śpiących za ścianą dzieci, że ja wciąż nic o nim nie wiem? Przeczytała dziesiątki wywiadów, tekstów wspomnieniowych, artykułów z serwisów plotkarskich – i wciąż miała wrażenie, że widzi jedynie postać wyciętą z tektury, sztuczną i płaską, jak niezłomny porucznik, którego grał. Czemu rozwiódł się z pierwszą żoną? Dlaczego pod koniec lat osiemdziesiątych wyjechał do Szwecji? Czy to prawda, że miał problem z alkoholem? Nie potrafiła odpowiedzieć na te pytania – a ci, którzy potrafili, nie chcieli z nią rozmawiać.

Telefon błyskał czerwonym światełkiem. Cztery nieodebrane połączenia od Leona Nowińskiego. Jutro oddzwonię, pomyślała, przebierając się w ciepłą piżamę. Położyła się do łóżka, ale czuła, że nie zaśnie, że za dużo myśli kłębi się jej w głowie – włączyła więc lampkę nocną i sięgnęła po dziennik Buczka. Przeglądała go strona po stronie, trzy razy czytając każdy wpis, sprawdzając nazwiska osób, z którymi się spotykał. Aktor, aktorka, aktor, jakiś ksiądz, milioner i filantrop, kolejny aktor. Nagrania, próby *Niby-landii* w teatrzyku dziecięcym, wyjazd na festiwal. W niczym jej to nie pomagało, do niczego nie przybliżało.

Sfrustrowana, rzuciła dziennikiem o ścianę. Trzasnął i spadł na podłogę, otwarty na samym początku, na stronie z kalendarzem na rok 2018 i 2019, dwadzieścia cztery miesiące w ciasno zbitej tabelce, nazwy miesięcy i dni tygodnia wydrukowane malutką czcionką, w dwóch językach, po polsku i angielsku. Część dat była lekko podkreślona ołówkiem: pewnie czyjeś urodziny, rocznice. Ale czemu Buczek podkreślił litery? „Y" w słowie „styczeń", „J" w „June", „Z" w niedziela.

– O cholera... – wyszeptała. – Nie wierzę, nie wierzę...

Julita zerwała się na równe nogi. Otworzyła torbę i zaczęła przerzucać jej zawartość, szukając długopisu. Nigdzie nie mogła go znaleźć, musiał się gdzieś zgubić. Zajrzała do szuflady: jakieś kabelki, dyski USB, splątane na modłę gordyjską słuchawki, ale nic do pisania. Zaklęła pod nosem, wzięła dziennik Buczka i pobiegła do salonu, prawie wywracając się na zakręcie.

Magda trzymała kiedyś długopisy w kubku przy telefonie stacjonarnym, ale rok temu się go pozbyła, po kubku też ani śladu... W końcu kto w dzisiejszych czasach używa długopisów? Rozglądała się po pokoju, aż wreszcie jej wzrok trafił na mały biały stoliczek stojący pod ścianą, kącik plastyczny Saszki i Wojtka. Julita wyciągnęła ze stojącego obok kosza kartkę, na której jedno z dzieci narysowało coś, co wyglądało jak krowa na motorze, i pod spodem, fioletową świecową kredką, zapisała kolejne podkreślone przez Buczka litery i cyfry:

ll2muifye5m4ldjz

Bełkot, pomyślała zawiedziona, składając papier na cztery. Nic z tego nie będzie.

Kiedy wyświetlacz na zegarze pokazał 02.45, zadzwonił budzik. Prokurator Bobrzycki wstał z łóżka, ostrożnie wyślizgując się spod kołdry, tak żeby nie obudzić śpiącego na niej psa, po czym zarzucił polarowy szlafrok i wyszedł z sypialni. Najpierw wstawił czajnik i zaparzył sobie herbatę: czarną, z odrobiną miodu. Potem poszedł do salonu i szczelnie zasłonił wszystkie okna, a następnie włączył telewizor na nieustawiony kanał. Ekran śnieżył, z głośników dobiegał ledwie słyszalny statyczny trzask. Prokurator Bobrzycki ustawił głośność na maksimum. Tak lepiej, pomyślał, po czym otworzył stojącą w rogu szafkę i wyciągnął telefon komórkowy: stary, nieporęczny model. Był zasilany na kartę, zarejestrowany na cudze nazwisko. Włączył go, a następnie wbił na klawiaturze zapamiętany numer, poprzedzony kierunkowym do Australii, plus sześćdziesiąt jeden, i prefiksem dla stanu Queensland, zero siedem.

Po pięciu sygnałach w słuchawce odezwał się męski głos. Michael Shabala, prokurator, którego poznał na konferencji International Association of Prosecutors w Dubaju parę lat wcześniej.

– Halo?

– Cześć, Michael. Z tej strony Cezary. Słyszysz mnie?

– Trochę trzeszczy, ale słyszę, tak.

– Jak tam dzieci?

– Dobrze, dziękuję.

– A Samantha?

– Jeszcze lepiej. Kazała cię pozdrowić. – Bobrzycki słyszał w tle skrzek papug; Michael musiał wyjść z biura na lunch. – A teraz przejdź proszę do rzeczy, bo nie wierzę, że dzwonisz z drugiego końca świata, żeby się dowiedzieć, co u mojej rodziny.

– Nie da się ukryć – przytaknął Bobrzycki. – Chciałem cię poprosić o przysługę.

– Pewnie. W czym rzecz?

– Mógłbyś mnie skontaktować z kimś z grupy Aporia?

Zapadła cisza. Gdyby nie skrzek papug, Bobrzycki pomyślałby, że połączenie zostało przerwane.

– Oni tymczasowo zawiesili działalność – odezwał się w końcu Michael. – Na czas, aż komisja skończy dochodzenie. Wiesz, ta ich ostatnia operacja... Było sporo kontrowersji, wątpliwości, media zrobiły aferę...

– Słyszałem.

– No i z tego powodu nie mogą się teraz angażować we współpracę międzynarodową. Rozumiesz?

– Rozumiem. Dlatego właśnie dzwonię do ciebie.

Cisza. Westchnięcie.

– Dobra, zróbmy tak. Pchnij to oficjalnymi kanałami, a ja zobaczę, co da się zrobić.

– Rzecz w tym, że nie mogę.

– Słucham?

– Nie mogę poruszać tego tematu oficjalnymi kanałami.

– Poważnie?

– Poważnie. Jeśli zacznę robić szum, zaraz mnie wywalą.

– Jak to wywalą? Prokuratora nie można ot tak wywalić.

– Może w Australii. – Bobrzycki przełożył telefon do drugiej ręki. – To jak? Pomożesz mi?

– Ech... Ta sprawa... To jest coś, czym zajmuje się Aporia?

– Nie wiem. – Prokurator wbił wzrok w śnieżący telewizor. – Może. Chyba tak.

Pauza, trzaski, skrzek papug.

– W takim razie zrobię, co w mojej mocy.

= 7 =

Julita przerzucała zawartość koszyka oklejonego kartkami z wielkim napisem „PROMOCJA! -50%!". Westchnęła. Bardziej adekwatna byłaby etykieta „RESZTKI!" albo „OCHŁAPY!": paczka parówek, których termin przydatności upływał następnego dnia, wgnieciona butelka z jogurtem, rozerwane pudełko z serkami topionymi.

Było jej wstyd, że grzebie w tym koszyku. Czuła się, jakby wyciągała jedzenie ze śmietnika. Wcześniej omijała go szerokim łukiem, spoglądając z politowaniem na garbiących się przy nim ludzi: emerytów, nieogolonych robotników w poplamionych farbą bojówkach, obwieszone siatami samotne matki. Ona wpadała do osiedlowego sklepu tylko po papierosy i alkohol, no, ewentualnie pieczywo, w domu przecież nie gotowała, jadła w biurze albo na mieście. No, ale to było wtedy. Kiedy miała pracę.

Julita rozejrzała się na boki, czy nikt nie patrzy, i dopiero wtedy wyciągnęła z koszyka opakowanie parówek, mokre i śliskie, po czym ruszyła szybkim krokiem w stronę kasy. Oczywiście, nie musiała tego robić, nie musiała szukać drobnych po kieszeniach kurtek, żeby kupować towary drugiej świeżości. Lodówka w domu była przecież wyładowana po brzegi: kiedy się ją otwierało, niby z rogu obfitości wysypywały się z niej bloki parmezanu i plastry pastrami, puszeczki z foie gras i słoiczki z kawiorem, a w bocznej kieszeni dzwoniły butelki mleka ryżowego, migdałowego, owsianego i Bóg jeden wie, jakiego jeszcze, może kalarepowego. W każdej chwili mogła się poczęstować, Magda nigdy jej przecież niczego nie żałowała, nie skąpiła. Ale to by oznaczało przyznanie się do porażki, ostateczny dowód na to, że Julita Wójcicka, lat dwadzieścia siedem, żyje na garnuszku zamożnej siostry.

Stanęła w kolejce do kasy i wyłożyła jedzenie na taśmę; miarowe *bip bip* skanera kodów kreskowych mieszało się z szelestem plastikowych siatek. Obok, przy wejściu, był kącik z warzywami i stojak na gazety. Z lewej strony zwisały zwiędłe sałaty i pory, a z prawej pomięte, przebrane tygodniki: „Newsweek" koło „wSieci", „Polityka" obok „Do Rzeczy", „Wprost" po sąsiedzku z „Tygodnikiem Powszechnym". Wydania z dołączonymi płytami już się rozeszły, reszta miała wkrótce pojechać na przemiał, zamienić się w kolorowe konfetti, które potem będzie można z kolei przerobić na tekturowe pudełko albo podpałkę do grilla. Julicie przypomniał się wierszyk Brzechwy, który jako dziewczynka recytowała na szkolnym konkursie, a właściwie jego końcówka: „moi drodzy, po co kłótnie, po co wasze swary głupie, wnet i tak zginiemy w zupie".

Zapłaciła za jedzenie: wyszło dwadzieścia złotych i trzydzieści dwa grosze. Studiowała chwilę paragon, ze zdumieniem patrząc, jak szybko malutkie kwoty sumują się w większe, po czym zmięła go w kulkę i wrzuciła do śmietnika. Spojrzała na zegarek: musiała się śpieszyć. Za pięć minut była umówiona z Jankiem Tranem.

Czekał już na nią pod apartamentowcem. Ubrany był tak jak ostatnio: czarne dżinsy, czarna skórzana kurtka,

wełniana czapka z naszywką jakiegoś heavymetalowego zespołu. Przez ramię miał przerzuconą wyświechtaną sporto-
wą torbę. Uginał się pod jej ciężarem.

– Cześć – powiedziała.

– No, cześć.

– Mam nadzieję, że długo nie czekałeś?

– Nie, szybko zleciało. Pogadałem sobie z ochroniarzem.

– O? Na jaki temat? – spytała Julita, wyciągając klucze.

– Pytał, co tu robię. Wiesz, głośno i wyraźnie. Dużo ges-
tykulując.

– I co? Powiedziałeś, że przyszedłeś do mnie?

– Nie. – Janek Tran pokręcił głową. – Powiedziałem,
żeby spierdalał.

– Aha...?

– Wpuścisz mnie czy będziemy tak stać na ulicy?

– Przepraszam... Już, już.

Jechali windą w milczeniu, nie patrząc na siebie ani
w lustro. Julita otworzyła drzwi, wpuściła Janka do mieszkania. Ostrożnie postawił torbę na podłodze.

– Ile masz czasu? – spytał, ściągając kurtkę.

– Ile chcesz.

– To dobrze. Potrzebuję dużego stołu, przedłużacza
i hasła do twojego Wi-Fi.

– Może usiądziemy w salonie?

– Wszystko mi jedno. – Otworzył torbę, wyciągnął
z niej gruby czarny kabel. – Hasło?

– Magdanet. Pisane razem.

– Serio?

– Co „serio"?

– Nieważne. Daj coś do picia.

– Kupiłam specjalnie colę light. Może być?

– Mhm – mruknął, podłączając kabel do prądu.

Kiedy wróciła, na stole leżały trzy stare, poobijane laptopy. Jeden z nich był od spodu owinięty plastrem, drugi miał ślady po zdartych naklejkach.

– Trzy? Po co aż trzy?

– Dojdziemy do tego. Siadaj.

Julita ugryzła się w język, żeby nie powiedzieć czegoś o magicznych słowach typu „proszę" i „dziękuję", po czym przysunęła sobie krzesło. Patrzyła na niego wyczekująco, z notatnikiem w ręku.

– Zacznijmy od podstaw. Internet... – zaczął Janek.

– ...to przestrzeń adresów IP przypisanych serwerom i hostom, komunikujących się ze sobą za pomocą protokołu internetowego, spośród których najpopularniejszy to IPv4. – Julita wyrecytowała wykutą formułkę. A co, pomyślała, niech zobaczy, że nie siedziałam z założonymi rękoma, aż przyjdzie i mi wszystko wyłoży jak krowie na rowie, tylko zaczęłam sama ogarniać temat.

Twarz Janka nie wyrażała żadnych emocji. Wziął łyk coli, otarł usta.

– Potrafisz używać Wikipedii, moje gratulacje – powiedział. – Skoro już tego dowiodłaś, daj mi dokończyć, dobra?

– Mhm.

– A więc: internet jest zjebany, Julita. To pierwsza ważna informacja. Zbudowano go na błędnych założeniach. Albo inaczej: w innym celu, który nijak ma się do tego, jak używamy go dzisiaj. To miała być sieć wojskowa o ograniczonym dostępie. Koncepcja była taka, że skoro już jesteś zalogowany, można ci zaufać. Zanim ktokolwiek to dobrze przemyślał, sieć miała miliony użytkowników. I tak już zostało: zjebane. Zapisałaś sobie? Zje-ba-ne.

– Nie, ale...

– Druga ważna informacja. Oprogramowanie, co do zasady, też jest zjebane. Bo powstaje byle jak. Byle szybciej, byle taniej niż konkurencja. Bo nikt go solidnie nie testuje. Bo ważniejsze, żeby było ładne i wygodne, a nie bezpieczne. Więc na rynek wychodzi dziurawy produkt, w którym roi się od błędów.

– Już się boję myśleć, jaka będzie trzecia informacja...

– Komputery też są zjebane. Już na poziomie hardware'u. Dam ci jeden przykład: rok temu wyszło na jaw, że wszystkie, dosłownie wszystkie procesory Intela, wyprodukowane po dziewięćdziesiątym piątym roku, zawierają fundamentalny błąd w architekturze, przez co przy odrobinie wysiłku można wyciągnąć z nich dane.

– Naprawdę jest aż tak źle? Czy przesadzasz dla dramatycznego efektu?

Janek Tran włączył stojące przed nim laptopy. Dopiero teraz zauważyła, że wszystkie kamery są zaklejone plastrami.

– Pokaż mi swój telefon – powiedział, nie patrząc w jej stronę. Wpisywał hasła. Bardzo długie.

– Ale...

– No, już, dawaj.

Tran zaczął przeglądać aplikacje zainstalowane na telefonie Julity.

– Uber. Shakowany w dwa tysiące szesnastym. Wyciekły dane wszystkich użytkowników, łącznie z numerami kart debetowych, w tym pewnie twojej. Tinder. Jakiś czas temu wyszło na jaw, że nie szyfruje danych, więc wystarczyło być w tej samej sieci co ty, żeby widzieć, które zdjęcia przewijasz w lewo, a które w prawo. Fajnie, co? Flickr. Kiedy zakładałaś konto?

– Co? Czekaj... Chyba w dwa tysiące jedenastym, żeby wrzucić zdjęcia z wakacji w...

– Flickr należy do Yahoo, które shakowano w dwa tysiące trzynastym, wyciekły wtedy loginy i hasła do wszystkich kont, a mieli ich wtedy coś koło trzech miliardów, w tym twoje. LinkedIn? Shakowane w dwa tysiące dwunastym. Facebook? Dopiero co się przyznali, że ktoś wyssał dane z siedemdziesięciu milionów kont, nie wspominając o tej całej aferze z Cambridge Analytica. A to? Wiesz, co to za ikonka?

– No pewnie, Bluetooth, do łączenia komórek...

– Zawiera błąd, który pozwala na zdalne przejęcie kontroli nad twoim telefonem. Nigdy nie zostawiaj go włączonego.

– Spoko, jak chcę coś przerzucić, to zwykle robię to przez Wi-Fi...

– ...korzystające w większości przypadków z protokołu WPA2... – Tran wszedł jej w słowo – ...który też jest wadliwy. Można odszyfrować strumień danych bez znajomości hasła.

– Serio?

– Serio, serio. Wyszukaj sobie w sieci „KRACK", jeśli mi nie wierzysz.

Zrobiło się cicho. Było słychać tylko szum komputerowych wiatraczków.

– Czemu ja nic o tym nie wiem? – spytała wreszcie Julita. – Czemu o tym wszystkim nie słyszałam?

– Bo ludzie też są zjebani – powiedział Tran. – W dupie mają kwestie bezpieczeństwa. Nie interesują się. Nie instalują aktualizacji. Nie patrzą, w co klikają. Wolą dupny darmowy program od dobrego, za który trzeba zapłacić dziesięć złotych. I używają beznadziejnych haseł. Takich jak Magdanet, na przykład.

– To akurat wybrała moja siostra.

– Ale ty też go używasz.

Julita wpatrywała się w stojące przed nią laptopy. Nie miały ustawionych tapet. Nie widziała znajomego paska „Start" ani ikonki z jabłuszkiem.

– To co teraz? – spytała.

– Teraz pokażę ci, jak anonimowo i bezpiecznie korzystać z internetu.

– Okej.

– A ty potem zapomnisz połowę tego, co powiedziałem. Albo uznasz, że jestem paranoikiem, że na pewno przesadzam. I olejesz wszystko, co ci próbowałem wbić do głowy.

Julita przewróciła oczami.

– Słuchaj, ja to wszystko naprawdę traktuję śmiertelnie poważnie – powiedziała. – Uwierz, nie znosiłabym w milczeniu twojego buractwa, jeśli...

– Gdybyś rzeczywiście traktowała to wszystko śmiertelnie poważnie – przerwał jej Janek – tobyś zasłoniła domofon, wpisując kod. I zmieniła blokadę w telefonie z „pięć--pięć-pięć-pięć" na inną kombinację.

– Skąd...?

– Przecież nie jestem ślepy.

Janek pokręcił głową.

– Magdanet... Ja pierdolę, wiesz, ile by mi zajęło złamanie takiego hasła? Trzydzieści sekund. Musisz się wreszcie ogarnąć. Ktoś się na ciebie uwziął. Ktoś, kto wie, co robi, i jest zdeterminowany, żeby to robić dalej. Rozumiesz?

– Rozumiem.

– No, to do roboty.

Wiesława Maczek była na siebie zła. Kartofle, które kupiła na bazarze, były do niczego: przeżarte pleśnią, upstrzone czarnymi oczkami. Operując obieraczką z chirurgiczną precyzją, Wiesława próbowała z trzymanego w ręku ziemniaka wykroić chociaż kawałek, który nadawałby się do zjedzenia. Zachciało mi się oszczędzić dwa grosze na kilo, myślała, zeskrobując porastającą bulwę narośl, cholera jasna, zamiast u Maliniakowej kupić jak zwykle. No to teraz mam, urobię się jak głupia, a ledwo co będzie do garnka potem włożyć. Kiedy już wydawało się, że oczyściła kartofel, znalazła kolejną siną plamę. Zaklęła pod nosem i poprawiła okulary wierzchem dłoni.

– A mówiłem, żeby makaron zrobić – zawołał Grzegorz, jej mąż, z przylegającego do kuchni salonu. Telewizor był włączony na jakiś serial, ale Grzegorz go nie oglądał, rozwiązywał krzyżówki.

– Weź mnie nie denerwuj. Pomógłbyś lepiej.

– A co trzeba zrobić?

– Obiad trzeba zrobić.

– No to powiedz, w czym pomóc.

Wiesława westchnęła. Trzydzieści lat po ślubie, a jakby z dzieckiem gadała.

– Zdejmij mi maszynkę do mięsa. Tę włoską, od ciotki.

– A gdzie jest?

– No gdzie jest, jak myślisz? W lodówce?

– A ty co się tak nastroszyłaś? Pytam, bo nie używam.

– Właśnie dlatego. – *Plum*, obrany ziemniak wpadł z pluskiem do garnka. Rozłożoną na ziemi gazetę pokrywały obierki, widać było tylko część nagłówka: „TRYBUNAŁ DUBLERÓW IGNORUJE". Nie pamiętała już co, zresztą, kto by za tym nadążył. – Duża szuflada, po lewej. Potem weź mięso ze zlewu i sprawdź, czy się rozmroziło.

– No rozmroziło się.

– To zacznij mielić.

Grzegorz wykonał polecenie. Zazgrzytała korbka i mięso zaczęło wyłazić z dziurek z wilgotnym mlaśnięciem, różowo-białe robaki.

– Jak tam w pracy? Coś ciekawego?

– A wiesz, że tak – odpowiedziała, sięgając do worka po kolejnego ziemniaka. – Księdza mi przywieźli.

– I na co zszedł?

– Na zawał. W trakcie dializy.

– Prywatnie pewnie chodził? Ech, głupi ludzie. Myślą, że jak zapłacą i nie trzeba stać w kolejce, to znaczy, że i opieka lepsza. – Grzegorz, który całe życie pracował jako pielęgniarz w szpitalu na Banacha, był cięty na komercyjne kliniki. – Tam czas to pieniądz, więc robią pacjenta za pacjentem, byle więcej upchnąć, nie patrzą, czy się dobrze czują, czy gorzej, tylko od razu za drzwi i następny proszę.

– Już tak się nie rozpędzaj. Tu akurat zawiniła maszyna.

– O? A co się stało?

– Przestawiły się ustawienia ultrafiltracji. – Wiesława otrzepała ręce z piasku. – Odprowadziła mu ponad pięć procent płynu i serce nie wytrzymało.

– Ale co, nie monitorowali go?

– Monitorowali, monitorowali. Tyle że na ekranach wszystko wyglądało w porządku, zorientowali się dopiero po fakcie.

– To pewno nowa maszyna była, co nie? Ładują tę elektronikę nie wiadomo po co, to nic dziwnego, że coś się popsuło. No, wszystko zmieliłem. Co teraz?

– Co teraz, co teraz… – Wiesława wstała, zebrała obierki z podłogi. – Posprzątaj po sobie, Grzesiu.

– Posprzątam, posprzątam. A, słuchaj… Afrykańska stolica na „L", sześć liter?

– Hmm… Luanda.

– No tak, Luanda! Na końcu języka miałem!

Musaka wyszła pyszna, jak zawsze. Odkąd pojechali na wakacje do Grecji (to było cztery lata temu, Grzegorz miesiącami ją urabiał, żeby się zgodziła na taki wydatek), przygotowywali ją przynajmniej raz w tygodniu. Świetnie wchodziła z czerwonym winem, nawet takim z logo supermarketu na etykiecie. Potem, kiedy siedzieli na kanapie i czytali książki, zagryzając sezamkami, Wiesławie Maczek przypomniało się, co jeszcze miała powiedzieć o zmarłym księdzu. Duchowny nie miał już żadnej żyjącej rodziny, ale na oględziny ciała przyjechała jego przyjaciółka: Barbara Lipiecka-Buczek.

Zabawny zbieg okoliczności.

Szyfruję swoje dane. Wszystkie, bez wyjątku.

Robię kopię zapasową swoich danych. Codziennie.

Nie korzystam z kretyńskich bajerów (opaski monitorujące tętno, smartwatche, itd., itp.) – mają słabe zabezpieczenia i zbierają informacje na mój temat.

Używam menedżera haseł. Zabezpieczam go hasłem, które ma minimum 25 znaków. Używam dwuetapowej weryfikacji (tokeny, SMS-y). Nie korzystam z oczywistych pytań pomocniczych (data urodzin, imię psa, nazwisko panieńskie matki, wszystko to można znaleźć w sieci).

Laptopa Della używam do pisania. Laptopa Acer używam do surfowania po sieci. Laptopa Lenovo używam tylko i wyłącznie, kiedy się loguję (na swoją stronę, na pocztę, do banku, itd). Mogę też używać systemu Qubes na jednym z komputerów (tworzy wirtualne maszyny na jednym komputerze, izoluje procesy, poprosić Janka, żeby zainstalował).

Nie otwieram załączników, o które nie prosiłam. Pięć razy zastanawiam się, zanim kliknę w jakiś link. Nie używam dysków USB, których sama nie kupiłam.

Pliki przesłane przez osoby trzecie otwieram tylko i wyłącznie w sandboxie (wydzielonej części dysku, która służy jako izolatka, na wypadek gdyby plik zawierał *malware*).

Używam tylko tych programów i aplikacji, które są mi niezbędne. Odinstalowuję je, kiedy przestaję z nich korzystać. Aktualizuję je regularnie.

Nigdy nie spuszczam wzroku z mojego telefonu. Nie podłączam go do cudzych ładowarek ani komputerów. Zasłaniam ekran, kiedy wpisuję PIN. Wyłączam go i wyciągam baterię, kiedy prowadzę poufne rozmowy albo chcę się upewnić, że nikt mnie nie śledzi.

Wiadomości tekstowe wysyłam przez aplikację szyfrującą (np. Telegram, Signal). Mejle zawierające poufne informacje wysyłam, korzystając z protokołu szyfrującego PGP (*Pretty Good Privacy*).

Łączę się z internetem

Słuchaj, możemy zrobić sobie przerwę? – spytała Julita, odrywając długopis od kartki. – Ręka mnie już boli.

– To pisz drugą – powiedział Janek. – „Łączę się z internetem wyłącznie za pośrednictwem TOR albo ewentualnie VPN".

– Przeliterujesz?

– Fał-pe-en. Te-o-er.

– Okej. A wytłumaczysz?

Janek spojrzał na zegarek, staromodny tissot z porysowanym szkiełkiem na skórzanym pasku. Westchnął, przeciągnął się.

– No więc… – zaczął. – Twój dostawca internetowy widzi wszystko, co robisz w sieci.

– Nawet jak jestem w trybie incognito?

– Oczywiście, że tak. To działa wyłącznie lokalnie: twoja przeglądarka nie zapisuje wtedy po prostu, jakie strony przeglądasz. Ale dostawca to widzi. Co więcej, jest prawnie zobowiązany do tego, żeby te dane przechowywać przez ileś tam miesięcy, na wypadek gdyby chciała do nich zajrzeć policja. Oczywiście, o ile przeciętny Kowalski nie ściąga pedofilskiego porno albo instrukcji, jak zrobić bombę z samowara, nikt się nim raczej nie interesuje. Ale ty nie jesteś już przeciętnym Kowalskim, więc musisz być ostrożniejsza. Szansa, że dostawca chce cię podglądać, jest niewielka. Ale co, jak ktoś włamie się na ich serwery? Albo kogoś przekupi? Albo, co też można zrobić bez większego trudu, włamie się po prostu do twojej sieci Wi-Fi?

– Będzie źle. Rozumiem.

– Najprostszy sposób, żeby być względnie bezpiecznym, podkreślam, względnie, to łączyć się przez VPN, czyli *Virtual Private Network*. To działa tak, że łączysz się z jakimś serwerem, nawiązujesz z nim zaszyfrowane połączenie, i dopiero za pośrednictwem tego serwera poruszasz się po sieci. Każdy, kto będzie podsłuchiwał twoje połączenie, zobaczy tylko i wyłącznie zaszyfrowany strumień danych.

– Okej. To gdzie tkwi haczyk?

– Po pierwsze, trzeba mieć dobrze skonfigurowaną przeglądarkę z zainstalowanymi ScriptSafe'em, Disconnectem, HttpsEverywhere i tak dalej, ale tym się nie musisz przejmować, bo już ci to ustawiłem. Po drugie, firmy oferujące usługi VPN też zwykle są zobligowane do tego, żeby tymczasowo przechowywać twoje dane do wglądu policji i służb. Po trzecie, jest jeszcze ryzyko tak zwanego przecieku DNS... Szczegóły nie są ważne, chodzi o protokoły WebRTC, ale nie będę ci tym teraz zaśmiecał głowy. W każdym razie istnieje możliwość, że jeśli ktoś naprawdę się postara, to jednak może podejrzeć, co tam w sieci robisz. Dlatego VPN to tylko mniejsze zło. Powiedzmy, że wystarczy, kiedy chcesz sprawdzić, co grają w kinie. Ale jeśli chcesz być naprawdę bezpieczna, musisz korzystać z TOR-a.

– Zamieniam się w słuch.

– TOR to skrót od *The Onion Router*…

– Czekaj… „Onion"… Pisane jak „cebula" po angielsku?

– Mhm. Nazwa odwołuje się do warstw. Jakby ci to… – Janek Tran podrapał się po głowie; sztywne czarne włosy sterczały na wszystkie strony. – Może tak. Kiedy wpisujesz jakiś adres w przeglądarce TOR, nie trafiasz tam bezpośrednio, tylko przechodzisz przez inne, losowo dobrane komputery, udostępnione przez wolontariuszy. Zwykle taki łańcuch składa się z trzech węzłów. Każdy z nich szyfruje przepływające dane osobnym kluczem, dlatego właśnie mówi się o warstwach szyfrowania. Co ważne, pojedyncza maszyna nie wie, skąd pochodzą te dane, ani dokąd są wysyłane. Dlatego jeśli zachowasz odpowiednie środki bezpieczeństwa, jesteś naprawdę ostrożna i rozsądna… Takiego połączenia właściwie nie da się wyśledzić. Pełna anonimowość. Rozumiesz?

– Tak. Chyba tak.

– No, a poza tym… – Jankowi zabłysły oczy. – Za pośrednictwem TOR-a zyskujesz dostęp do *hidden services*.

– Czego znowu?

– *Hidden services*, albo inaczej dark net. Ukryta sieć, do której nie możesz dostać się w żaden inny sposób.

– Czekaj, czekaj. – Julita odłożyła notatnik, skrzyżowała ramiona na piersiach. – Teraz już ze mnie drwisz. Jest jakiś ukryty internet?

– Mhm.

– I skąd on się niby wziął? Znaleźli go na peronie dziewięć i trzy czwarte?

– Nie. Stworzono go na potrzeby amerykańskiego wywiadu.

– Okej, czyli miałam rację, drwisz sobie.

– Nie drwię.

Julita przypatrywała się Jankowi, przekonana, że złapie go na tym, jak tłumi śmiech albo unosi brew, że zaraz do niej mrugnie, cokolwiek. Ale nie. Mówił poważnie.

– Wybacz… – powiedziała po chwili. – Ale to brzmi jak… jak jakiś głupi film science fiction z lat osiemdziesiątych o dystopijnej cyberprzyszłości. Wiesz, coś, w czym mógłby zagrać Arnold Schwarzenegger albo Van Damme. Tej jesieni w twojej osiedlowej wypożyczalni kaset VHS… – powiedziała tubalnym głosem. – On jeden może wejść do dark netu i uchronić świat przed zagładą… Zwą go dżokejem sieci…

– Widzisz, i to jest właśnie to, czego ludzie nie chcą zrozumieć.

– To znaczy?

– My już żyjemy w dystopijnej cyberprzyszłości. Tylko interfejs jest przyjazny dla użytkownika, więc nikt się nie zorientował.

– Dobra, dobra. I co dalej? Zapytasz, czy chcę niebieską czy czerwoną pigułkę?

Janek Tran przyglądał jej się tak, jakby widział ją pierwszy raz w życiu. Julita poczuła się dziwnie, nerwowo poprawiła się w krześle.

– Jesteś dziennikarką, tak? – zapytał Tran, ale nie czekał na odpowiedź, mówił dalej. – To weź się rozejrzyj dookoła. Ale tak naprawdę dobrze, a nie chowając się za tą gówniarską ironią. Odlep się od tych kretyńskich Facebooków i memów na Buzzfeedzie, dorośnij trochę. I potem pogadamy.

– Ho, ho… Ktoś tu jest drażliwy…

– Mniejsza z tym. Ostatnia rzecz i kończymy. – Janek Tran wstał od stołu, zaczął grzebać w torbie. Po chwili wyjął z niej smartfona w plastikowej osłonce. Miał popękany wyświetlacz.

– Co to jest? – zapytała.

– Telefon.

– Widzę, że telefon. Po co mi on? Mam przecież własny.

Tran nie odpowiedział. Stanął w korytarzu prowadzącym w głąb mieszkania, zmrużył oczy. Powinien nosić okulary, pomyślała Julita. Ciekawe, czy się wstydzi, czy może podejrzewa, że wszyscy okuliści są częścią ogólnoświatowego spisku elit i zakładają ludziom szkła z selektywnym filtrem, ukrywającym przed nimi dowody na obecność kosmitów.

– Twój pokój można zamknąć na klucz?

– Można, ale co to ma…

– To zamykaj go, jak wychodzisz z domu. A ten telefon zostaw w środku, gdzieś na wierzchu. Podłączony do ładowarki.

– Po co? Żebym miała numer stacjonarny?

– Nie. Tu nie ma nawet karty SIM. Zainstalowałem na nim tylko jedną aplikację, Haven, która zamienia go w system bezpieczeństwa sparowany z twoją komórką. Jeśli ktoś wejdzie do pokoju i zapali światło, kamera to zarejestruje i dostaniesz SMS-a. Jeśli ktoś przesunie telefon, wyczuje to akcelerometr i dostaniesz SMS-a. Jeśli mikrofon zarejestruje dźwięk głośniejszy niż pięćdziesiąt decybeli…

– …dostanę SMS-a. Łapię. Tylko nie jestem pewna, czy to naprawdę potrzebne.

– Powiedziałaś, że traktujesz tę całą sprawę śmiertelnie poważnie?

– Mhm.

– No, to jest potrzebne.

Tran poszedł do przedpokoju, zapiął torbę na suwak, założył kurtkę.

– Dobra, ja spadam. Gdyby coś się działo, to mów, tylko nie zawracaj mi...

– Czego ty chcesz, Janek? – Julita weszła mu w słowo.

– Słucham?

Julita spojrzała na opleciony kablami stół.

– Nie wiem, ile kosztują te wszystkie komputery, ale zgaduję, że kilka tysięcy. Nie powiedziałeś, kiedy mam je oddać. Nie kazałeś sobie za nie zapłacić. Ani za czas, jaki poświęciłeś na ustawienie tego sprzętu.

– No i?

– Nie wyglądasz mi na dobrego samarytanina. Normalnie pomyślałabym, że może chcesz mnie wyrwać, ale po tym, jak się do mnie odzywasz, zaryzykuję tezę, że jednak nie o to chodzi. Więc o co? Czego oczekujesz w zamian?

– Niczego. Mówiłem ci, wiszę Grubemu przysługę.

– A jaką przysługę możesz wisieć sprzedawcy ubezpieczeń z Żukowa? Co, dał ci zniżkę na polisę?

Tran wyszedł na klatkę, zawołał windę.

– Jego spytaj – powiedział.

– A wiesz, chyba tak zrobię.

Tran wszedł do windy. Mierzyli się wzrokiem, dopóki nie zamknęły się drzwi. Julita westchnęła. Była głodna, zmęczona, pękała jej głowa od tych wszystkich DNS, VPN, HTTPS, TCP/IP. Ale Leon Nowiński nalegał, żeby się spotkali, mówił, że ma dla niej coś, co może mieć znaczenie dla jej dochodzenia.

Wychodząc z mieszkania, zamknęła swój pokój na klucz i zostawiła telefon od Janka na biurku.

Julita Wójcicka: Hej, Gruby. Jesteś?

Mikołaj Parys: Jestem!

Mikołaj Parys: Co słychać?

Julita Wójcicka: Super

Julita Wójcicka: wywalili mnie z pracy

Julita Wójcicka: pół Polski widziało moje cycki

Julita Wójcicka: zostało mi kasy tak na tydzień

Julita Wójcicka: no, żyć nie umierać

Mikołaj Parys: kurde, strasznie mi przykro

Mikołaj Parys: a jak Tran? Spotkaliście się w końcu?

Julita Wójcicka: tak, tak, w sumie w tej sprawie piszę

Julita Wójcicka: przede wszystkim wielkie dzięki

Mikołaj Parys: nie ma za co

Julita Wójcicka: że mi dałeś na niego namiary

Julita Wójcicka: bardzo mi pomógł

Julita Wójcicka: no jest za co właśnie

Julita Wójcicka: przywiózł mi tu w cholerę sprzętu

Julita Wójcicka: mój pokój to teraz centrum dowodzenia NASA

Mikołaj Parys: ;D

Julita Wójcicka: no i właśnie... czemu on to robi?

Julita Wójcicka: mówił, że wisi ci przysługę

Julita Wójcicka: ale nie wiem, dziwne mi się to wydało

Mikołaj Parys: w sumie to prawda

Mikołaj Parys: jego matka miała wylew

Mikołaj Parys: tak ze trzy lata temu

Mikołaj Parys: poważna sprawa, nie mogła już pracować

Mikołaj Parys: całe szczęście była ubezpieczona

Mikołaj Parys: tylko ubezpieczyciel chciał ich wyruchać

Mikołaj Parys: wiesz, znalazł jakieś kruczki prawne

Mikołaj Parys: żeby nic im nie zapłacić, ani grosza

Mikołaj Parys: Janek mnie wtedy poprosił o pomoc

Mikołaj Parys: no bo wiesz, siedzę w branży

Mikołaj Parys: i udało się załatwić w końcu rentę

Julita Wójcicka: fuuuck

Julita Wójcicka: ale wtopa

Mikołaj Parys: ???

Julita Wójcicka: ja mu tu przesłuchanie zrobiłam

Julita Wójcicka: zamiast podziękować jak normalna osoba

Julita Wójcicka: wiesz, czemu mi pomaga, czego chce
   w zamian

Mikołaj Parys: Oj...

Julita Wójcicka: cholera, strasznie mi głupio

Julita Wójcicka: przez te ostatnie akcje mam różne paranoje

Julita Wójcicka: przepraszam cię

Mikołaj Parys: Nie no, mnie nie musisz przepraszać

Mikołaj Parys: o Janka też bym się przesadnie nie martwił

Mikołaj Parys: nie wiem, na ile go zdążyłaś poznać

Mikołaj Parys: ale to nie jest typ, który długo żywi urazę

Julita Wójcicka: tak... jestem gotowa w to uwierzyć

Julita Wójcicka: Janek jest, powiedzmy, specyficzny

Mikołaj Parys: ja bym to ujął inaczej

Mikołaj Parys: kawał z niego wrednego buca

Julita Wójcicka: ;)

Mikołaj Parys: ale możesz mu zaufać, serce ma gdzie trzeba

Julita Wójcicka: cieszę się, że porozmawialiśmy, lżej mi

Julita Wójcicka: jeszcze raz wielkie dzięki

Julita Wójcicka: odezwę się, jak przyjadę do Żukowa na święta

Mikołaj Parys: koniecznie!

Julita Wójcicka: trzymaj się, pa!

Mikołaj Parys: do zo!

Leon Nowiński długo zastanawiał się, który lokal wybrać na spotkanie. Z jednej strony zależało mu, żeby było profesjonalnie: a więc żadnych świeczek, wazonów z kwiatami i chrypiącego Roda Stewarta. Z drugiej strony nie chciał też umawiać się w jakiejś bezosobowej sieciówce obwieszonej stockowymi zdjęciami w ramkach z Ikei, żeby nie wyglądało, że mu wszystko jedno. Musiał znaleźć ciche, ustronne miejsce, w którym będą mogli swobodnie porozmawiać – ale też nie nazbyt ciche i nie nazbyt ustronne, żeby Julita przypadkiem nie pomyślała, że chce ją podstępem wyciągnąć na randkę.

Oczywiście, miałaby rację – bo tak właśnie było. Mógł jej przecież wysłać link e-mailem, mógł jej powiedzieć przez telefon, o co chodzi, zajęłoby to góra pięć minut, no, może dziesięć. Wmawiał sobie, że nie zrobił tak ze względów bezpieczeństwa, na wypadek gdyby ktoś podsłuchiwał jej numer, przechwytywał e-maile. Prawda była jednak taka, że po prostu chciał się z nią znowu zobaczyć. Coś w niej było, coś pociągającego. Rzecz jasna, była ładna, dobrze o tym wiedział, nawet – niestety – nieco za dobrze. Ale tu nie chodziło tylko o wygląd. Ten jej upór, determinacja, wścibskość… Kręciło go to.

Nie planował, rzecz jasna, żadnych gwałtownych ruchów, żadnych wyznań i porozumiewawczych mrugnięć. Dziewczyna przeszła w ostatnich dniach przez piekło, ostatnie, na co teraz miała pewnie ochotę, to umawiać się z facetami. Szanował to, da jej czas, tyle, ile potrzebuje. A póki co – zadba tylko o to, żeby o nim pamiętała, żeby nie zniknął jej z radaru. Postara się pomóc w jej śledztwie, na tyle, na ile może, albo przynajmniej zadzwoni raz na jakiś czas spytać, co tam słychać, skomplementować jej ostatni tekst. A potem… Potem się zobaczy. Może coś zaiskrzy.

W końcu wybrał małą włoską knajpkę na Ochocie – sześć stolików, wystrój ciepły, przytulny, ale bez przesady:

obrusy w biało-czerwoną kratę, blaszane doniczki z bazylią na parapetach, czarno-białe zdjęcia z kadrami z *Rzymskich wakacji*. Menu krótkie, ceny przystępne, kelnerzy się nie narzucali. Krótko mówiąc, w sam raz na randkę, nie randkę.

Julita weszła do środka. Pomachała mu, zdjęła płaszcz. Miała na sobie trampki, podarte dżinsy i wełniany sweter, tak na oko trzy rozmiary za duży, włosy spięła w kucyk. Wyglądała na zmęczoną.

Powinienem chyba wstać, pomyślał Leon, przywitać się. Tylko jak? Uścisk dłoni byłby zbyt formalny, ale na całus w policzek jest zdecydowanie za wcześnie. No to co, może lepiej jednak siedzieć? Nie, cholera, wyjdę na chama...

– Wszystko w porządku? – Julita odsunęła krzesło.

– Hm? Tak, tak, w porządku. Cześć, tak w ogóle. – Wyciągnął dłoń w jej stronę, unosząc się na chwilę w dziwnym półprzysiadzie, jak skoczek narciarski odbijający się z progu. Przez twarz Julity przebiegł uśmiech. Ty idioto, pomyślał, ty skończony kretynie.

– Fajna knajpka. – Julita rozglądała się wokół.

– A, wiesz, taka tam pizzeria. Pierwsze miejsce, które mi przyszło do głowy.

– To co tam dla mnie masz?

– Już ci pokazuję. Czekaj, wyciągnę tylko tablet...

Do stolika podszedł kelner, młody chłopak, który desperacko próbował zapuścić tak modną ostatnio brodę. Postawił przed nimi wiklinowy koszyk ze sztućcami i buteleczki oliwy: jedna z papryczkami, druga z gałązką rozmarynu. Wyglądały trochę jak eksponaty z muzeum, zalane formaliną okazy dawno wymarłych roślin.

– Co będzie dla pani? – spytał kelner, wyciągając notatnik.

– Woda.

– Gazowana czy niegazowana?

– Najlepiej z kranu.

– Aha... I co jeszcze?

– Nic – odpowiedziała Julita, pakując do ust gratisowe *grissini*.

– A dla pana?

Leon bił się z myślami. Z jednej strony był cholernie głodny, z drugiej nie wypadało przecież, żeby żarł, kiedy Julita będzie sączyć tylko wodę. Czemu nie wzięła nic do jedzenia? Wyjdzie, jak tylko pokaże jej nagranie?

– Leon?

– Hm? Kawę. Kawę poproszę. Czarną.

Kelner pokiwał głową, schował notatnik do kieszeni pobielonego mąką fartucha. Już miał iść do kuchni, kiedy obrócił się do Julity.

– Czy ja pani skądś nie znam?

Julita schowała głowę w ramionach, wbiła wzrok w talerz.

– Nie wydaje mi się.

– Na pewno? Bo przysiągłbym, że skądś kojarzę pani twarz.

– Mhm. – Julita złamała paluszek *grissino* na pół. – I nie tylko.

– Przepraszam?

– Czy może pan już przekazać nasze zamówienie? – zapytał Leon. Jego ton był ostrzejszy, niż zamierzał. – Śpieszymy się trochę.

– Oczywiście.

– Dzięki – powiedziała Julita, nie unosząc wzroku.

– Słuchaj, strasznie cię przepraszam... Jak chcesz, możemy pójść gdzie indziej...

– Gdzie? – Podniosła głos. – Gdzie pójdziemy? Gdzie będę miała pewność, że nikt nie widział tych jebanych zdjęć? Gdzie nie będę się zastanawiała, czemu kelner się na mnie gapi? Co, pojedziemy na kawę w Bieszczady?

– Słuchaj, minie trochę czasu… Ludzie zapomną…

– Wpisz moje imię do wyszukiwarki – przerwała mu. – Zobacz, co wyskoczy. I wtedy mi powiedz, czy zapomną.

Kucharz za barem podrzucał pizzę, deszcz bębnił o szyby. Powiedzieć jej, myślał Leon, czy nie powiedzieć? Powinienem. Wiem, że powinienem. Ale to będzie koniec, pozamiatane, nigdy się już do mnie nie odezwie. Może później? Jak już mnie trochę pozna, polubi?

– To pokażesz w końcu, co tam dla mnie masz?

– Tak, pewnie… Proszę.

Leon przesunął tablet po stole. Był otwarty na jakimś filmie z YouTube'a. Julita założyła słuchawki, kliknęła play.

Biały jeep jedzie po autostradzie gdzieś w Stanach. Prowadzi szczupły mężczyzna w białej koszuli, który łysinę kompensuje krzaczastą brodą. „Zgodziłem się być świnką doświadczalną", mówi kierowca, „Charlie i Chris nie chcieli mi powiedzieć, czego się spodziewać. Zapewniali tylko, że nie muszę się martwić o swoje życie". Nagle w aucie włącza się radio. Muzyka jest przeraźliwie głośna, kierowca się krzywi, próbuje przyciszyć piosenkę pokrętłem. Bez rezultatu. Otwierają się okna. Góra, dół, góra, dół. Trąbi klakson. Spryskiwacz zalewa przednią szybę, wycieraczki pracują z maksymalną prędkością; widoczność spada do zera.

Cięcie. Dwóch mężczyzn siedzi na kanapie, mają na kolanach laptopy. Śmieją się jak uczniacy zadowoleni z udanego żartu. „No dalej, zrób to", woła jeden z nich, „Wyłącz mu silnik! Teraz!". Jeep wytraca prędkość, zjeżdża na wąskie pobocze. Mijają go trąbiące auta. Mimo że to ustawka, na czole kierowcy zbiera się pot. Przestało go to bawić.

Julita zatrzymała film, wyjęła słuchawki z uszu. Przez dłuższą chwilę siedziała bez ruchu, osłupiała, nawet nie zauważyła naburmuszonego kelnera, który postawił przed nią szklankę z wodą.

– Pokazał mi to kolega – powiedział Leon, sięgając po kawę. – To nagranie z takiego amerykańskiego miesięcznika o nowych technologiach, WIRED. Zgłosiło się do nich dwóch programistów. Powiedzieli, że są w stanie zdalnie przejąć kontrolę nad autem... No i zrobili demonstrację.

– Ale... Jak?

– Poczytałem o tym trochę... Nowe samochody mają komputer pokładowy, co nie? Niektóre nawet łączą się z internetem: żeby sprawdzić informacje drogowe, połączyć się twoim kontem na iTunes, dzięki czemu masz dostęp do swoich piosenek... No, a skoro się łączą...

– To można połączyć się też z nimi. Jasne.

Czemu o tym nie słyszałam, pomyślała Julita, czemu dopiero teraz ktoś mi o tym mówi? Spojrzała na liczbę wyświetleń filmu. Trzy miliony. Przypomniała jej się lista najczęściej oglądanych klipów na polskim YouTubie, zrobiła potem na jej podstawie tekst dla Meganewsów. Nagranie z psem przebranym za pająka, który straszy nocą przechodniów – sto siedemdziesiąt milionów. Teledysk disco polo, piosenka o zielonych oczach, „o twą miłość będę walczyć, o miłość walczyć to nie wstyd" – sto czterdzieści milionów. Dziecko, które siedzi w basenie z kolorowymi piłkami i się śmieje – sześćdziesiąt pięć milionów. Może Tran miał rację, pomyślała. Faktycznie jesteśmy zjebani.

– Cholera jasna... Więc myślisz, że Buczek...? – Zawiesiła głos.

– To by wiele tłumaczyło, nie? – Leon schował tablet do torby. – Ale podobno kiedy to wyszło na jaw, producenci samochodów wypuścili aktualizacje, które miały rozwiązać problem. To było ponad trzy lata temu... Pytanie, czy taki atak dałoby się przeprowadzić dzisiaj. Wiesz, ja się na tym nie znam.

– Nie szkodzi. Mam namiary na kogoś, kto się zna, dowiem się. Dzięki za pomoc.

– Nie ma sprawy.

Julita odchyliła się w krześle, rozejrzała po knajpie, otaksowała Leona: świeżo ogolony, w eleganckiej koszuli, uczesany, wyperfumowany. Uśmiechnęła się do siebie.

– No co? – spytał.

– Trzeba było powiedzieć, że to randka, inaczej bym się ubrała.

– Daj spokój, jaka randka... – Leon machnął ręką. Czuł, jak się czerwieni.

– Miałeś w przeglądarce ze dwadzieścia otwartych zakładek. Jedna z tym filmem... Reszta z knajpami. Pierwsze miejsce, które ci przyszło do głowy, hm? – powiedziała, mrugając.

Gdyby w tej właśnie chwili pod ich stopami rozstąpiła się ziemia, a z nieba rzygnęło ogniem, Leon Nowiński odetchnąłby z ulgą. Niestety, armagedon nie nadchodził. Trzeba było coś powiedzieć.

– Słuchaj, ja nie chciałem się narzucać, tylko tak... Miałem wrażenie, że dobrze nam się gadało i...

– Wtedy, przez telefon? Jak mówiłeś, że moje artykuły to szuranie po dnie? – Julita oparła brodę na złożonych dłoniach, zatrzepotała rzęsami. – Czy potem, jak spytałeś, czy mnie posrało?

– Hej, teraz już jesteś nie fair. Wbiegłaś mi pod samochód.

– Bo mnie wcześniej spuściłeś po drucie.

– Okej, a co byś zrobiła na moim miejscu? Nic wtedy o tobie nie wiedziałem, znałem cię tylko z tego jednego tekstu, który, powiedzmy sobie szczerze, był po prostu obleśny. Gdybyś napisała go w takim tonie jak tę notkę na blogu, to może...

– Czytałeś ją?

– Pytanie. – Obruszył się. – Pewnie, że czytałem.

– I co myślisz?

– Co myślę...? – Nie spierdol tego, mówił sobie w myślach, tylko tego nie spierdol. – Że masz fajny styl. Że podoba mi się, że jesteś szczera, że gdybyś z góry wiedziała, na co się piszesz, to byś się nie odważyła. I że na końcu rzuciłaś mu wyzwanie, wiesz, temu komuś.

Przyglądała mu się przez dłuższą chwilę, lekko przekrzywiając głowę. A potem wyciągnęła portfel.

– Zjemy pizzę? – spytała, licząc drobne. – Na przykład małą margheritę... Na spółkę?

Siedzieli w pizzerii ponad trzy godziny. Kelner puszczał im znaczące spojrzenia, co kwadrans przychodził spytać, czy aby na pewno czegoś jeszcze nie potrzebują, demonstracyjnie zamiatał podłogę wokół ich stolika. Nie zwracali na niego uwagi. Byli zajęci rozmową.

Leon, który od początku miał nadzieję, że spotkanie zmieni charakter z profesjonalnego na osobisty, przygotował zawczasu listę pytań, jakie mógłby zadać, gdyby zapadła niezręczna cisza. Były bezpieczne, ograne, służyły jedynie temu, by znaleźć jakiś wspólny temat, od którego można by się odbić. Co ostatnio czytałaś? Jakiej muzyki słuchasz? Lubisz podróże? Ostatecznie, gdyby wszystko inne zawiodło: jakie jest twoje hobby?

Nie sięgnął po nie, rozmowa toczyła się sama. Najpierw kpili z pretensjonalnych opisów dań w menu („dekadencka sałatka alla caprese, czyli karmazynowe pomidory przełożone puszystym serem mozzarella, otulone soczystymi liśćmi rukoli i zroszone atramentowymi kroplami octu modeńskiego"), potem razem narzekali na warszawską brzydotę (Leon uważał, że nie ma okropniejszego miejsca niż okolice Dworca Zachodniego, Julita przekonywała go, że Plac Defilad, z parkingiem dla autokarów, blaszanymi barami i obsranymi betonowymi klombami bije go na głowę), pokłócili się o politykę (on był turbolewicowy, najchętniej ustanowiłby dziewięćdziesięcioprocentowy próg podatkowy dla najbogatszych i trzydziestogodzinny tydzień pracy, ona była raczej centrowa), żeby w końcu wymieniać się rekomendacjami serialowymi (Leon polecił jej *Stranger Things*, ona jemu – *GLOW*).

Zaproponował, że odwiezie ją do domu – zgodziła się. W radiu leciał jakiś rockowy kawałek; ona opowiedziała mu, że w liceum kochała się w Anthonym Kiedisie z Red Hot Chili Peppers, on jej, że na studiach miał długie włosy i grał na gitarze basowej w kapeli o dźwięcznej nazwie Zespół Pourazowy, a na łydce ma bardzo, ale to bardzo nieudany tatuaż nietoperza.

Dotarli na miejsce, zaparkował samochód, odprowadził ją pod dom. I wtedy wszystko się popsuło.

A co mi tam, pomyślała Julita, raz się żyje. Stanęła na palcach, chwyciła go za ramię, przechyliła głowę. Czuła już zapach jego skóry, bijące od niej ciepło. Ale on odwrócił twarz, zrobił krok do tyłu. Spojrzała na niego pytająco. Był skrępowany, opuścił wzrok.

– Coś... Coś nie tak?

– Słuchaj... Ja... – Zaciął się.

– Tylko mi nie mów, że jesteś gejem. Bo w takim razie coś ze mną serio nie tak.

– Hm? Co? Nie, nie, nie o to chodzi...

– To o co?

– Muszę ci coś powiedzieć.

– No to dajesz. – Oparła się o ścianę, skrzyżowała ramiona na piersiach.

– Julita... Wydaje mi się, że powinnaś wiedzieć... – Potarł twarz. – Że ja widziałem twoje zdjęcia. Znaczy, tylko jedno czy dwa, ale...

– Słucham?

– Wiesz, kiedy one wyciekły... Ja... No, wyszukałem w sieci jedną z tych galerii... Sam nie wiem, po co. Po prostu...

– Byłeś ciekawy – dokończyła.

– Nie... Znaczy, można tak powiedzieć... Ale... Od razu ją zamknąłem. Słowo honoru.

– Honoru? – prychnęła, pokręciła głową. – Nie rozśmieszaj mnie.

– Okej, to nie był najlepszy dobór słów, przyznaję... – Przestąpił z nogi na nogę. – W każdym razie wiem, że to było słabe. I chciałem cię przeprosić. Serio, strasznie mi głupio.

Zrobiło jej się zimno. Poprawiła kurtkę, schowała zgrabiałe dłonie do kieszeni. A tak było fajnie.

– Po co mi to w ogóle powiedziałeś? – Wyrzuciła z siebie słowa w obłoku pary.

– Wydawało mi się... że powinienem być szczery. Wiesz, jeśli z tego... – nakreślił ręką bliżej nieokreślony kształt – ma coś wyjść. Miałem poczucie, że powinnaś to wiedzieć, zanim, no... Cokolwiek zrobimy.

– Okej. – Kiwnęła głową. – Dziękuję.

Wpisała kod do domofonu, zasłaniając drugą dłonią klawiaturę.

– A teraz zejdź mi z oczu – rzuciła, otwierając drzwi.

No i po co ci to było, pomyślał Leon, wieszając klucze do domu na haczyku, po cholerę? Co by się stało, gdybyś jej nie powiedział? Nic, absolutnie nic. Nigdy by się o tym nie dowiedziała. Ale nie, nie mogłeś znieść takiego straszliwego ciężaru na sumieniu, musiałeś się wyspowiadać, kretynie. No i czego się spodziewałeś? Że się wzruszy twoją prawdomównością? Że dostaniesz medal za szczerość? Leon zrzucił ubłocone buty, odwiesił kurtkę i trzasnął drzwiami od szafy. Szlag by to wszystko trafił.

Zawsze miał problem z białymi kłamstwami, fałszywymi komplementami, naciąganiem prawdy. Tak go wychowano. Jego ojciec – właściciel wiecznie zagrożonej bankructwem firemki meblarskiej – od małego wpajał mu surowe zasady. Pamiętaj, synu, mawiał podniosłym tonem, jakby wprowadzał go do jakiegoś sekretnego bractwa, człowiek ma tylko jeden honor. Kłamstwo to broń tchórza. Najważniejsze jest nie to, co myślą o tobie inni, lecz to, co ty widzisz, patrząc w lustro.

Leon wziął sobie to wszystko do serca. Jako nastolatek zaczytywał się w powieściach młodzieżowych o prawych rycerzach, szlachetnych Indianach i dzielnych żołnierzach, którym niestraszne były żadne tortury, których nie mogły złamać żadne pokusy. Grając na komputerze w malutkim biurze ojca wyłożonym po sufit boazerią, wcielał się w kolejnych wybrańców bez skazy, którzy ratowali swe fantastyczne światy przed zagładą z rąk orków, demonów czy supermutantów, odbijał porwane księżniczki z lochów średniowiecznej Persji, Hyrule i Królestwa Grzybów. W szkole stawał w obronie słabszych kolegów i reprezentował interesy klasy w sporach z nauczycielami, odmawiał odpisywania zadań, nawet jeśli miałby dostać pałę, oddawał pani ze sklepiku te dziesięć groszy za dużo, które przez pomyłkę wydała w reszcie za drożdżówkę z budyniem.

A potem zorientował się, że gówno z tego ma. Że w życiu nie ma podsumowania na końcu każdego levelu, gdzie zdobyte punkty przeliczane są na lśniące złote monety, że oszustów nie spotyka wcale nieunikniona kara, a prawda nie zatryumfuje. Zrozumiał wtedy, czemu jego matka przewracała oczami, słysząc, jak ojciec wpaja mu swoje dewizy. Bo gdyby był choć trochę mniej pryncypialny, gdyby potrafił podlizać się klientowi, zawyżyć cenę choćby o pięć procent, pozwolić księgowej na odrobinę kreatywności, to może wreszcie zmieniliby mieszkanie na większe albo przynajmniej mogli pojechać na wakacje gdzieś indziej niż tylko na pole namiotowe. Leon spojrzał wtedy na ojca, którego dotychczas idealizował, w nieco innym świetle. Pojął, że jego zasadniczość, z której był tak dumny, podszyta jest próżnością. Że jeśli tak ważne jest dla ciebie, co widzisz w lustrze, to znaczy, że za często w nie patrzysz.

Leon zdawał sobie z tego wszystkiego sprawę, ale nie był w stanie wykorzenić wpojonych zasad. Owszem, nauczył się kłamać w drobnych sprawach: przytakiwać głupiemu szefowi, zapewniać swoje dziewczyny, że nie, wcale nie wyglądają grubo w kurtkach puchowych. Ale kiedy chodziło o sprawy naprawdę ważne, nie potrafił trzymać języka za zębami. I nie był pewien, czy powinien być za to ojcu dozgonnie wdzięczny, czy mieć mu to za złe.

Położył się do łóżka, zmęczony i sfrustrowany. Ostatni poważny związek, w którym był, skończył się ponad rok temu. Jego ówczesna dziewczyna, Iga, była świetna: burza rudych loków, zaraźliwy śmiech, skrzące ciekawością oczy. Uwielbiał, jak zachodziła go od tyłu, kiedy rysował, i zarzucała mu ramiona na szyję, jak po seksie gotowała w samym fartuchu, podrygując w rytm muzyki, jak przykładała twarz do zaparowanej szyby kabiny prysznicowej, robiąc głupie miny. Byli gotowi przypieczętować swoją miłość – ślubem, kredytem, dzieckiem. Był tylko jeden problem: Iga, właściwie pani mecenas Iga Świątkowska, pracowała w kancelarii, która robiła interesy na reprywatyzacji warszawskich kamienic. Oczywiście, nie chwalili się tym na prawo i lewo, ale przecież opowiadała mu o swojej pracy, wiedział, czym się zajmuje, skąd się biorą te tłuste premie, za które latali na wakacje do Tajlandii czy innej Malezji. I brzydziło go to. Długo nosił się z tym, czy jej o tym powiedzieć, czy nie. Przecież ciebie to nie dotyka, powtarzał sobie, przecież jeśli to nie ona będzie to robić, to kto inny, problemem jest wadliwe prawo, a nie prawnicy, robienie scen niczego nie zmieni. No ale w końcu nie wytrzymał, powiedział, że muszą porozmawiać. Wyprowadziła się następnego dnia. Z Julitą zrobił to samo – tylko w przyśpieszonym tempie, zamiast rozwalić związek po roku, zdusił go od razu w zarodku, byle tylko mieć czyste sumienie. Przejechał dłońmi po gładkiej, ogolonej specjalnie na randkę, nie randkę twarzy, i zaklął cicho.

W ciemności mrugało światło uśpionego laptopa. Leon wiedział dobrze – aż za dobrze – że tam, po drugiej stronie ciekłokrystalicznego ekranu, czekają inne dziewczyny. Brunetki, blondynki, rude, szczupłe i grube, białe, Afrykanki i Azjatki, z piersiami w rozmiarach od A do Z, z silikonem i bez. Na kolanach, z rozchylonymi zapraszająco ustami, wypinające pośladki, gotowe zrobić, co tylko sobie zażyczy, solo, we dwie, w trójkącie albo jakiejkolwiek innej figurze geometrycznej, bez żadnych pytań, bez tych wszystkich komplikacji. Wystarczy kliknąć, nakarmić sieć swoim spojrzeniem.

Wstał z łóżka.

Julita zamknęła się w swoim pokoju. Osiem metrów kwadratowych to już wcześniej było trochę za mało: kiedy rozkładała kanapę, nie mogła otworzyć drzwi od szafy ani odsunąć krzesła od biurka, szuflady, wypełnione po brzegi papierami, nie chciały się domknąć, a książki stały na półce w dwuszeregu. Teraz, kiedy stały tu jeszcze trzy laptopy, poruszanie się po nim przypominało grę zręcznościową, Twister dla jednej osoby: aby otworzyć okno, przełóż prawą stopę nad kablem i postaw ją między krzesłem a koszem na śmieci, lewą stopą stań na kanapie, oprzyj się jedną ręką o biurko, między komputerami, a drugą wyciągnij w stronę klamki – ostrożnie, by nie stracić równowagi.

Usiadła za biurkiem, położyła głowę na blacie. Chciało jej się płakać – znów, nie wiedzieć który już raz w tym tygodniu. I nie chodziło o to, że Leon widział te nieszczęsne zdjęcia, pal licho, pół Polski widziało. Nie była też na niego zła, że się przyznał – w sumie miał rację, lepiej, żeby wiedziała. Rzecz w tym, że wyciągnął je akurat w tym momencie, kiedy na chwilę, na momencik, udało jej się zapomnieć o tej sprawie, zepchnąć ją na drugi plan, uwierzyć, że nie definiuje jej życia. No nic, stwierdziła, widać powinnam się pogodzić, że nigdy od niej nie uciekę. Może najlepiej będzie załatwić sprawę na samym początku. Przyjść na randkę z folderem tych fotografii i wspólnie go sobie przekartkować, jak album z wakacji – o, patrz, tu ściskam swoje sutki, tu dotykam łechtaczkę, a tu, o, wypinam się przed lustrem, ha, ha, mam ochotę strzelić sobie w łeb, jak na nie patrzę, jak mogłam być taka głupia – i dopiero potem, jak już wyczerpią temat, ze spokojną głową pogadać o czymś innym.

Po dłuższej chwili zebrała siły, żeby usiąść prosto. Wierzchem ręki otarła wilgotniejące oczy i cieknący nos, po czym włączyła komputer – ten, który miał służyć wyłącznie do surfowania po sieci. Wpisała nowe hasło do Wi-Fi – „RozoweSlonieSzybszeNizKonie" – i połączyła się z internetem, postępując zgodnie z instrukcjami Janka. Ten cały TOR brzmiał jednak trochę onieśmielająco, więc postanowiła spróbować wpierw VPN. W okienku aplikacji wyświetliła się lista flag różnych krajów: Czechy, Francja, Niemcy, Szwecja, nawet Australia. Po chwili wahania połączyła się z serwerem u południowych sąsiadów, po czym otworzyła przeglądarkę. *Vyhledávejte na googlu nebo zadejte adresu url,* podpowiedział usłużnie program.

Choć wiedziała, że będzie tego żałować, zaczęła od wyszukania swojego imienia i nazwiska, zawężając listę do wyników z ostatnich dwudziestu czterech godzin. Niestety, temat wciąż się klikał. Niektóre strony plotkarskie dorzuciły do pieca, publikując nowe galerie: tym razem z niewinnymi z pozoru zdjęciami, które sama wrzuciła kiedyś na media społecznościowe. Fotka w kostiumie kąpielowym z wyjazdu do Chorwacji, kolejna w stroju Wonder Woman z zeszłorocznego Halloween, selfie z tej premiery filmu o papieżu, na którym widać było kawałek dekoltu. Niby nic, ale dość, żeby przykuć uwagę, skusić do kliknięcia, zainkasować te 0,00035 grosza. „JULITA WÓJCICKA NIE MUSI SIĘ ROZBIERAĆ, ŻEBY BYĆ SEKSOWNA...

DZIEWCZYNY, PATRZCIE I UCZCIE SIĘ!", „NIEZNANE OBLI-
CZA SEKSBOMBY ŚWIATA PLOTEK", „O NIE... WYCIEKŁY
NOWE ZDJĘCIA JULITY WÓJCICKIEJ! WSPÓŁCZUJECIE?"
Inne portale donosiły z kolei o jej blogu, oczywiście we
właściwej sobie manierze: „ŚLEDZTWO POLSKIEJ KIM KAR-
DASHIAN NABIERA RUMIEŃCÓW", „AGENT 069 ZGŁOŚ SIĘ:
JULITA WÓJCICKA NIE ODPUSZCZA", „JULITA WÓJCICKA:
GDYBYM WIEDZIAŁA TO, CO WIEM TERAZ, NIGDY...". Ko-
mentarze już sobie odpuściła.

Weszła na stronę Meganewsów. Tak jak zapowiadał
Piotrek, na głównej stronie wisiał artykuł o kochance
Ryszarda Buczka († 53 l.), tajemniczej Annie Kowalskiej.
Pod spodem wklejono co prawda sprostowanie od rodziny
aktora, która stanowczo zaprzeczała, jakoby taki romans
miał miejsce, ale internauci wiedzieli przecież lepiej. Ktoś
zaręczał, że doskonale zna Annę Kowalską, która opowiadała mu ze szczegółami o związku z Buczkiem („był
bynajmniej szarmancki, na każdym spotkaniu wręczał jej
bukiet czerwonych róż"), ktoś inny, że aktora widziano
dzień przed śmiercią w towarzystwie młodej blondynki na
zakupach w Piasecznie („poszli do sklepu z fikuśną bieli-
zną, zrobiłbym zdjęcie, ale telefon się akurat rozładował").

Julita uruchomiła drugi komputer – ten przeznaczony
do komunikacji. Używając nowego konta, napisała do
Janka z pytaniem, czy słyszał o hakowaniu samochodów
i czy coś takiego mogło spotkać Buczka, przeprosiła go
za swoje zachowanie, jeszcze raz podziękowała za pomoc. A potem, zgodnie z instrukcją, otworzyła program
do szyfrowania, wybrała publiczny klucz Janka i wcisnęła
ikonkę z kłódką. W mniej niż sekundę e-mail zamienił się
w bełkotliwy ciąg liter i cyfr.

od: Ja <teodozja.ambrozja@gmail.com>
do: Tran <rfg4dndn@yandex.ru>
data: 24 października 2018 22:12
temat: Pytanie

==== BEGIN PGP MESSAGE =====
Wvnbwbfywbf72636r72cvmcwu3rqo9qneuhr1782e90mcnwu-
fjqoinvbyDKWFW904TWNACBBQDJ[jfofowfhwo8thsohg8e4h
wp9r3thegf;oqwr[eo=q39rfnvbvvuaiofmej2f848efuioltsa2237r.
/;pooiuhgf32t498uhnw9xqnmq94tuo32tu2fj1-oe5-qfskCNQ4r
gy5678QJdgt4t2DJFo99ikjnbuWx
==== END PGP MESSAGE ====

Julita próbowała rozpoznać w powstałym tekście jakiekolwiek słowo z oryginału, doszukać się w nim jakiejś pra-
widłowości, wzoru – ale na próżno. Przypomniało jej się,
co powiedział Tran: żeby złamać szyfr, którego właśnie
użyła (protokół RSA z 4096-bitowym kluczem), najpotęż-
niejszy komputer na świecie potrzebowałby setek miliardów lat. Enigma to była przy tym zabawka, klub detektywa Kaczora Donalda, zagadki z powieści Dana Browna.
Julita poczuła przypływ adrenaliny. Uleciały gdzieś zmę-
czenie, smutek, frustracja. Przestała być łatwym celem,
frajerką z karteczką „kopnij mnie" przyklejoną do pleców.
Zaczynała rozumieć zasady tej gry.
    Zresetowała hasła do bloga.
    Zaczęła pisać.

Posterunkowy Radosław Gralczyk miał tyle wolnego czasu, że nie wiedział, co z nim zrobić. Umówić się z kimś,
wyskoczyć na piwko? Albo może właśnie zostać w domu,
nacieszyć się samotnością, porozkoszować słomianym

wdowieństwem? Walnąć się na fotel w rozciągniętym dresie i klapkach, zrobić sobie na kolację chińską zupkę z proszku, zapić ją colą, zajeść chipsami, a na deser zeżreć podwójne opakowanie ptasiego mleczka. Obejrzeć ten horror o amerykańskich nastolatkach w nawiedzonym słowackim hostelu, który spiracił dla niego Jarek. Napuścić sobie gorącej wody do wanny i poczytać w spokoju nowy numer „Auto Światu". Zostawić syf w kuchni, rzucić brudne gacie na podłogę, zasnąć na kanapie przy włączonym telewizorze. Tak, pomyślał, otwierając drzwi do mieszkania, nigdzie dziś nie wychodzę.

To, że posterunkowy Gralczyk był tak podekscytowany wizją samotnie spędzonego wieczoru, nie oznaczało bynajmniej, że nie kochał rodziny. Aśkę, wychuchaną jedynaczkę, uważał za ósmy cud świata: każdą piątkę w dzienniczku przyjmował za dowód na jej geniusz, każdą kolorowankę przypinał do lodówki z dumą muzealnego kustosza wieszającego odzyskane płótno renesansowego mistrza. A urodziła się taka drobna, taka krucha: pomarszczony wcześniak opleciony rurkami, kosteczki obciągnięte czerwoną skórą. Każdego wieczoru wyła, nie wiadomo, z bólu, z przerażenia – czasami trzy godziny, czasami pięć. Ala, która długo nie mogła dojść do siebie po porodzie, nie była w stanie tego znieść, wychodziła z domu. A on ją nosił, nosił i kołysał, choć to nic przecież nie dawało, śpiewał jej piosenki, których, jak się potem okazało, nawet nie słyszała; aparat założyli jej dopiero później, jak miała rok. No więc śpiewał i śpiewał te kretyńskie piosenki dla dzieci, jadą, jadą misie, my jesteśmy krasnoludki, panie konduktorze łaskawy, aż ich słowa traciły sens i zlewały się ze sobą, aż gardło odmawiało posłuszeństwa. I proszę, jaka piękna wyrosła, jaka mądra, jaka dobra.

A Ala? Licealna miłość, tak delikatna i wrażliwa, że poprzysiągł sobie chronić ją przed całym światem: przed chamskim kierowcą autobusu, przed oblodzonymi chodnikami, przed ponaglającymi listami z banku, bo inaczej się złamie, rozpadnie, zamknie w sobie. Z jednej strony nie znosił słyszeć, jak płacze, z drugiej – wtedy właśnie, kiedy trzymał ją w ramionach i przyciskał do siebie tak mocno, że guziki jej swetra wbijały mu się w brzuch, wtedy czuł się faktycznie potrzebny, wtedy miał wrażenie, że jego istnienie jest jednak usprawiedliwione, że ma w ogóle jakikolwiek sens.

Ale czasem – czasem dobrze było od tego wszystkiego odpocząć, pobyć tylko ze sobą i dla siebie, wyciągnąć swoje potrzeby przed rodzinny nawias. Rzadko miał ku temu okazję, bo przecież praca-dom, praca-dom, praca-dom, wpierw słuchanie tych samych kretyńskich wymówek („panie władzo, słowo daję, tylko od szwagra łyka wziąłem, he, he, ta pana maszynka zepsuta chyba"), a potem te same zakupy w tym samym sklepie (chleb baltonowski, salceson, mleko dwa procent, kawa familijna sypana).

Ale teraz... Aśka była u dziadków, Ala wracała z Czech dopiero jutro. Była już po zabiegu – nawet w myślach nie miał odwagi użyć słowa „aborcja" – i czuła się dobrze, nawet wysłała mu zdjęcie z Hradczan, więc mógł się trochę odprężyć bez poczucia winy, że ona tam sama, biedna, spłakana, a on ogląda mecz Korona Kielce – Jagiellonia Białystok, popijając browara z puszki. Swoją drogą, jakie to kurwa niesprawiedliwe, że Ala, nauczycielka geografii, która całe życie marzyła o podróżach, pierwszy raz pojechała za granicę z takiej okazji. Że wcześniej nigdy nie było go stać, żeby zabrać ją na wakacje do Egiptu, na Kanary albo chociaż do Bułgarii, żeby odpoczęła sobie trochę od tej wszechobecnej szarzyzny, użyła trochę życia.

Ale w tym roku będzie inaczej, pomyślał, wsuwając rękę do kieszeni dresu, w której znajdował się mały dysk USB. W tym roku polecimy w jakieś naprawdę fajne miejsce.

DO MOJEGO PRZEŚLADOWCY
Mój Drogi/ Moja Droga,

Wybacz, że piorę nasze brudy publicznie, ale przecież nie mam jak inaczej się z Tobą skontaktować. Ty wiesz o mnie wszystko, ja o Tobie nic.

Jak widzisz, udało mi się odzyskać dostęp do bloga. Podjęłam też stosowne kroki, aby zabezpieczyć się przed kolejnym atakiem z Twojej strony. Już więcej mnie nie uciszysz ¬ a przynajmniej nie pójdzie Ci już tak łatwo, jak ostatnim razem.

Chociaż nie odzywałam się przez ostatnie dwa dni, zaręczam cię, że nie próżnowałam. Wiem już, jak włamałeś się do mojej skrzynki pocztowej. Wiem, jakim sposobem pisałeś na moim komputerze i podsłuchiwałeś, co robię i mówię (Jakiś Remote Access Trojan, prawda?). Wiem też, że Anna Kowalska nie istnieje – trochę szkoda, bo brzmiała jak interesująca kobieta.

Z przyjemnością informuję też, że moje śledztwo posuwa się powoli do przodu. Mam kilka obiecujących tropów, którymi chcę podążyć.

Kusi mnie, żeby podać ci więcej szczegółów, ale nie chcę spalić niespodzianki. Cóż, widać oboje musimy się uzbroić w cierpliwość.

Myślę, że któregoś dnia spotkamy się twarzą w twarz.
Myślę, że będziesz miał wtedy na rękach kajdanki.

A póki co, gdybyś chciał napisać, co u Ciebie słychać – w bocznej szpalcie wklejam mój klucz publiczny, żebyś mógł zaszyfrować wiadomość. No, dalej, nie wstydź się.

Serdeczne pozdrowienia
Julita Wójcicka

Janek Tran odsunął na bok tłusty talerz, otrzepał ręce z okruszków. No, pomyślał, kopiując link z artykułem Julity do treści edytowanego e-maila, teraz to się dopiero zacznie.

= 8 =

Październik dobiegał końca, warszawskie chodniki przykrył więc już kobierzec butwiejących liści, niedopałków
po papierosach i psich odchodów. Julita szła powoli, patrząc pod nogi, żeby przypadkiem w coś nie wdepnąć. Po
pierwsze, dopiero co wypastowała buty, po drugie – szła
na ważne spotkanie. Wyciągnęła pomiętą karteczkę z adresem: Mickiewicza 66F, klatka IV, mieszkanie numer 103.
Kiedyś wbiłaby adres w telefon, poprosiła dobrego wujka
Google'a, żeby zaprowadził ją pod same drzwi. Ale jej komórka była wyłączona, leżała na samym dnie torby, z wy-
jętą baterią.

Odbiła w asfaltową osiedlową uliczkę, która była tyle
razy łatana, że wyglądała jak patchworkowa narzuta na
łóżko. Betonowe słupy mijanych latarni oklejone były
ogłoszeniami („Deratyzacja, Dezynsekcja, Skuteczność
Gwarantowana", „Korepetycje z matematyki dla szkół
podstawowych", „Kupię samochód w każdym stanie"), pos-
kręcane paseczki z numerami telefonów szeleściły na
wietrze. Za linią drzew stały wysokie bloki z wielkiej płyty; z malutkich balkonów na ostatnich piętrach można
było z zazdrością spoglądać na nieodległy Stary Żoliborz.

Po chwili błądzenia Julita znalazła właściwą klatkę, weszła do środka. Winda była stara, kojarzyła się jej z dzie-
ciństwem, wizytami u dziadków: ciężkie metalowe drzwi

z pionową szybką, guziki z mlecznobiałego plastiku, które zapalały się po wciśnięciu, pociemniałe lustro. W środku śmierdziało tanim płynem do mycia podłóg i rozpuszczalnikiem, którym dozorca raz na jakiś czas zmazywał koślawe napisy dowodzące wyższości jednego klubu piłkarskiego nad drugim.

Winda zatrzymała się ze zgrzytem na dziewiątym piętrze. Julita wyszła na klatkę; ściany pomalowane były na ten niezdrowy, ciemnożółty kolor, jaki widuje się wyłącznie na dużych osiedlach i w szpitalach. Ciekawe czemu, pomyślała Julita. Może po prostu jest najtańszy, może ta barwa, zwana, dajmy na to, „Ohydna Ochra" albo „Szpetny Ugier", jest produktem ubocznym jakiegoś procesu przemysłowego i zostają jej całe wiadra, które trzeba gdzieś zutylizować?

W korytarzu stały obwieszone grzechotkami dziecięce wózki, rowery i hulajnogi, w powietrzu unosił się zapach gotowanych ziemniaków, zza drzwi dochodziły wytłumione dźwięki codziennego życia: stukot wirujących pralek obijających się o ściany ciasnych łazienek, szczekanie niewybieganych psów. Znalazła mieszkanie numer 103, nacisnęła dzwonek. Po chwili usłyszała ciężkie kroki i szczęk zwalnianej zasuwy.

– Pani Julitka! – Waldemar Drucker otworzył szeroko drzwi. – Zapraszam, zapraszam!

Mieszkanie profesora Druckera nijak nie pasowało do siermiężnego bloku: przekraczając próg, Julita miała wrażenie, że przeniosła się do innego wymiaru, jak Alicja, która wskoczyła do króliczej norki. W przedpokoju oświetlonym secesyjną lampą stał fotel z rzeźbionym wezgłowiem, piękny, jakby wypożyczony z muzeum sztuki użytkowej, na ścianach wisiały czarno-białe grafiki w delikatnych orzechowych ramkach, a na stoliczku stał kryształowy wazon z kwiatami. Salon wyglądał jak biblioteka z mokrych snów intelektualisty: półki od podłogi do sufitu, z każdej strony, na każdej płaszczyźnie, a na nich stare serie wydawnicze „Czytelnika", PIW-u i PWN-u w idealnej kondycji, albumy z wystaw wszystkich liczących się światowych muzeów, klasyka europejskiej prozy w przekładzie i w oryginale, w kątach zaś chwiejne stosiki nieprzeczytanych jeszcze nowości. Obok kanapa, obity suknem podnóżek, stolik kawowy zasłany zagranicznymi tygodnikami i etażerka z bibelotami. Ale tu pięknie, westchnęła w myślach Julita.

– Co mogę pani zaproponować? Kawkę, herbatę?

– Nie chcę pana profesora fatygować…

– Trochę ruchu dobrze mi zrobi. Wycieczkę do kuchni zaklasyfikuję jako codzienne ćwiczenie, które zalecił mi lekarz.

– W takim razie poproszę kawę.

– Jaką?

– Jakąkolwiek.

– Pani Julitko. – Drucker przewrócił oczami. – Niechże się pani zlituje nad starym człowiekiem.

– Z mlekiem. I łyżeczką cukru.

– Robi się.

Drucker zniknął w kuchni. Julita otrzepała spódnicę i usiadła na samym skraju kanapy; kolana razem, dłonie na udach, torba przy nodze. Rozglądała się dookoła, onieśmielona. Zauważyła, że na jednej półce stały książki Druckera. *Wszyscy ludzie wójta*, o korupcji w małym podlaskim miasteczku, nagrodzona Nike. *Bez ślepra*, reportaż o tym, jak cięcie kosztów doprowadziło do tragedii w kopalni na Śląsku. *Bagdad Bajeczny*, portret Łodzi w XXI wieku, nominacja do Paszportów „Polityki". *Dyscyplina*, o śmiertelnych pobiciach na polskich komisariatach. Julita miała je wszystkie, z dedykacjami.

Profesor wrócił do salonu, niosąc tacę z kawą i ciasteczkami; porcelanowe filiżanki pobrzękiwały przy każdym kroku.

– Przepyszna – powiedziała Julita po pierwszym łyku. Zgodnie z prawdą.

– Miałem nadzieję, że przypadnie pani do gustu. A skusi się pani na ciasteczko? Kupione dzisiaj rano w osiedlowej cukierni. Sprzedawca nie mógł się nachwalić, więc albo rzeczywiście pyszne, albo im nie schodzą.

– Spróbuję zatem i osądzę.

– Znakomicie. – Drucker upił kawy. – Pani Julitko... Nie wiem, czy mi wypada, ale chciałem powiedzieć, że szalenie mi przykro z powodu tej całej afery... Bardzo to smutne.

– Dziękuję.

– Mam nadzieję, że się pani nie poddaje?

– Nie – powiedziała Julita. – Dlatego do pana przychodzę.

– No właśnie, *ad rem*. W czym mogę pani pomóc?

– Widzi pan, chciałabym sprawdzić pewien trop. Wiem, że Buczek był regularnym gościem jednej z warszawskich kancelarii prawnych. Miał tam też umówioną wizytę w dniu śmierci.

– Jak się pani to udało ustalić?

– Zdobyłam jego dziennik.

– Och, winszuję. I słucham dalej.

– Zdaję sobie sprawę, że to może być ślepa uliczka, że on tam bywał z jakiegoś zupełnie niewinnego powodu. Nie wiem, pokłócił się z sąsiadem o granicę działki albo coś w tym stylu.

– Ale zbieżność dat jest podejrzana...

– No właśnie. No i tak, podejrzewam, że jeśli tam zadzwonię i powiem: „Halo, nazywam się Julita Wójcicka, prowadzę śledztwo na temat śmierci Ryszarda Buczka i zastanawiam się, co u państwa robił", to za dużo mi nie powiedzą.

– Obawiam się, że ma pani absolutną rację. Usłyszy pani co najwyżej trzask odkładanej słuchawki.

– A więc...

– Pani Julitko, rozmawialiśmy już o tym. – Drucker wszedł jej w słowo.

– Toteż...

– Dużo lepiej.

Żarty żartami, pomyślała Julita, ale mógłby już przestać mi przerywać.

– Toteż... – powiedziała, zawieszając na chwilę głos, na wypadek gdyby chciał coś znowu wtrącić. – Chciałabym zapytać, co by pan zrobił na moim miejscu.

Drucker odstawił pustą filiżankę, otarł usta serwetką.

– Przede wszystkim chciałbym pani powiedzieć, że jest pani święta.

– Słucham?

– Wie pani, czemu nikt inny się poważnie nie zajmuje tym tematem? Czemu ja na przykład tego nie robię?

– Bo pana nie interesuje?

– To też. – Uśmiechnął się. – Ale przede wszystkim dlatego, że wiem, że nikt mi za to nie zapłaci. To całe chodzenie, dzwonienie, gadanie... Tygodnie, miesiące roboty, które koniec końców mogą do niczego ciekawego nie doprowadzić, albo jeszcze, nie daj Boże, skończy się pozwem z artykułu dwieście dwunastego kk. Która redakcja weźmie na siebie takie ryzyko?

– To pytanie retoryczne, prawda?

– Prawda. A zatem kto zajmuje się dziennikarstwem śledczym? Święci, a właściwie święci szaleńcy, prawdziwi jurodiwi świata prasy. Tacy, co są gotowi pracować za darmo, nadstawiać karku, ryzykować. Podziwiam panią. Ja mam to szczęście, że zaczynałem pracę w epoce słusznie minionej, kiedy początkującym dziennikarzom, w tym śledczym, płaciło się pieniądze śmieszne, no ale jednakowoż płaciło się. Gdybym był na pani miejscu... Najzwyklej w świecie nie odważyłbym się.

– Ja... Dziękuję, panie profesorze.

– A odpowiadając na pani pytanie... Ma pani dwie opcje. Pierwsza to zagrać w otwarte karty. Skontaktować się z pojedynczymi pracownikami rzeczonej kancelarii, powiedzieć, co pani zamierza, i mieć nadzieję, że ktoś w końcu zgodzi się pomóc, zostać pani źródłem. Plusem tego rozwiązania jest niewątpliwie to, że nie grozi pani konflikt z prawem. Minus jest taki, że zapewne nie zadziała.

– Czemu?

– Widzi pani, za mną stoi jednak autorytet wieloletniej pracy, nagród, redakcji, dla których pisałem. Jestem wiarygodny. A pani... Cóż, ja panią znam, wiem, że jest pani utalentowana i godna zaufania. Ale czy potencjalny informator dojdzie do tych samych wniosków, kiedy usłyszy, że przygotowuje pani materiał na swojego bloga? Albo że dotychczas pisała pani głównie artykuły, jeśli tak to można nazwać, na temat życia osób znanych z tego, że są znane?

– Rozumiem.

– Druga opcja to podszyć się pod kogoś, wziąć ich podstępem. Wie pani, taka mała dziennikarska prowokacyjka. Jeśli wezmą panią za, powiedzmy, ważną klientkę, i subtelnie ich pani podpuści, to powiedzą pani wszystko, co chce pani wiedzieć, i nawet się nie zorientują. No, ale tu ryzyko jest większe. Co prawda nie robi pani niczego strasznego, na przykład nie próbuje pani kupić kałasznikowa ani kilograma kokainy, ale wyłudzenie cudzych danych też nie jest tak do końca legalne, prawda?

Drucker wstał, założył okulary i zdjął z półki jakąś książkę z paragrafem na okładce. Julita nie zdążyła przeczytać tytułu.

– Problem w tym, że w świetle polskiego prawa nie ma czegoś takiego jak prowokacja dziennikarska, nie ma takiego kontratypu... Co prawda przyjmuje się, że... No, gdzie to jest... O, mam. Przyjmuje się, że prowokacji można dokonać, kiedy działania dziennikarza noszą znamiona przestępstwa, ale została ona przeprowadzona w obronie ważnego interesu publicznego. Czyli, na przykład, zatrudnia się pani w masarni, żeby udowodnić, że zwierzęta przed ubojem traktowane są w sposób nieludzki, i ukradkiem robi zdjęcia. Tyle tylko, że sąd każdą taką sprawę rozpatruje oddzielnie. I albo uzna, że prowokacja była uzasadniona i etyczna, albo nie, a to oznacza kłopoty... O co może pani spytać choćby Gęsinę-Torresa.

Drucker odłożył książkę na miejsce i usiadł na kanapie, obok Julity.

– To był pierwszy problem... A jest jeszcze jeden.

– Jaki?

– W świetle prawa nie jest pani dziennikarką. Nie ma pani przecież akredytacji, nie pracuje w żadnej redakcji. Co prawda orzecznictwo Europejskiego Trybunału Praw Człowieka ze sprawy Braun przeciw Polsce wskazuje, że polskie sądy powinny traktować obywatela zabierającego głos w debacie publicznej tak samo jak dziennikarza, ale wie pani... W obecnym klimacie orzeczenia jakiegoś strasburskiego trybunału wiele nie znaczą. Kiedy się nadstawia kark, lepiej jednak mieć tę legitymację i tyle.

Julita pokiwała głową, przygryzła wargę. No tak, pomyślała, oczywiście.

– Ale, ale, proszę się nie smucić. Jak pani wie, przepracowałem blisko dwadzieścia lat w „Poprzek". Mam dobre stosunki z obecnym naczelnym i myślę, że gdybym pociągnął za odpowiednie sznurki, może udałoby się coś załatwić.

– Naprawdę?!

– Och, niech pani sobie za dużo nie wyobraża, mam co prawda w tym światku wpływy, ale nie jestem cudotwórcą. Myślę, że co najwyżej wyszarpiemy dla pani jedną ósmą etatu. Pieniądze będą z tego żadne, no ale przynajmniej będzie miała pani akredytację, ubezpieczenie…

Julita nie mogła uwierzyć w to, co słyszy. Miała wrażenie, że nagle, zupełnie niespodziewanie, rozstąpiły się czarne chmury, zagrały anielskie surmy i oświetliły ją promienie przynoszącej nadzieję jutrzenki.

– Panie profesorze… – powiedziała, wzruszona. – Nie wiem, co powiedzieć… Jak ja się panu odwdzięczę?

Drucker uśmiechnął się, po czym zdjął okulary i schował je do wewnętrznej kieszeni marynarki.

– Jest pani taką mądrą kobietą, pani Julitko – powiedział Drucker, kładąc dłoń na jej kolanie. – Na pewno coś pani wymyśli.

Julita zesztywniała. Czuła, jak krew odpływa jej z twarzy, jak drętwieją jej nogi. Nie, nie wierzę, pomyślała, to się nie dzieje, nie on, nie tak, nie teraz. Co ja mam zrobić? Co ja mam, kurwa, zrobić?

– Panie profesorze… – zaczęła delikatnie, powstrzymując drżenie głosu. – Chyba… Chyba zaszło małe nieporozumienie…

– Doprawdy? Jakiego rodzaju?

Dłoń przesuwała się lekko po nylonie, coraz wyżej, paląc, parząc. Drucker się mylił. Jednak był cudotwórcą. Każdego innego faceta trzasnęłaby w twarz i zwyzywała, na czym świat stoi, ale teraz była jak posąg, skamieniała, byle ruch kosztował tyle wysiłku, że zdawał się niemożliwy.

– Panie profesorze... Proszę, niech pan przestanie...

– Chodzi o tego młodego dżentelmena, Piotra, jeśli mnie pamięć nie myli? – Poczuła na szyi oddech Druckera. – Nie przejmowałbym się nim za bardzo. Szczerze mówiąc, nie było między państwem żadnej chemii.

– Nie, chodzi o to, że...

Nie dokończyła. Chwycił ją za twarz, wpakował jej do buzi swój język, głęboko, prawie że do gardła, prawie że ją dławiąc. Był szorstki, gorący. Czuła smak jego śliny, kwaśnej, z posmakiem tytoniu i kawy. Drugą dłoń położył na jej piersi, znalazł sutek i ścisnął go, mocno, aż zabolało.

Zaczęła go odpychać. Nie zareagował, cały czas przyciskał się do niej, napierał, próbował przygwoździć do kanapy. Popchnęła mocniej, wbijając paznokcie w elegancką koszulę w prążki. Uwolniła się, ale złapał ją za rękę. Wyrwała ją, gubiąc bransoletkę, zrobiła dwa kroki do tyłu, wpadła na etażerkę, prawie się przewracając. Odgarnęła opadające na oczy włosy, otarła usta.

Miała ochotę napluć mu w twarz.

Miała ochotę kopnąć go w jaja.

Miała ochotę trzasnąć drzwiami, tak mocno, żeby stojący obok kryształowy wazon spadł na podłogę i roztrzaskał się na tysiąc kawałków.

Zamiast tego złapała swoją kurtkę i wybiegła bez słowa, powstrzymując łzy.

Zastanawiała się, czy on też się rozochocił od patrzenia na jej zdjęcia, czy planował to wszystko od początku, gdy zaproponował, żeby spotkali się u niego w domu. Czy była pierwsza, czy na tej kanapie siedziały już inne aspirujące dziennikarki, młode, ładne i zapatrzone w niego jak w obrazek, sparaliżowane. Czuła złość, obrzydzenie, gniew – i głębokie rozczarowanie. Pierdolony, obleśny dziad.

Nie czekała na windę, zbiegła po schodach. Całe osiem pięter.

SPRAWIEDLIWOŚĆ JEST OSTOJĄ MOCY I TRWAŁOŚCI RZECZYPOSPOLITEJ, głosił dumnie napis na monumentalnym budynku Sądu Okręgowego. Prokurator Bobrzycki uśmiechnął się kwaśno. Mieliby chociaż tyle przyzwoitości, żeby skuć tę maksymę i zamienić na swoją własną, zgodną z duchem czasów – ot tak, bez żadnego trybu. Na przykład na WOLA PARTII WOLĄ SUWERENA albo bardziej klasycznie: SĄD SĄDEM, ALE SPRAWIEDLIWOŚĆ MUSI BYĆ PO NASZEJ STRONIE. Prokurator spuścił głowę i wszedł po schodach, stukając głośno obcasami o kamień; brudne gołębie, które obsiadły gzymsy, spłoszyły się i zerwały do lotu.

Mimo że Cezary Bobrzycki pracował w zawodzie już blisko dziesięć lat, gdy przekraczał progi tego budynku zawsze wracał myślami do czasów, kiedy był studentem. Dojeżdżał na uniwersytet z samego końca miasta, bo z dalekiego Bemowa – tramwajem linii 24. Chociaż mieszkał w bloku naprzeciwko przystanku Bemowo-Ratusz, wychodził z domu wcześniej i cofał się aż do pętli przy Lazurowej, żeby na pewno złapać miejsce siedzące. Wyjmował wtedy podręcznik, który ledwie mieścił się na kolanach, i zakreślał jaskrawożółtym flamastrem warte zapamiętania fragmenty. Odrywał wzrok od książki tylko na wysokości przystanku Kino Femina (obecnie dyskont, z którego hasłem reklamowym, „My, Polacy, tak mamy", zaiste trudno się nie zgodzić), żeby spojrzeć na mijany gmach sądu. Wyobrażał sobie wtedy swoją przyszłość w prawniczym świecie: przenikliwe pytania, które jednoznacznie dowiodą winy oskarżonego, okraszone łaciną mowy końcowe, cichy podziw w oczach sędziego o przyprószonych siwizną skroniach – wreszcie łzy wdzięczności u pięknej małżonki ofiary, która tylko dzięki niemu, Cezaremu Bobrzyckiemu, doczekała się sprawiedliwości.

Rzeczywistość okazała się oczywiście mniej ekscytująca. Większość spraw była zwyczajnie nudna – zamiast geniuszy zbrodni wsadzał za kratki głównie mistrzów kierownicy, którzy po kilku wódkach potrącili przechodniów na pasach. Częściej niż z wdzięcznością spotykał się z niechęcią bądź obojętnością, a prokuratorska toga, o której tak marzył, była z taniego materiału i gryzła w szyję. Ale nie narzekał, robił swoje najlepiej, jak umiał, po cichu pracował na rzecz tego, aby OSTOJA MOCY I TRWAŁOŚCI RZECZYPOSPOLITEJ miała się dobrze.

A potem… Cóż, okazało się, że wszystko, czego się uczył, te wkuwane po nocach artykuły i paragrafy, te abiudykacje i adiudykacje, dewolucje i rektyfikacje, to nic, tylko pismo na wodzie, puste frazesy, które można wypełnić dowolną treścią, zależnie od kaprysu i potrzeby chwili. Że nie jest wcale przedstawicielem wymiaru sprawiedliwości, tylko członkiem złowieszczej najwyższej kasty, której czas dobiega końca, wreszcie – że zamiast czerwonego żabotu powinien nosić obrożę.

A kiedy już myślał, że gorzej być nie może, zaczęła się Ta Sprawa. Prowadził ją dwa miesiące, potem mu ją zabrano.

Niby krótko, ale dość, żeby nie spał po nocach. Prokurator Bobrzycki nie miał wyboru, wrócił do alimenciarzy i miejskich rajdowców – ale nie zapominał. Po cichu, dyskretnie, zbierał materiały, rozpuszczał wici, trzymał rękę na pulsie. Z nadzieją, że kiedy zmieni się nieco układ sił, sprawę będzie można odkurzyć i doprowadzić do końca. Wszystko w swoim czasie.

Cezary Bobrzycki usiadł na ławie przed salą sądową i otworzył neseser; metaliczne *klik* lśniących zatrzasków odbiło się echem od ścian. Wyciągnął okulary, spryskał je płynem do czyszczenia szkieł, wytarł starannie irchą, a następnie nasunął na nos i sięgnął po papiery. „Powódka zeznała, iż w momencie kolizji znajdowała się…".

– Pan Cezary? – Usłyszał kobiecy głos.

Bobrzycki uniósł wzrok. Profesor Wiesława Maczek. Zwykle widywał ją w fartuchu i czepku chirurgicznym, teraz miała na sobie wełniany żakiet w czarno-białą pepitkę z wielkimi złotymi guzikami. Wyglądał jak z lat osiemdziesiątych. I znając Wiesławę Maczek, mógł założyć, że pewnie był z lat osiemdziesiątych.

– Dzień dobry, miło panią widzieć – powiedział.

– Jakaś ważna rozprawa?

– Każda rozprawa jest ważna – odrzekł Bobrzycki.

– Och, z panem to dopiero jest rozmowa.

– Potrącenie pieszego.

– Ale trafił do nas?

– Nie, całe szczęście. Tym razem skończyło się na paru złamaniach. – Bobrzycki zatrzasnął neseser. – A panią co sprowadza?

– Zeznawałam jako biegła – powiedziała. – W sprawie śmierci tego księdza, ojca Kłosa, panie Boże świeć nad jego duszą.

– A tak, obiło mi się coś o uszy.

– Ciekawa sprawa – ciągnęła Wiesława Maczek, siadając obok niego na ławce. No tak, pomyślał Bobrzycki, nie przegapi przecież okazji do ploteczek. – Umarł w trakcie dializy, było podejrzenie, że to za sprawą wadliwej maszyny… Ale producent się zarzeka, że po ich stronie było wszystko w porządku, tylko na aparat wgrano złośliwe oprogramowanie. Słyszał pan o takich rzeczach?

Bobrzycki zesztywniał. Może to zbieg okoliczności, pomyślał. A może nie.

– Słyszałem – powiedział. – Całkiem niedawno. Proszę, niech pani opowiada dalej.

– A ma pan czas?

– Znajdę.

Włosy spięte w kok, w uszach i na szyi perły, biała marynarka, jedwabna koszula w prążki, granatowe spodnie z kantem i kremowe szpilki, a do tego lakierowana skórzana torba. Julita obróciła się, obejrzała z każdej strony. Nie poznawała eleganckiej kobiety w lustrze. I o to właśnie chodziło.

– Wyglądasz świetnie – powiedziała Magda. – Serio, serio.

– Wyglądam jak manekin z Vitkaca – odpowiedziała Julita, wygładzając poły marynarki. Materiał był miły w dotyku, łaskotał opuszki palców.

– To dobrze czy źle?

– No dobrze, tylko wiesz… To nie mój styl.

– Przyzwyczaisz się.

– Mhm. Chyba że wpierw zemdleję z głodu, bo słowo daję, będę się bała w tym cokolwiek zjeść.

– Słuchaj, jeśli nie czujesz się komfortowo, możemy spróbować jeszcze czegoś innego. Mam taki fajny różowy kostium, czekaj, zaraz ci pokażę…

– Nie, dzięki. – Julita ściągnęła buty, rozpięła cieniutki skórzany pasek. – Nie chcę ci już dłużej zawracać głowy.

– Wszystko dla mojej siostrzyczki. – Magda wstała z kanapy, przytuliła ją. Mocno, aż zatrzeszczały żebra. – Jestem z ciebie dumna, wiesz?

– Dumna? Proszę cię... – Julita zdjęła spodnie i złożyła je, dbając o to, żeby zgiąć je w kancie.

– Mówię poważnie.

– Magda... Jestem bezrobotną pseudodziennikarką o reputacji chutliwej zdziry. – Przypomniał jej się dotyk Druckera, jego śliski, gorzki od kawy język. Wzdrygnęła się, ściągnęła ramiona. Nie powiedziała o tym Magdzie. Nikomu nie powie, nigdy. – Zaraz stuknie mi trzydziestka, a jestem sama, pożyczam ciuchy od siostry i jem parówki z przeceny. Z czego tu być dumnym?

– Z tego, że się nie poddajesz. – Magda ścisnęła ją za rękę. – Że nie dałaś się złamać, że zdecydowałaś wreszcie, żeby rzucić dziennikarstwo, że zebrałaś się w sobie i idziesz na tę rozmowę. Ja bym chyba tak nie potrafiła.

Julita odwróciła wzrok, bała się, że Magda dostrzeże w jej oczach kłamstwo. Nie było przecież żadnej rozmowy o pracę, nie odpowiedziała na ogłoszenie, które jej pokazała. Nie zamierzała zostawać asystentką prezesa zarządu duńskiej korporacji (wymagana biegła znajomość języka angielskiego w mowie i piśmie, elastyczność i dyspozycyjność pod względem czasu pracy, odporność na stres i szybkie tempo pracy), nie zamierzała parzyć kawek ani kserować dokumencików. Potrzebowała po prostu eleganckich, drogich ciuchów, i to na jutro. Gdyby powiedziała Magdzie, co naprawdę zamierza, nigdy by jej nie pomogła. Ba, pewnie wyzwałaby ją od wariatek i zamknęła na klucz w domu.

– Dzięki – powiedziała wreszcie.

– Nie ma za co. Ej, a może poćwiczysz ze mną rozmowę? Wiesz, przepracowałam swoje w dużym korpo, znam ten slang i mentalność, mogłabym cię przygotować.

– Moja największa wada to zbytnia punktualność, uwielbiam czallendże i unikam fakąpów, praca w państwa firmie byłaby zwieńczeniem moich marzeń, albowiem od zawsze interesowałam się problematyką rozwiązań technologicznych dla chłodnictwa i klimatyzacji, a za pięć lat widzę się na stanowisku młodszej specjalistki do spraw human relations – wyrecytowała Julita z miną prymuski. – Widzisz, mam to w małym palcu.

– Bardzo śmieszne. Mam nadzieję, że jutro będziesz wiedziała, żeby…

– Okej, mam ważnego kola, odezwę się na asapie, baaaj!

– Ugh. Dobra, idź.

Julita weszła do swojego pokoju, ułożyła starannie ubrania na kanapie, tak żeby się przypadkiem nie pogniotły, po czym usiadła do komputera. Miała w przeglądarce otwartych kilkadziesiąt zakładek, głównie profile na kontach społecznościowych: Facebooku, Twitterze, LinkedInie, GoldenLinie. Czekało ją wiele pracy.

Ale wpierw musiała zadać pytanie, które od dłuższego czasu chodziło jej po głowie.

Julita Wójcicka: Hej Janek, mam sprawę
Janek Tran: ok wal
Julita Wójcicka: „h2muifye5m4ldjz"
Julita Wójcicka: mówi ci to coś?
Janek Tran: nie, nic
Janek Tran: a skąd to masz
Julita Wójcicka: nieważne

Julita Wójcicka: okej, a co to może być?

Janek Tran: hmmmmmmm

Janek Tran: czyjeś hasło na przykład

Janek Tran: login

Janek Tran: adres

Janek Tran: nick

Janek Tran: twitter handle

Janek Tran: fragment zaszyfrowanej wiadomości

Janek Tran: klucz

Janek Tran: albo po prostu losowy bełkot

Janek Tran: bez kontekstu nic ci powiem

Julita Wójcicka: dobra, nieważne w takim razie

Julita Wójcicka: tak tylko sprawdzałam

Julita Wójcicka: dzięki

Janek Tran: żaden problem

Julita Wójcicka: a co z tym hakowaniem samochodu?

Julita Wójcicka: przyjrzałeś się?

Janek Tran: pracuję nad tym

Janek Tran: odezwę się niedługo

Julita Wójcicka: super, to do zobaczenia

Janek Tran: do zo

Janek Tran schował telefon do kieszeni kurtki. Spojrzał wyczekująco w stronę ulicy, ale przez zaparowane okna baru mało co było widać: niewyraźne kształty, rozmyte światła. Przyjdzie, pomyślał, odchylając się w plastikowym krześle. Na pewno przyjdzie.

Rozejrzał się po barze. Wystrój, jeśli tak to można w ogóle nazwać, był koszmarny: wielkie wachlarze z chińskimi smokami i japońskimi gejszami, czerwone lampiony i złote figurki machającego łapką kota maneki-neko, replika miecza samuraja obok maźniętej brokatem grafiki z kwitnącą wiśnią, sztuczne palmy i nalepki w kształcie bambusa. Z Wietnamem nie miało to wiele wspólnego, podobnie jak większość potraw w ogromnym menu, które zajmowało pół ściany (kurczak słodko-kwaśny, kurczak po syczuańsku, kurczak po pekińsku, kurczak curry). Janek zrobił nawet o to kiedyś awanturę Michałowi – młodszemu bratu, który prowadził ten biznes – ale ten go zbył machnięciem ręki. To nie jakaś hipsterska knajpa na Mokotowskiej, powiedział, tylko osiedlowy bar na Ursynowie. Nie chodzi o to, żeby było autentycznie, tylko żeby klient był zadowolony, a klient szedł „do chińczyka", względnie do „chinola", i oczekiwał bliżej niezdefiniowanego Orientu: żeby były pałeczki i obce literki, ryż ubity w kulki, sałatka z kapusty i mięso w sezamowej panierce. Dlatego zamiast sprowadzać z Wietnamu malowane na jedwabiu obrazy albo chociaż wydrukować zdjęcia starego Hanoi, z rikszami i francuskimi pałacykami, Michał poszedł do sklepu z tandetą i kupił wszystko, co tylko mogło skojarzyć się z Azją. Wyszło taniej i nikt się nie skarżył.

– Szanownemu panu trzeba podać do stołu? – Janek usłyszał głos brata. – Czy szanowny pan się pofatyguje?

Michał stał za ladą baru. Sprane dżinsy, koszulka Manchesteru United, długie włosy zaczesane do tyłu, kolczyk z diamencikiem i ten głupi, nieschodzący z gęby uśmiech. Niezbyt byli do siebie podobni: ani z charakteru, ani z wyglądu. Jeden opryskliwy, drugiemu nigdy nie zamykały się usta. Jeden przyklejony całymi dniami do komputera, drugi ganiał za piłką z chłopakami z osiedla i uciekał z domu na szkolne dyskoteki. Ich matka mówiła, że to dlatego, że starszy syn wdał się w milkliwą babkę, a młodszy w dziadka zawadiakę, o którym opowiadało się rodzinne legendy. Janek miał inną hipotezę. Michał miał rok, kiedy się przeprowadzili do Polski. Nie pamiętał domu, nie pamiętał rodziny, którą tam zostawili (jak się okazało, na zawsze), nie pamiętał bębnienia monsunowego deszczu o blaszany dach ani smaku dojrzałego mango dopiero co zerwanego z drzewa. Nie pamiętał, że miał kiedyś inaczej na imię. Nie buntował się, kiedy rodzice mu je zmienili, żeby Polacy nie łamali sobie języków. Tak ci będzie tu łatwiej, mówili, a ich twarze były szare ze zmęczenia, zobaczysz.

Janek wstał bez słowa, podszedł do lady. Słyszał dochodzący zza ściany odgłos skwierczącego na patelni mięsa, nóż stukający o deskę do krojenia, *tok-tok-tok-tok*, porwane rozmowy kucharzy, śpiew gwiazdki pop Mỹ Tâm trzeszczący w głośnikach przenośnego radyjka: *họa mi hót giữa bầu trời xanh, họa mi long lanh chào ngày mới…* Michał postawił przed nim talerz z *bánh cuốn*, zapach jedzenia był tak intensywny, tak bogaty, że aż zatykał dech w piersi. Oczywiście, tego dania nie było w jadłospisie, bo i po co.

– Dzięki – powiedział Janek, kładąc na stole banknot dwudziestozłotowy.

– Daj spokój.

– Weź.

– Janek, nie wygłupiaj się. Wiem, że masz teraz trudny okres, więc pozwól przynajmniej, że…

– Reszty nie trzeba.

Michał wzruszył ramionami i wrócił do kuchni. Janek usiadł przy stole, złapał pałeczkami cienki jak papier płat ryżowego ciasta. Smakowało równie dobrze, jak pachniało. Tak, jak zapamiętał. Jadł szybko, łapczywie, siorbiąc i pociągając nosem.

Zadzwonił dzwoneczek wiszący nad wejściem i w drzwiach stanęła Martyna: wysoka, nieumalowana, popielate włosy spięte niedbale gumką. Janek otarł pośpiesznie usta papierową serwetką, pomachał jej. Zdjęła kurtkę, usiadła. Ciąża była już widoczna, zaokrąglony brzuch wypełniał koszulę. Poczuł ukłucie zazdrości, ale szybko je stłumił. Dziecko czy nie, pomyślał, co to tak naprawdę zmienia? Nic.

– Dzięki, że przyszłaś – powiedział.

– Spoko. Czego się nie robi dla kumpli.

– Chcesz coś zjeść?

– Weź mi nie mów o jedzeniu. – Martyna się skrzywiła. – Wiesz, ile razy dzisiaj rzygałam?

– Nie wiem.

– Strzelaj.

– Pięć?

– Dziewięć. Przepraszam, możesz odsunąć na bok ten talerz?

– Pewnie. – Janek odstawił niedojedzone *bánh cuốn* na stolik obok; pałeczki sturlały się z talerza na podłogę. – W ogóle możemy iść gdzieś indziej, jak wolisz... Gdzieś, gdzie jest mniej zapachów.

– Nie, okej, jakoś dam radę – powiedziała, choć Janek widział, że z trudem przełyka ślinę. – Jak się trzymasz?

– Świetnie.

– Gówno prawda.

– Okej, masz mnie – westchnął Janek. – Nie jest świetnie.

– Gadaliśmy z chłopakami, co się da zrobić w twojej sprawie... Ale kurde, Janek, no nie wygląda to różowo. Ja bym tam nawet zrobiła jakąś większą chryję, ale rozumiesz, dzieciak w drodze...

– Nie musisz mi się tłumaczyć. – Wszedł jej w słowo, ale delikatnie, nie podnosząc głosu. – Masz to, o co prosiłem?

– No mam, mam, ale zanim ci dam tę płytę... Janek, czy ty wiesz, co robisz?

– Powiedzmy.

– Powiedzmy? – Jej głos był cierpki.

– Mhm. Ale wiem co innego.

– Aha. Mianowicie?

– Wiem, po co to robię – powiedział, nachylając się przez stolik. – I tyle mi na razie wystarczy.

– Dobra, nie chciałam ci tego mówić, ale cholera jasna, Janek, sam się...

Znów zadzwonił dzwonek, drzwi trzasnęły z hukiem o ścianę. Do baru weszło dwóch chłopaków: dwadzieścia lat, ogolone głowy, bluzy z kapturami. Wiało od nich petami, browarem, mieli rozbiegane oczy. Michał wyszedł z kuchni. Przez twarz przebiegł mu grymas, który szybko przykrył uśmiechem.

– Co dla panów? – spytał. Cicho, pomyślał Janek, za cicho. Słyszą, że się ich boi, i to tylko ich rozochoci.

– Te, Seba, kurwa, właśnie, co jemy? – spytał pierwszy, z koślawym tatuażem na ramieniu.

– Kebaba dawaj.

– Przykro mi, ale nie mamy takiej potrawy w menu.

– Co, kurwa?

– Przykro mi – powtórzył Michał, spuszczając wzrok – ale nie mamy takiej potrawy...

– Stul pysk, żółtek, i dawaj kebaba, kurwa!

– Nie mamy.

– Jakie, kurwa, nie mamy, hę? Co, kurwa, nie mamy, ty chuju skośny w dupę jebany?

Martyna sięgnęła do torby. Janek złapał ją za dłoń.

– Ja to załatwię – szepnął.

– Ale...

– Żadnych ale. Jesteś w ciąży. Siedź.

Janek wstał powoli od stołu, rozpiął kurtkę.

– Jak ci, kurwa, mówię, cwelu ciapaty, że masz zrobić pierdolonego kebaba – ciągnął dresiarz – to zrobisz pierdolonego kebaba, rozumiesz, kurwa?

– Ja...

– Zamknij mordę, jak mówię, pedale żółty, kurwa!

– Won mi stąd – powiedział Janek. Głośno, ale nie krzycząc. Łysi kolesie odwrócili się w jego stronę. Nie byli wkurzeni, nie byli wściekli. W oczach mieli wesołe iskierki.

– A ty co się, kurwa, wtrącasz, hę?

– W randce mu przeszkadzamy. Patrz, kurwę jakąś sprowadził, brzuch jej nadmuchał.

– Co, laska, znudziły ci się białe chłopaki, hę? Chujka żółtego się zachciało? Nie wiesz, że my mamy większe? Może ci trzeba, kurwa, pokazać, co?

– Liczę do pięciu – powiedział Janek.

– Patrz, umie liczyć. Ciekawe jak. Może tak: u, u, u, u! – Dresiarz zawył jak małpa, po czym zarechotał.

– Raz...

– I co nam zrobisz, hę? Jakąś, kurwa, kung-fu pandą pojedziesz? Hii-ya! – Seba przeciął powietrze wyprostowaną dłonią. – He, he, he!

– Dwa...

– Ja ci, kurwa, dam dwa, czekaj, no...

Seba wyciągnął z kieszeni nóż motylkowy i złożył go wprawnym ruchem nadgarstka. Ostrze było niewielkie, cztery, pięć centymetrów. Ale dość, żeby wejść między żebra. Dość, żeby zabić.

– Trzy... – ciągnął Janek, ani odrobinę szybciej, ani o decybel głośniej. Odsunął połę kurtki, odsłaniając kaburę z pistoletem.

– O kurwa, o kurwa, Seba, on ma gnata!

– Widzę, kurwa!

– Cztery... – Janek wyciągnął pistolet, powoli, teatralnym gestem odciągnął bezpiecznik.

Dresiarze wybiegli z baru. Słychać było trąbienie klaksonu, niezrozumiały krzyk, tupanie. A potem zrobiło się cicho, nawet Mỹ Tâm przestała śpiewać. Janek schował pistolet do kabury; rękojeść ślizgała się w spoconej dłoni. Miał nadzieję, że nikt nie widzi, jak bardzo drży mu ręka.

– Michał... Ubezpieczyłeś tę knajpę, prawda? – spytał.

– Tak. – Michał osunął się na krzesło. Był blady, jego pierś gwałtownie unosiła się i opadała, jakby dopiero co skończył maraton.

– To dobrze. Uważaj na siebie, okej?

– Mhm. Dzięki.

Martyna wstała, podniosła torebkę z podłogi.

– Nie wiem, czy to było takie rozsądne, Janek.

– Coś trzeba było zrobić.

– Mogłam po prostu pokazać blachę.

– Mogłaś. – Kiwnął głową. – Ale wolałem, żebyś jej nie wyciągała. Lepiej... Lepiej, żeby nikt nie wiedział, że tu byłaś.

Martyna milczała przez chwilę. W końcu wyjęła z torby plastikowe pudełko z płytą CD.

– Masz.

– Klucz?

– Ten, co zawsze.

– Dziękuję – powiedział, chowając je do wewnętrznej kieszeni. – Naprawdę.

– Mhm. Janek... Nie rozpieprz sobie życia z powodu tej sprawy, okej?

– Spróbuję.

Martyna uśmiechnęła się smutnym uśmiechem, jakby już wiedziała, jaki będzie koniec tej historii. Ubrała się w milczeniu i wyszła. Janek widział ją jeszcze przez chwilę w szparze przymykających się drzwi, jak spluwa gęstą śliną na chodnik, potem rozmyła się za zaparowaną szybą, zniknęła. Szkoda, pomyślał Janek, szkoda, że nigdy nie miałem odwagi być z nią szczery.

– Janek? – Usłyszał głos Michała. Był wciąż roztrzęsiony.

– Mhm?

– Co by się stało, gdybyś doliczył do pięciu?

– Wiedziałem, że nie doliczę – odpowiedział Janek, naciągając kurtkę.

Okolice Ronda Daszyńskiego szybko się zmieniały. Jeszcze kilka lat temu stały tu głównie opuszczone fabryki i zrujnowane kamienice: dziury po niemieckich kulach pod odpadającym tynkiem, donice z zeschłymi kwiatkami na blaszanych parapetach, drewniane bramy i smród pleśni bijący z ciemnego podwórza. Teraz wszędzie pięły się ku górze szklane wieże, betonowe ziggguraty, eleganckie apartamentowce. Korporacje, zmęczone wiecznie zakorkowanym mokotowskim Mordorem, znalazły tu sobie nowy dom.

Julita stała przed wejściem do biurowca o fasadzie przypominającej plaster miodu. W zamierzeniu architekta miało to być zapewne tylko nawiązanie do natury, oryginalne odejście od wszechobecnych kątów prostych, ale wyszedł też komentarz społeczny: w środku, za szybką, zapierdalały dzień i noc pszczółki robotnice, a owoce ich pracy zjadał kto inny.

Julita wyrzuciła niedopałek do kosza i od razu wyciągnęła kolejnego papierosa. Dasz radę, mówiła sobie, żeby zakrzyczeć wzbierający strach, dasz radę. Przygotowałaś się, robiłaś takie akcje wcześniej. A poza tym, nawet gdybyś wpadła, to co ci zrobią? Zastrzelą, pobiją? Co najwyżej wylądujesz na komisariacie, wielkie mi co. Spojrzała w swoje odbicie w szklanej ścianie. Ciuchy Magdy dodawały jej lat, powagi – i pewności siebie.

Wypatrzyła go w tłumie. Stanisław Dobosz, aplikant radcowski. Wyglądał dokładnie tak, jak na zdjęciu profilowym: dwudniowy zarost, okulary o grubych czarnych oprawkach, blond włosy starannie zaczesane na bok. Szedł szybkim krokiem, ściskając pod pachą czarną aktówkę. Idealna ofiara: dołączył do kancelarii dopiero trzy miesiące temu (LinkedIn, dział *experience*: Dobrowolski, Kuchcik i Partnerzy, *September 2018 – present*), był zestresowany i przepracowany (Facebook, odpowiedź na zaproszenie na imprezę urodzinową: „Hej, Kaśka, przepraszam cię strasznie, ale nie mogę przyjść, w sobotę znowu kibluję w biurze. Ale spoko, jak mnie już zwolnią, umówimy się na kawę :/"), a do tego sprawiał wrażenie sympatycznego (na zdjęciach grał ze znajomymi w planszówki, popijał piwo w pawilonach, robił głupie miny w fotobudce na jakiejś imprezie).

Julita wyrzuciła na wpół wypalonego papierosa i weszła do budynku trzy kroki przed nim. Minimalistyczny wystrój w odcieniach szarości, podłoga wyłożona kamiennymi płytami, punktowe światła. Ogromna, pusta przestrzeń, którą wypełniały jedynie dwie kanapy, na których nikt nigdy nie siadał, rośliny w donicach i biurko recepcji. Poza tym były tu tylko bramki obrotowe, a za nimi windy. Julita podeszła do kołowrotu i otworzyła torebkę, dbając o to, żeby wystawały z niej papiery z logo kancelarii, które spreparowała i wydrukowała w domu. Kiedy Stanisław Dobosz stanął w wejściu obok, zaczęła nerwowo przerzucać zawartość torebki.

– Niech to szlag… – mruknęła pod nosem.

Zatrzymał się, spojrzał w jej stronę. Dobrze.

– Gdzie ona jest... – powiedziała, po czym podniosła głowę. – Czekaj, czekaj... Stanisław? Ten nowy aplikant?

– Tak... – Brzmiał niepewnie, lekko podejrzliwie. Musiała załatwić sprawę szybko, zanim zdąży się zastanowić, co się właściwie dzieje.

– Cześć, jeszcze nie mieliśmy okazji się poznać. Monika Żelińska, senior associate.

– Bardzo mi miło.

– Słuchaj, za cholerę nie mogę znaleźć swojej karty. Wpuściłbyś mnie?

– Pewnie. – Stanisław przyłożył przepustkę do czytnika, światełko zmieniło kolor z czerwonego na zielony, kliknęła zwolniona blokada.

– Dzięki. Wiszę ci kawę.

Podeszli razem do windy. Jechała powoli, bardzo powoli, cisza stawała się niezręczna. Lepiej, żebym to ja ją przerwała, pomyślała Julita, żeby to nie on zadawał pytania.

– To czym się właściwie zajmujesz? – zagadnęła, chociaż doskonale znała odpowiedź, sprawdziła to wcześniej na stronie kancelarii.

– Fuzje i przejęcia, bankowość... Ale czasem param się też prawem podatkowym... – Stanisław był ewidentnie zestresowany, próbował u niej zapunktować, zrobić dobre wrażenie. Biedny chłopak, przeszło jej przez myśl.

– Czyli pracujesz z Marcinem?

– Tak.

– Zaczął cię już zanudzać opowieściami o dronach czy jeszcze nie? – Radca Marcin Jodełka nie robił tajemnicy ze swojego hobby: drona miał nawet na zdjęciu profilowym, Julita znalazła też w sieci artykuł o zawodach, w których brał udział.

– Nie powiedziałbym, żeby przynudzał... – Stanisław ostrożnie dobierał słowa, nie mógł przecież obgadywać szefa, ale nie chciał wyjść na sztywniaka przed ważną koleżanką. – Ale tak, wspomniał o tym kilka razy, wiesz, przy okazji i bez okazji.

– Nie wątpię. – Julita mrugnęła.

Ding, otworzyły się drzwi windy. Staszek przyłożył swoją kartę do czytnika i wcisnął guzik. Pierwsza bariera pokonana.

– Nie widziałem twojego profilu na naszej stronie... – powiedział Staszek.

Cholera, cholera, cholera, stres eksplodował Julicie w głowie, rozlał się po całym ciele. Spokojnie, mówiła sobie, masz to, za dziesięć sekund będziesz już na górze.

– O matko, naprawdę? – Przewróciła oczami. – IT miało aktualizować mój życiorys i musieli coś spieprzyć. Zaraz do nich napiszę. Dzięki, że mi powiedziałeś.

– Pewnie. Nie ma sprawy.

Winda dotarła na miejsce. Kolejna przeszkoda: recepcja. Tu już znają każdego pracownika przynajmniej z widzenia, wiedzą, że nie ma żadnej Moniki Żelińskiej. Julita wyciągnęła telefon, przystawiła go do ucha i szczęknęła krótkie „halo", po czym pokazała gestem Stanisławowi, żeby na nią nie czekał. Kiedy aplikant wszedł do środka, powiedziała jeszcze kilka „aha...", „aha..." do wyłączonej komórki, po czym podeszła do biurka recepcjonistki. Młoda dziewczyna, dwadzieścia, góra dwadzieścia jeden lat, długie ciemne włosy, perfekcyjny makijaż, szeroki uśmiech; personifikacja uprzejmości.

– W czym mogę pomóc?

– Dzień dobry – rzuciła Julita. – Jestem umówiona na spotkanie z mecenasem Zielińskim.

– Pani godność?

– Joanna Gellert. Przez dwa „l".

– Już sprawdzam... – Starannie pomalowane paznokcie przebiegły szybko po klawiaturze, *klik, klik, klik*. – Niestety, nie widzę pani w kalendarzu...

No, to przedstawienie czas zacząć, pomyślała Julita. Położyła dłonie na biodrach, tak żeby na pewno było widać złoty, nabijany diamencikami zegarek Bulgari. Ostatni prezent, który Magda dostała od Leszka; nie cierpiała go, nigdy nie nosiła, więc błyszczał nowością.

– Czyli Weronika zapomniała mnie wpisać. Świetnie. – Robiła, co mogła, żeby przekuć swój stres w irytację, przykryć go podniesionym tonem. Profil Weroniki, sekretarki Zielińskiego, znalazła dopiero po dłuższych poszukiwaniach; dziewczyna nie podała prawdziwego nazwiska. I słusznie, bo jej życie prywatne nijak nie przystawało do *gravitas* prestiżowej warszawskiej kancelarii. Imprezowiczka z ustami wiecznie złożonymi w dzióbek, z tablicą pełną zdjęć z rozświetlonych stroboskopem klubów, modnych barów i skąpanych w tropikalnym słońcu hotelowych basenów, gdzie występowała w towarzystwie innych efektownych dziewczyn z wymodelowanymi brwiami i napakowanych kolegów w przyciasnych koszulkach. Wyglądała jak ktoś, komu zdarza się nawalić, kto po grubej weekendowej imprezie może zapomnieć wpisać w kalendarz szefa ważne spotkanie.

– Bardzo mi przykro...

– Pani jest przykro? – Julita oparła się o blat biurka. – Wie pani, ile ja wam płacę? I za co? Żeby stać jak petentka na poczcie?

– Niech pani chwilę zaczeka, zadzwonię do asystentki mecenasa... Halo, Weronika? Jest tu taka pani, Joanna

Gellert, G-e-l-l-e-r-t, mówi, że ma spotkanie... Aha... Aha... Rozumiem. Pewnie, przekażę. – Odłożyła słuchawkę. – Proszę pani, mecenas jeszcze nie dotarł do biura...

Uff, odetchnęła w myślach Julita. Mecenas Zieliński, czterdziestolatek, który ewidentnie przeżywał kryzys wieku średniego, codziennie wrzucał na Facebooka swoją trasę joggingową. Biegał rano, przed pracą: poniedziałek – 8,4 km, opublikowano 8:20, wtorek – 7,3 km, opublikowano 8:18, środa – 9,0 km, opublikowano 8:36. Z mapek wynikało, że mieszkał w Wilanowie. Julita wyliczyła, że nie powinien dotrzeć do pracy wcześniej niż o dziewiątej trzydzieści, może nawet dziewiątej czterdzieści pięć, co dawało jej jakieś pół godziny. Może wystarczy.

– Proszę, niech pani usiądzie, a kiedy...

– Moja droga – syknęła Julita, przechodząc na silnie zabarwione poczuciem wyższości „ty". – Jeśli myślisz, że będę siedziała w korytarzu i liczyła plamy na dywanie, aż mecenas Zieliński się łaskawie tu stawi, to jesteś w wielkim błędzie.

– Ale...

– Powiem ci, co się teraz stanie. Pójdę do którejś sali konferencyjnej, umoszczę się wygodnie w fotelu, a Weronika najpierw mnie przeprosi, a potem przyniesie na tacy kawę i ładnie dygnie. Zrozumiałaś? Czy mam jeszcze zadzwonić do Olki Mińskiej, żeby przedstawiła ci ten plan w większym szczególe?

Nie wiadomo, co zadziałało: jej bezczelny ton czy rzucone niby od niechcenia nazwisko wspólniczki kancelarii. W każdym razie recepcjonistka wybąkała przeprosiny i zwolniła zamek do bramki. Julita weszła do środka; serce dudniło jej w uszach, mokra od potu jedwabna koszula kleiła się do pleców.

Korytarz wyłożony wykładziną, na ścianach pseudo-artystyczne zdjęcia architektury w czerni i bieli, za ciągnącymi się przez całą ścianę oknami pochmurna, szara Warszawa. Julita rozglądała się dookoła. Na lewo sala konferencyjna, na prawo toalety, dalej zastawiony biurkami *open space* i przeszklone biura. Kątem oka zobaczyła uchylające się drzwi, stanęła w nich kobieta z parującym kubkiem, z którego zwisał sznurek od torebki z herbatą. Kuchnia, bingo.

Weszła do środka. Bezosobowe, zimne wnętrze; kanciaste szafki podświetlone LED-owymi listwami, kamienny blat, ekspres do kawy, lodówka, do której ktoś przyczepił magnesem nieśmieszny śmieszny obrazek. W środku mieściło się pięć stolików; przy każdym ktoś siedział, każdy miał w ręku telefon, słychać było tylko szczęk sztućców, szum mikrofali, powolne *stuk, stuk, stuk* pisanych lewą ręką e-maili i SMS-ów. Julita szukała znajomej twarzy, ale tym razem nie trafiła: nikogo nie poznawała. Czując na sobie zaciekawione spojrzenia, uśmiechnęła się w niemym „dzień dobry" i weszła do środka. Graj na czas, myślała, zrób sobie kawę, zaraz coś wykombinujesz.

Stanęła przed szafą i zamarła. Nie miała pojęcia, gdzie są kubki. Jeśli zacznie otwierać wszystkie drzwiczki po kolei, zwrócą na nią uwagę. Jeśli będzie stała w miejscu jak kołek, tym bardziej się zdziwią. To co, wyjść? I co dalej, schować się w kiblu?

– Cześć wszystkim – usłyszała za plecami męski głos. Odwróciła się i odetchnęła z ulgą. Tadeusz Konieczny, aplikant adwokacki, a wnioskując z internetowej autokreacji: dandysowaty narcyz. Miał wąsy z podkręconymi końcówkami i konto na Instagramie, @warszawski_elegant, na które wrzucał swoje przepuszczone przez filtry zdjęcia w tweedowych garniturach i szalach, z laseczką i melonikiem, w muszce i z niezapaloną fajką w zębach, #oldschool, #mensfashion, #menwithclass, #gentleman. Tadeusz zamyślony, Tadeusz zapatrzony, Tadeusz zafrapowany i ze zmarszczonym czołem. Julita dosiadła się do niego, uśmiechnęła się tak przyjaźnie i zalotnie, jak tylko była w stanie.

– Przepraszam... – Zmieniła ton na nieśmiały. – Ty jesteś Tadeusz, prawda?

Uniósł wzrok znad gazety i jogurtu, uniósł brew.

– Tak, a kto pyta?

– Ojej, przepraszam, gdzie moje maniery... – Wyciągnęła rękę w jego stronę, zatrzepotała rzęsami. Tadeusz ujął jej dłoń, ścisnął lekko, na szczęście nie pocałował. – Kasia Wroniewska. Jestem nową asystentką mecenas Mińskiej, zaczęłam w zeszłym tygodniu...

– Aha?

Teraz albo nigdy, pomyślała Julita, wóz albo przewóz.

– No i pani mecenas powiedziała, żebym przyniosła jej akta Ryszarda Buczka, bo ma podobną sprawę i chciałaby porównać... No i ja nie wiem, gdzie ich szukać, a głupio mi spytać... Koleżanka mi powiedziała, że najlepiej spytać ciebie, że ty się orientujesz we wszystkim, co się dzieje w biurze...

Julita podejrzewała, że łechtanie ego będzie najlepszą strategią, i nie pomyliła się. Tadeusz Konieczny rozpromienił się, urósł ze dwa centymetry.

– Chętnie pomogę. – Odłożył gazetę na bok. – Pierwsza praca w kancelarii, hm?

– Tak... – Buzia w podkówkę, zmartwione oczy. – Ojej, to aż tak czuć?

– Może troszkę, ale nie bój się, szybko się otrzaskasz. Akta Buczka, mówisz? Czekaj... To była chyba sprawa Rudzińskiego...

– Czyli pewnie coś ważnego? – zapytała Julita, tak niewinnie, jak tylko potrafiła.

– Wiesz, nie znam szczegółów... Ale tak, to była jakaś grubsza akcja.

– O?

– Mhm. – Tadeusz nachylił się, ściszył głos. – Policja zabrała go z domu o szóstej rano. W kajdankach. To było tak z rok temu...

Julita musiała się powstrzymywać, żeby nie rozdziawić ust.

– Kogo? Buczka?

– Aha. Zwolnili go co prawda z aresztu jeszcze tego samego dnia, ale wejście miał jak gangster.

– Ale... – wykrztusiła Julita. – Ale za co?

Tadeusz posłał jej zdziwione spojrzenie. Opuściła maskę, zareagowała zbyt gwałtownie, zbyt emocjonalnie. Opieprzyła się w myślach, zmusiła, żeby znów przyjąć minę słodkiej trzpiotki.

– Znaczy... – powiedziała, już spokojniej. – To przecież był chyba aktor, prawda? Z tego programu dla dzieci? Co on mógł takiego zrobić?

– Nie wiem dokładnie. Wszystko będzie w aktach. – Tadeusz wstał od stołu. – Pewnie są jeszcze w biurze Rudzińskiego, jak chcesz, to mogę cię tam zaprowadzić.

– Naprawdę? – Julita splotła dłonie. – Będę bardzo wdzięczna.

– No to chodź.

Kolejny korytarz, białe ściany, oprawione w ramki dyplomy i certyfikaty. Minęła ich Weronika: była wyraźnie zestresowana. Rozglądała się po biurze, szukając aroganckiej klientki, która rzekomo miała umówione spotkanie z szefem; jej wąskie obcasy zostawiały małe odciski w szarej wykładzinie. Julita spuściła wzrok, schowała się za Tadeuszem. Robiło się gorąco. Za chwilę Weronika pójdzie do recepcji, pogada z tamtą dziewczyną, przejdą się jeszcze raz po biurze, a potem zadzwonią pewnie po ochronę. Ile im to zajmie? Trzy minuty, może pięć. Ale wiele więcej nie potrzebowała. Widziała już, że w rogu przy kuchni stały ksero i skaner. Jak tylko dostanie do rąk akta...

– A gdzie wcześniej pracowałaś? – spytał Tadeusz.

– Słucham?

– No, zanim do nas przyszłaś?

Pustka, jedno wielkie nic. Jak mogłaś sobie nie przygotować na to odpowiedzi, kretynko, no jak. W panice skanowała wzrokiem hol. Gaśnica. Odczytała nazwę producenta.

– Byłam asystentką prezesa w Polarionie – powiedziała. – Robią sprzęt przeciwpożarowy.

– Kojarzę.

Błagam, myślała Julita, niech się teraz tylko nie okaże, że on tę firmę obsługiwał albo że upadła pięć lat temu i reprezentował wierzycieli, albo że jest pasjonatem pożarnictwa, który zacznie ją odpytywać z różnic między gaśnicami proszkowymi a śniegowymi.

– Miałem kiedyś sesję w ich fabryce, kojarzysz, tam na Taborowej – dokończył myśl.

– Ale jaką sesję?

– Zdjęciową, bo wiesz, mam taką stronę...

Aha, odetchnęła z ulgą, czyli podryw. Kiwała głową z wielkim zainteresowaniem, robiła „mhm" i „aha", otwierała szeroko oczy w zachwycie. Jak długi może być ten pieprzony korytarz?

Wreszcie stanęli przed pokojem o szklanych ścianach; żaluzje były uniesione, można było zajrzeć do środka. Za masywnym biurkiem siedział mężczyzna w średnim wieku (szczupły, łysina na środku głowy, małe ciemne oczy), rozmawiał przez telefon, czytając jednocześnie coś na komputerze.

– To tu... – Tadeusz wskazał ręką biuro, jakby wypisana złotymi literami tabliczka „MECENAS JULIUSZ RUDZIŃSKI" na drzwiach nie była wystarczająca. – Tylko chyba musisz przyjść później.

– Ojej... – Ciężkie westchnięcie, przygryziona warga.

– Coś nie tak?

– Nie, nie, tylko... – Julita ścisnęła ręce na brzuchu. – Mecenas Mińska mówiła, że potrzebuje tych papierów na *cito*, a wiesz, jaka ona jest...

No dalej, rycerzu w lśniącej zbroi, myślała, nie zostawiaj białogłowy w potrzebie.

– Hmm. – Tadeusz podrapał się po głowie; jego włosy były sztywne od żelu. – To chyba nie jest żadna ważna rozmowa, tylko jakaś telekonferencja... Poczekaj tu chwilę.

– Dzięki!

– Nie ma za co – powiedział Tadeusz z mrugnięciem, które jednak sugerowało, że jak najbardziej jest za co i niedługo się w tej sprawie odezwie.

Tadeusz uchylił drzwi i zajrzał do środka, przyjmując minę uniżonego suplikanta. Rudziński przywołał go do siebie niedbałym ruchem ręki. Aplikant podszedł do biurka, ostrożnie stawiając stopy, jakby stąpał po cienkim lodzie. Pochylił się, przytrzymując opadający krawat, i zaczął mówić. Szyba tłumiła dźwięki, ale patrząc przez szparę w uniesionych żaluzjach, Julita była w stanie odczytać pojedyncze słowa z ruchu ust: „nowa dziewczyna", „Buczka", „akta".

Rudziński zamarł, jak gdyby zmrożony, jego twarz stężała. W końcu odłożył telefon i odwrócił się w stronę Tadeusza, powiedział coś – coś, co sprawiło, że aplikant pobladł. Julita wiedziała już, że nie dostanie żadnych akt. I że musi natychmiast opuścić kancelarię – już, teraz.

Ruszyła w stronę wyjścia tak szybko, jak tylko mogła bez wzbudzania podejrzeń reszty pracowników kancelarii. Czuła, że krew uderza jej do głowy, że stają jej włosy na ramionach, dudnienie w uszach było ogłuszające. Wyszła z korytarza, skręciła w bok, do recepcji. Słyszała dochodzące zza rogu kroki i strzępki porwanej rozmowy: „nie miałem pojęcia", „ale skąd ona", „oczywiście, już".

Julita otworzyła bramkę, przycisnęła guzik przyzywający windę. Raz, drugi, trzeci, czwarty. Szybciej, szybciej, szybciej.

– O, tu pani jest.

Odwróciła się do uśmiechniętej recepcjonistki. Suchy język przywarł jej do podniebienia, nie wiedziała, co powiedzieć.

– Szukałyśmy pani razem z Weroniką. Mecenas Zieliński dzwonił, że już jedzie. Mówił, że nie przypomina sobie, aby był z panią umówiony...

Julita próbowała przywołać personę Joanny Gellert, bezczelnej, aroganckiej jędzy, która jednym spojrzeniem rozstawia wszystkich po kątach. Nie była już w stanie.

– Rozumiem – powiedziała wreszcie cichym, rwącym się głosem. – Cóż, nieporozumienie.

– Mhm... – Dziewczyna uniosła brew. – Czy mam coś przekazać?

Drzwi windy otworzyły się z cichym szumem. W uszach Julity brzmiał jak szmer anielskich skrzydeł.

– Tak – powiedziała, wciskając „P" jak „Parter". – Żeby przejrzał swoje ustawienia prywatności.

Ostatnie, co widziała zza zamykających się drzwi, to zdziwiona twarz recepcjonistki i idących w stronę wyjścia Tadeusza i mecenasa Rudzińskiego. Oparła twarz o cudownie chłodną taflę lustra, oddychała głęboko. Wiedziała, że to jeszcze nie koniec. Że dopóki nie wyjdzie z biurowca, nie jest bezpieczna. Julita zdjęła szpilki, zamieniła je na wyciągnięte z torby espadryle.

Ding. Julita wyszła z windy. Ochroniarz, który siedział za biurkiem, odłożył słuchawkę i ruszył w jej stronę. Z tego już się nie wykręcę gładką gadką, pomyślała. Trzeba sięgnąć po inne metody. Raz, dwa, trzy...

Julita przeskoczyła przez kołowrót. Prawie wywróciła się na wypastowanej na błysk kamiennej posadzce, ale udało jej się utrzymać równowagę. Przycisnęła torebkę do piersi i pognała do wyjścia; tupot jej stóp niósł się echem po ogromnym westybulu.

– Hej! – zawołał ochroniarz. – Hej!!! Stój!

Nie oglądała się za siebie. Wypadła z obrotowych drzwi na ulicę. Przystanek, pasażerowie wylewają się z autobusu linii 178. Julita wbiegła do środka, roztrącając ludzi na boki, chwilę potem zatrzasnęły się za nią drzwi. Przez brudne okno widziała zdyszanego ochroniarza, który gonił jeszcze chwilę za autobusem, machał kierowcy, żeby się zatrzymał, ale – zignorowany albo po prostu niezauważony – w końcu sobie odpuścił.

Julita opadła ciężko na fotel, dyszała, aż ją kłuło w płucach, aż kręciło jej się w głowie. Czuła głęboką ulgę – i zawód. Mało brakowało, pomyślała, próbując wyrównać oddech, naprawdę mało. Te akta leżały pewnie gdzieś w gabinecie Rudzińskiego, w biurku albo na kredensie, może nawet widziała je przez szklaną szybę, zwykły segregator, na przykład czerwony albo żółty. Ciekawość, co też mogły zawierać, co skrywały, żeby wywołać tak gwałtowną reakcję prawnika, aż paliła ją w środku. Wątpiła, że kiedykolwiek ją zaspokoi. Po numerze, który odwaliła, zamkną pewnie te akta w sejfie. Może trzeba było to rozegrać inaczej, myślała, i zamiast pchać się prosto do Rudzińskiego, wypytać jeszcze Tadeusza. Gdyby go zręcznie podprowadziła, pewnie przypomniałby sobie jakieś szczegóły: nazwiska, daty, paragrafy.

Autobus zatrzymał się na światłach. Julita odwróciła się od okna i zdała sobie sprawę, że wszyscy się na nią gapią: nastolatek w słuchawkach, z których niosło się techno, emerytka ściskająca foliową siatkę z ziemniakami, nawet dwulatek w puchowej kurtce półleżący w wózeczku. Rozchełstana, spocona, sapiąca dziewczyna w marynarce za kilka tysięcy i kapciach za kilka złotych stanowiła niecodzienny widok w komunikacji miejskiej. Julita wstała, na miękkich nogach podeszła do drzwi, oparła się o kasownik. Wysiadła na kolejnym przystanku, na Karolkowej. Poczuła zimny wiatr na spoconym ciele; wzdrygnęła się, zapięła marynarkę.

Czegoś jednak się dowiedziałam, myślała, przeciskając się przez zastawiony samochodami chodnik. Buczek miał jakiś zatarg z prawem – i to poważny, skoro policja zrobiła mu nalot o świcie. Co prawda szybko zwolniono go z aresztu, ale sprawa musiała mieć jakiś ciąg dalszy, inaczej nie byłby tak częstym gościem kancelarii Dobrowolski, Kuchcik i Partnerzy. Koniec końców sprawę udało się wyciszyć, w każdym razie do mediów nic nie wyciekło… Tyle tylko, że rok potem Buczek w niejasnych okolicznościach spada z wiaduktu i ginie na miejscu.

Przypadek? Nie sądzę.

Julita minęła małą osiedlową knajpkę, trzy stoliki, lada zastawiona ciastkami. Z wewnątrz dochodził zapach świeżo upieczonego chleba i mielonej kawy; obudził się ściśnięty wcześniej stresem żołądek. Obiecała sobie co prawda, że nie będzie jadła na mieście – jej napięty budżet zdecydowanie na to nie pozwalał – ale uznała, że po takim poranku może zrobić wyjątek, że zasłużyła sobie na małą przyjemność. Weszła do środka, przez chwilę studiowała wypisane kredą na tablicy menu. Już miała składać zamówienie, kiedy poczuła wibrację w kieszeni. Wyjęła telefon i odczytała wiadomość.

HAVEN
29/10/2018, 09:22
Uwaga, wykryto wtargnięcie!
Nagrywam dźwięk i obraz.

HAVEN
29/10/2018, 09:24
Załącznik: 2.18 MB (alert1.mpeg)

Musiałam zapomnieć zamknąć drzwi na klucz, pomyślała Julita, i Magda weszła do środka, albo dzieciaki. To nic takiego, na pewno. Ale dla spokoju można sprawdzić. Na wszelki wypadek.

Julita kliknęła w załącznik. Odpalił się pięciosekundowy film. Trzaski, zniekształcone głosy.

Wybiegła z kawiarni, klnąc pod nosem.

= 9 =

Pod apartamentowcem stały dwa policyjne radiowozy, błysk niebieskich świateł odbijał się od witryn, szyb zaparkowanych samochodów i znaków drogowych. Julita wpisała kod i wbiegła po schodach, ignorując ściskającą brzuch kolkę. Chciało jej się rzygać. Ze zmęczenia, z nerwów, z głodu.

Weszła do mieszkania. Błoto na podłodze. Wszystkie szafki w kuchni otwarte na oścież, ich zawartość wyłożona w bezładzie na przyprószony mąką kamienny blat. Kawałki potłuczonego słoika podmiecione pod ścianę, obok brudna ścierka. Magda siedziała obok, w salonie, z nogami na stole, z papierosem w ustach. Nigdy wcześniej nie paliła w domu, wychodziła na balkon, choćby było minus piętnaście. Widząc siostrę, odłożyła telefon. Na blacie leżały jakieś papiery, pudełko chusteczek, przewrócona butelka po winie.

– Magda! – Julita rzuciła płaszcz na podłogę. – Co się stało?!

– Sama chciałabym wiedzieć... Miałam nalot policji.

– Jak to?

– Tak to. – Magda zaciągnęła się, wypuściła z ust obłok niebieskawego dymu; Julita dopiero teraz zauważyła, że ma rozmazany makijaż, musiała płakać. – Miałam już wychodzić do pracy, a tu nagle dzwonek do drzwi, dzień dobry, sierżant Jakiś Tam. Dostali donos, że handluję narkotykami. Ecstasy i kokaina, mówiąc konkretnie. Wyobrażasz sobie? Ja! Magdalena Wójcicka, Pablo Escobar Górnego Mokotowa.

– Boże, co za absurd... Ale wszystko w porządku?

– No, niczego nie znaleźli, jeśli o to pytasz. A szukali bardzo dokładnie.

– To znaczy?

– Pójdź potem do pokoju dzieciaków. – Znów się zaciągnęła, zakaszlała. – To zobaczysz. W zgłoszeniu było, że chowam towar w zabawkach. No to je wzięli i otworzyli. Wszystkie, po kolei. Ja pierdolę, trzeba to wszystko posprzątać, zanim wrócą z przedszkola, bo inaczej będzie ryk...

– Czekaj, nie rozumiem. To starczy, żeby jakiś gnojek zadzwonił z głupim żartem i już wywracają mieszkanie do góry nogami?

– Mówili, że dostali zdjęcia. – Magda potarła skronie. – I że dane geolokalizacyjne zgadzały się z naszym adresem, czy coś takiego, wiesz, byłam zbyt zdenerwowana, żeby się dokładnie przysłuchiwać. W każdym razie z tego powodu potraktowali zgłoszenie poważnie.

– Czyli co, mieli nakaz?

– Pytałam ich. Powiedzieli, że nakazy to są w Ameryce i coś tam dalej o rozdziale dwudziestym piątym kodeksu postępowania karnego, bla, bla, bla. Mam w ciągu siedmiu dni dostać jakieś pismo z sądu albo prokuratury, sama już nie wiem. Dzwoniłam właśnie do mojej prawniczki, żeby mi wytłumaczyła, co się właściwie stało, ale oczywiście nie odbiera.

– Wiedzą, kto to zrobił? – spytała Julita.

– Nie, co ty. Donos był anonimowy.

– A ty? Domyślasz się, kto to mógł być?

– Zastanawiałam się nad tym. – Pokiwała głową. – I nikt mi nie przychodzi do głowy. Znaczy okej, mam wrogów w pracy, ale w grę o tron bawimy się w biurze. No i jest oczywiście Leszek, jak zapewne pamiętasz, rozstaliśmy się w średnio przyjaznej atmosferze... Ale o takie skurwysyństwo to nawet ja go nie posądzam.

Skurwysyństwo. Słysząc to słowo, Julita nagle zrozumiała, co się stało. Ugięły się pod nią nogi, złapała się stołu.

– O cholera...

– A tobie co? Wszystko w porządku?

– Magda, słuchaj... A mówili, jak dostali ten donos?

– W sensie?

– No, telefonicznie, listem?

– Mejlem. A dlaczego?

Nie mam na to siły, pomyślała Julita. Nie mam siły na tę kłótnię, na pretensje, na krzyki. Ale nie ma innego wyjścia.

– Magda... To mogło być przeze mnie.

– Nie rozumiem... – Uniosła brwi. – To ty schowałaś w domu pięć kilo kokainy i sześć tysięcy tabletek ecstasy i zapomniałaś mi o tym powiedzieć?

– Nie, nie powiedziałam ci czego innego: że cały czas prowadzę śledztwo w sprawie Buczka.

Magda usiadła prosto, odgarnęła włosy z twarzy.

– Słucham? Ale... Ta rozmowa o pracę?

– Nie było żadnej rozmowy o pracę. Potrzebowałam tych ciuchów, żeby dobrze wyglądać na... No, na spotkaniu z informatorem.

Ściągnięte brwi, zaciśnięte usta. Julita znała tę minę. Wiedziała, co wróży.

– Okej, tak dla twojej informacji, już jestem wściekła – powiedziała Magda – ale nadal nie rozumiem, co to ma wspólnego z policją, narkotykami i przeszukaniem.

– Ten ktoś, kto wrzucił moje nagie zdjęcia do sieci... Nazywam go po prostu Skurwysynem...

– Aha?

– On mi groził, że jeśli nie zostawię tej sprawy... Że będzie się mścił. Widać znał adres naszego mieszkania i spreparował ten donos, żeby nasłać tu policję i mnie zastraszyć. – Cisza, Magda się nie odzywała, nie patrzyła na nią. – Naprawdę strasznie cię przepraszam, gdybym wiedziała, że...

– To nie jest nasze mieszkanie.

– Słucham?

– To nie jest nasze mieszkanie, tylko moje mieszkanie – powtórzyła Magda zimnym, oschłym głosem, którego Julita nie poznawała; to nie był głos jej siostry, tylko business VP, która opierdala junior account managera. – Ty tu jesteś gościem.

– Okej, ale płacę za swój pokój.

– Płacisz grosze. Po to tylko, żeby nam obu nie było głupio.

– Nie wiedziałam, że tak to widzisz. W takim razie możesz podwyższyć...

– To, że mnie okłamałaś, mogłabym ci jeszcze wybaczyć, nie po raz pierwszy zachowałaś się jak gnojek. – Julita chciała coś powiedzieć, ale ugryzła się w język, to nie był czas na pyskówki, tylko na sypanie głowy popiołem. – To, że złamałaś obietnicę... Okej, zdarza się, trudno. Że moje mieszkanie wygląda jak chlew, spoko, posprząta się. Ale ta cała afera dotknęła teraz moje dzieci, a tego ci już, kochanie, nie puszczę płazem.

To nie był przypadek, pomyślała Julita. Musiał wiedzieć, jak są dla niej ważne. Musiał widzieć te wszystkie zdjęcia, którymi Magda spamowała swoich znajomych: Wojtek i Saszka na koncercie w filharmonii, w garniturku i cekinowej sukience, Wojtek i Saszka w teatrzyku kukiełkowym, Wojtek i Saszka na warsztatach w muzeum, Wojtek i Saszka na zajęciach z tańca, Wojtek i Saszka na nartach w Austrii, Wojtek i Saszka w zoo, w tle brudne pingwiny. Dlatego powiedział policji, że narkotyki są w zabawkach. Skurwysyn, naprawdę.

– Magda, bardzo, bardzo mi przykro, serio. Powiedz, co mogę zrobić, żeby ci to jakoś zrekompensować. Mogę zmywać naczynia do końca roku, mogę prasować ci koszule do pracy, mogę cię zabrać do kina i do knajpy...

– O nie, nie, nie, moja droga, tak łatwo się nie wywiniesz – weszła jej w słowo. – Chcesz tu dalej mieszkać? To rzuć to głupie dziennikarstwo i znajdź sobie normalną robotę. Tym razem na serio.

Mierzyły się wzrokiem. Identyczne zielone oczy upstrzone czarnymi plamkami, jedne i drugie zmęczone i podkrążone.

– Nie możesz prosić o coś takiego – powiedziała w końcu Julita.

– Mogę. Tak samo jak mogę poprosić, żebyś się spakowała i poszukała nowego mieszkania.

– Magda, wiesz, w jakiej jestem sytuacji...

– Wiem. Dlatego właśnie powiedziałam, żebyś znalazła sobie normalną robotę.

Cisza. Woda kapała z niedokręconego kranu, szumiały grzejniki.

– Nie rozumiem cię – powiedziała wreszcie Magda. – Żebyś ty jeszcze coś z tego miała. Sławę, pieniądze, cokolwiek. Po co ci to wszystko? Możesz mi wytłumaczyć?

– Dla satysfakcji.

– Satysfakcji? Błagam cię. Taką masz satysfakcję z tej afery, że cała Polska widziała twoją gołą dupę. No, serdeczne gratulacje.

– To było poniżej pasa.

– No, poniżej, powyżej. – Złośliwy uśmiech. – W sumie cały zestaw.

Zabolało, zapiekło. Julita zacisnęła zęby, aż zgrzytnęły.

– Przestań – wycedziła – bo nie ręczę za siebie.

– A mi się wydaje, że powinnyśmy wreszcie szczerze porozmawiać, bez ogródek. Julita, ty masz problem. Pchasz ręce w ogień. Grożą ci, a ty nic, robisz dalej to samo, raz, drugi, trzeci. Wiesz, co to jest?

– To, co się tutaj odpierdala? Nie wiem, chyba jakaś chujowa sesja terapeutyczna?

– To jest proszenie się o kłopoty.

– Co ty właściwie próbujesz powiedzieć, hę? – Julita wstała, zacisnęła drobne dłonie w pięści. – Że co, że niby sama jestem sobie winna?

– Nie wiem. Może? Jakbyś sobie nie robiła tych głupich zdjęć, to by ich nie było.

– Naprawdę, Magda? Naprawdę? Co mi jeszcze powiesz? Żebym nie zakładała krótkich spódniczek, bo jeszcze kogoś, nie daj Boże, sprowokuję?

– Ja wiem, że to niewygodna prawda, ale gdybyś była troszeczkę bardziej odpowiedzialna, troszeczkę bardziej roztropna, toby nie było tej całej historii...

– No, a gdybyś ty się nie pieprzyła ze swoim szefem, to nie byłoby historii z rozwodem.

Znów zrobiło się cicho, strasznie cicho. Gdy tylko zobaczyła reakcję Magdy (łzy wzbierające w oczach, drżący kącik ust, zmarszczki przecinające czoło), Julita od razu pożałowała swoich słów. Ale nie mogła ich cofnąć, odwołać, wczytać ostatni zapis gry. Padły, wisiały w powietrzu, już zawsze tam będą.

– Zrobię sobie teraz kąpiel – powiedziała Magda; brzmiała zadziwiająco spokojnie. – A jak z niej wyjdę, chciałabym, żeby twój pokój był pusty.

– Magda, ja…

– Klucze zostaw na stole.

Wstała z kanapy, poszła do łazienki. Dźwięk puszczanej wody miał pewnie zagłuszyć płacz, ale nie do końca się udało. Julita przez chwilę myślała, żeby do niej wejść, przytulić, ryczeć razem z nią tak długo, aż z wanny zacznie się przelewać, ale znała swoją siostrę na tyle dobrze, żeby porzucić ten pomysł. Nie wybaczy jej, na pewno nie teraz, może nigdy. Poszła do pokoju, pakowała się, pociągając nosem. Zajęło to chwilę. Ubrania włożyła do dużej walizki na kółkach (czy raczej na kółku, bo jedno się urwało ładnych parę lat temu), komputery do plecaka, który ledwie była w stanie udźwignąć, papiery do torby. Książki zostawiła na półkach; z wyjątkiem reportaży Druckera, które wyrzuciła do kosza.

Wyszła na ulicę, zgięta wpół, ciągnąc ważącą kilkadziesiąt kilogramów torbę. Pytanie, co dalej. Wyciągnęła telefon, przewijała listę kontaktów, w końcu wybrała jeden z numerów.

– Halo, Piotrek? – powiedziała, zasłaniając dłonią drugie ucho. – Hej… Głupia sprawa… Pamiętasz, jak mówiłeś, że jeśli będziesz mógł mi jakkolwiek pomóc w śledztwie, to mam zadzwonić?

Mieszkanie, które wynajmował Piotrek, miało trzydzieści osiem metrów kwadratowych. Pokój z aneksem kuchennym, przedpokój i łazienka. Gówniane meble z białej sklejki o skandynawskich imionach, papierowe lampy, podłoga wyłożona panelami udającymi drewno, a zamiast stołu dwa składane krzesła przy parapecie z kółkami po kubkach z kawą. Okna wychodziły na zajezdnię autobusową przy Lasku Bielańskim i piętrowy parking. Nad rozkładaną kanapą wisiał obrazek z napisem „KEEP CALM AND BE COOL".

– Wisiał tu już, jak się wprowadziłem – tłumaczył się Piotrek, widząc uśmieszek, który przebiegł jej przez usta.

– Tak podejrzewałam.

– Jak widzisz, miejsca nie ma zbyt wiele... Ale jakoś się zmieścimy. Ty weź kanapę, ja sobie rozłożę karimatę w kuchni.

– Nie no, przecież nie będę cię wywalała z twojego własnego łóżka...

– Wiesz, ja ostatnio i tak rzadko wracam na noc, więc się nie przejmuj.

– O? Poznałeś kogoś?

– Mhm.

– No, to siadaj i mów! Chcę szczegółów! Jak się nazywa?

– Vladimir.

– Z Rosji?

– Z Ukrainy – odpowiedział Piotrek. – No, nie wiem, co powiedzieć... Poznaliśmy się przez znajomych, tak ze trzy miesiące temu. Jest parę lat starszy ode mnie, pracuje w konsultingu... Niestety, bardzo lubi operę.

– Niestety?

– Ciągle mnie katuje tym jodłowaniem. Mówi, że się trzeba przełamać, jak z whisky. No, ale wiesz, czego się nie robi dla miłości...

– Kto zrobił pierwszy krok?

– On, pewnie, że on. Znasz mnie przecież, w życiu bym się nie odważył.

– Czyli co, tak po prostu do ciebie podszedł?

– Mhm.

– I co powiedział?

– Że mam fajne wąsy.

– I?

– Że się zastanawia, czy łaskoczą, jak się całuję.

Łaskoczą, pomyślała Julita, strasznie łaskoczą.

– No, a tak bardziej przyziemnie... – zaczęła. – Ile ci płacę?

– Daj spokój.

– Piotrek... Nie wiem, ile tu będę mieszkać. Ale może być, że długo... Więc chciałabym, żebyś coś chociaż z tego miał. Podzielmy się kosztami na pół, okej?

– Na pewno?

– Na pewno.

– No dobra, skoro nalegasz... – Podrapał się po głowie. – Za wynajem płacę tysiąc pięćset. To już razem z czynszem, ale dochodzą do tego jeszcze rachunki, zwykle około trzech stów, w sumie tysiąc osiemset... No to wychodzi dziewięć stów na głowę.

O matko, pomyślała Julita, omiatając wzrokiem puste ściany i poobijane meble, Magda rzeczywiście nie brała ode mnie stawki rynkowej.

– Dobra, stoi... Tylko daj mi chwilę, żeby zebrać kasę, dobra?

– Pewnie, nie śpiesz się. Słuchaj, zaraz muszę lecieć, więc może ci jeszcze tylko pokażę, jak się włącza kuchenkę...

– Jakoś sobie poradzę. Leć... I jeszcze raz dziękuję.

– Nie ma za co. Trzymaj się, pogadamy, jak wrócę.

– Aha, i jeszcze jedno...

– Tak?

– Nie mów proszę nikomu, że się do ciebie wprowadziłam. I błagam, nie pisz o tym na Facebooku, okej?

– Nie miałem takiego zamiaru... Spoko, rozumiem. Gęba na kłódkę.

Przytulił ją, pomachał jej na pożegnanie. Julita wypakowała walizki do szafy, upychając wszystkie ubrania w dwóch szufladach, które opróżnił dla niej Piotrek, postawiła kosmetyczkę na szafce w łazience, wilgotny wciąż ręcznik powiesiła na grzejniku. Gdy miała już poczucie, że jakoś się urządziła, usiadła przy oknie i włączyła komputer.

Nie szukała informacji o Buczku, nie czytała wskazówek od Trana.

Przeglądała oferty pracy.

I wtedy Myśliwy zawołał: „Zaraz ci pokażę, Wilku ty!" – powiedział posterunkowy Gralczyk, przewracając stronę książki. – I wyciągnął nóż, i przeciął wilkowi brzuch. A wtedy, hop!, ze środka wyskoczyły Babcia i Czerwony Kapturek! „Ale się przelękłam", powiedziała dziewczynka, „Ale tam było ciemno!". A potem razem z Myśliwym naładowali Wilkowi kamieni do brzucha i zaszyli go. Kiedy...

– Ale nuda.

Gralczyk oderwał wzrok od książki (na ilustracji Czerwony Kapturek, Babcia i Myśliwy tańczyli z radości, a Wilk leżał na ziemi; brzuch przecinała świeża blizna, spuchnięty jęzor wystawał z pyska) i spojrzał na córkę. Aśka, ogniście ruda, w wielkich okularach o fioletowych oprawkach i ze szkłami jak denka butelek, sama wyglądała jak postać z bajki.

– No wiesz co? Nuda? Brzuch mu kroją, a ty się nudzisz?

– Sto razy słyszałam już tę historię. Poza tym, sorry, ale jest bez sensu.

– Niby czemu, mądralo?

– Czerwony Kapturek by tego nie przeżył. Przecież musiał ją wcześniej pogryźć.

– Skąd wiesz? – Gralczyk odłożył książkę na półkę. – A może ją połknął w całości? Jak ten wąż na filmie przyrodniczym, co go oglądaliśmy u dziadków, pamiętasz? Waaaaaagh. – Gralczyk rozdziawił usta najszerzej, jak umiał, wystawił język.

– Tato, przestań! – zachichotała Aśka. Nie ma piękniejszego dźwięku na świecie, pomyślał posterunkowy. Ciekawe, jak długo będzie się jeszcze tak śmiała. Rok, może dwa? Potem już zacznie udawać dorosłą, będzie się wstydziła. – Poza tym, wilk nie może otworzyć pyska tak szeroko jak wąż.

– A bo?

– Bo nie ma kości kwadratowej.

– Czego?

Posłała mu krytyczne spojrzenie, znał je dobrze i niezmiennie go bawiło. Jakby chciała powiedzieć: „A was czego uczyli w szkole? Jak krzesać ogień za pomocą kamieni?".

– To taka kostka, która pozwala wężowi otworzyć szczęki, o tak. – Aśka odsunęła od siebie wyprostowane dłonie. – A nie tak. – Aśka złączyła dłonie u podstaw, po czym nieznacznie je rozchyliła. Siedem lat, a gada jak stara, pomyślał Gralczyk, głaszcząc ją po wilgotnych wciąż włosach.

– Wszystko jasne. To jak, pani profesor, wykład skończony? Idziemy spać?

– Idziemy. Ale jutro poczytaj mi już *Monster High*, dobrze?

– Niech będzie. No, to słodkich snów. I żebyś się nie bawiła po nocy komórką, tak jak ostatnio, rozumiemy się? Bo wyspana czy nie, zwlekam cię z łóżka szósta trzydzieści.

– Rozumiemy się. – Aśka odłożyła okulary na stolik nocny. Przytulanki szukała już po omacku. Gralczyk poczuł ukłucie bólu. Wada wzroku będzie się pogłębiać, powiedziała okulistka, konieczna będzie operacja laserem.

Wstał, odsunął stopą na bok jakiś zapomniany klocek Lego, żeby nie wdepnęła w niego, jak będzie wstawała w nocy; na wykładzinie dywanowej w ulice czerwony bloczek wyglądał jak autobus, który kończy ostatni kurs. Gralczyk zgasił światło i poszedł do kuchni. Ala robiła obiad na następny dzień. Duży nóż kuchenny wyglądał śmiesznie w jej drobnych dłoniach, jakoś nie na miejscu. Pocałował ją w policzek, otworzył lodówkę i wyciągnął butelkę z piwem. Zdążyło się schłodzić.

– Z czego Aśka się tak śmiała? – Ala nie odrywała wzroku od deski do krojenia.

– Udawałem węża.

– Węża? Dlaczego?

– Dawała mi korepetycje z biologii.

Otworzył butelkę, spił wylewającą się z szyjki pianę.

– Radek, wszystko w porządku?

– Bo?

– Nie wiem, jakiś taki osowiały byłeś wcześniej.

Przypomniała mu się rozmowa telefoniczna, którą odbył parę godzin wcześniej, z jakąś Mackiewicz czy Mackowicz. Przykro mi, Meganewsy nie są zainteresowane tym materiałem. Po pierwsze, sprawa Buczka już powoli przycicha, po drugie, wysłał pan nam jakiś niezrozumiały bełkot, wie pan, robaczki z Matriksa, to nikogo przecież nie zainteresuje, nie wiadomo, co to znaczy. Ale dziękujemy za kontakt, oczywiście gdyby miał pan inne informacje w tej sprawie, to proszę dawać znać, może się dogadamy. No i chuj strzelił te trzy tysiące, za które mieli pojechać na wakacje. Jak miał nie być osowiały? No, ale mówi się trudno, skombinuje te pieniądze jakoś inaczej. Wykasował pliki, żeby nie było śladów, a pusty dysk USB wrzucił na dno szuflady, obok zapasowych żarówek i splątanych kabelków od nie wiadomo czego. Może się kiedyś jeszcze przyda.

– Wszystko w porządku – powiedział, całując ją w kark mokrymi od piwa ustami.

Jęki, stłumione krzyki, coś spadło z hukiem na podłogę. Odgłosy dochodziły z góry, spod szóstki, gdzie zatrzymywała się para Hiszpanów – ona niska, kruczoczarne włosy, kolczyk w nosie, nazywała się chyba Inez, on wysoki, brodaty, żylasty, strzaskany słońcem. Biją się, zastanawiała się Julita, czy pieprzą? Trudno powiedzieć. Odłożyła książkę. Nie była pewna, co zrobić w takiej sytuacji. Pójść tam do nich, zapukać i zapytać, czy wszystko w porządku? Potencjalnie krępujące. To co, zignorować, udawać, że nie słyszy? A co, jeśli komuś rzeczywiście dzieje się krzywda?

Zdjęła buty, weszła po schodach w samych skarpetkach, na palcach, żeby nie zaskrzypiała podłoga. Minęła dwójkę (trzy dwupiętrowe łóżka, szafki zamykane na kluczyki; zatrzymywała się tam grupa Anglików, ale jeszcze nie wrócili na noc, pewnie znów przyjadą dopiero o siódmej, w rozchełstanych koszulach i zalani w sztok), czwórkę (najbardziej luksusowy pokój, miał nawet własną łazienkę i małą lodówkę, akurat stał pusty), po czym stanęła pod szóstką i przyłożyła ucho do drzwi. Skrzypienie łóżka, stęknięcia i kobiecy głos szepczący *si, si, si!*. Czyli jednak nie trzeba będzie dzwonić na niebieską linię.

Julita wróciła do recepcji: drewniana lada, szafeczka z kluczami, zdjęcia z widoczkami Warszawy, lustro w złotej ramie; widziała w swoim odbiciu, że się zarumieniła, dotknęła odruchowo rozpalonych policzków. Usiadła na fotelu, owinęła się polarowym kocem i wróciła do wypożyczonej z biblioteki książki, ale szło jej ciężko. Była piąta piętnaście, kleiły jej się oczy. Za godzinę zrobi się jasno, skończy się jej zmiana i będzie mogła pojechać do domu – o ile można tak było nazwać dzieloną z Piotrkiem kawalerkę.

Hostel nazywał się Złota Kaczka. Trzypiętrowy budynek na ulicy Męcińskiej, na tyłach ronda Wiatraczna, wciśnięty między opuszczoną przedwojenną kamienicę a kanciasty, pomalowany na budyniowo blok z lat dziewięćdziesiątych. Szukali recepcjonistki na nocne dyżury, od zaraz, wymagania niewielkie: znajomość języka angielskiego, kontaktowa osobowość, dyspozycyjność. Nie zadawali wielu pytań, nie interesowało ich jej CV, studia ani staże. Płacili tyle, co Meganewsy, czyli niewiele, ale Julita i tak czuła się, jakby ich okradała, bo przez większość czasu nie miała nic do roboty. Raz pomogła wracającemu na noc gościowi dogadać się z taksówkarzem, raz pokazała zaspanej dziewczynie, w której szafce jest herbata, raz trzeba było dać leki biednemu Francuzowi, którego żołądek stanowczo odrzucił kapustę kwaszoną – i ot, tyle. Za oknem przejeżdżają samochody, turkocząc na nierównym asfalcie, tyka ospale wiszący na ścianie zegar, czasem coś zabulgocze w rurach.

Może to nie jest zła rzecz, pomyślała Julita, zdrapując kluczem plamę z biurka. Może tego mi teraz potrzeba. Zatrzymać się, zastanowić, co dalej. Kariera dziennikarska szła raczej słabo: śledztwo stanęło w martwym punkcie, nie miała pomysłu na następny krok. Popołudniami, kiedy wreszcie zwlekła się z łóżka, szukała nowych informacji na temat Buczka albo dokształcała się w zakresie cyberbezpieczeństwa, ale bez wartych odnotowania sukcesów na którymkolwiek polu. Może Magda miała rację. Może po prostu powinna rzucić to wszystko w cholerę.

Kroki, chwilę potem otworzyły się drzwi, wpuszczając do środka zimne powietrze. W progu stał niski mężczyzna w skórzanej kurtce i czarnej wełnianej czapce.

– Janek?

– Hej – odpowiedział, zdejmując plecak.

– Co tu robisz?

Popatrzył na nią tak, jak miał w zwyczaju: jak na idiotkę.

– No, jak myślisz? – Wzruszył ramionami. – Potrzebuję pokoju?

Janek otworzył plecak, wyciągnął komputer i rozglądał się za kontaktem.

– Tam na lewo, obok kaloryfera. – Pokierowała go Julita. – Mówiłam przecież, żebyśmy się spotkali u mnie w domu.

– Tu mam bliżej.

– Ale jest piąta nad ranem?

– No i?

Normalni ludzie śpią o tej porze, pomyślała Julita.

– Nieważne – powiedziała w końcu.

– Weź zrób miejsce.

Julita odsunęła na bok ulotki o warszawskich atrakcjach turystycznych i restauracjach, zdjęła z blatu pomalowaną na zielono gipsową figurkę smoka z obtłuczonym pyskiem.

– Proszę bardzo – powiedziała, głośno i wyraźnie, jakby wciąż miała nadzieję, że Janek podłapie kiedyś od niej zwyczaj używania zwrotów grzecznościowych. Na razie jednak milczał, zamiast podziękować, po prostu postawił na ladzie laptopa. Dwa kliknięcia na ikonce o nazwie „monitoring" i otworzył się film.

– Co to?

– Zaraz zobaczysz.

Czarno-biały, ziarnisty obraz. Dzień, dwupasmowa ulica, chyba gdzieś w Warszawie, bo w tle były wysokie budynki. Godziny szczytu, sznury samochodów w jedną i drugą stronę, przegubowy autobus próbuje wyjechać z zatoki, ale nikt go nie wpuszcza.

– Serio, nie wiem, na co mam... – zaczęła Julita, ale urwała w momencie, kiedy zobaczyła czarnego jeepa. Mimo że rozdzielczość filmu była niska, od razu rozpoznała kierowcę, napatrzyła się w końcu na jego twarz. Chociaż słowo „kierowca" nie było chyba odpowiednie, bo Buczek nie prowadził samochodu, nie trzymał rąk na kierownicy: ta kręciła się sama.

Julita wyrwała Jankowi myszkę i zatrzymała film, przewinęła go do tyłu o trzydzieści sekund, po czym puściła znowu, wciskając pauzę co kilka klatek, żeby niczego przypadkiem nie przegapić, wyłapać każdy szczegół. Aktor, skręcony w bok, szarpie się z drzwiami, próbuje je otworzyć, ale bez skutku. Kierownica obraca się lekko w prawo, samochód zmienia pas, przyśpiesza, znika z kadru. Nie mogła uwierzyć w to, co widzi. Podejrzewała co prawda, że coś podobnego mogło mieć miejsce, ale podejrzewać coś to jedno, a zobaczyć to na własne oczy...

– Wybrzeże Gdyńskie, mniej więcej na wysokości Kępy Potockiej – powiedział Tran. – Piętnasty października, ósma cztery. Kilka minut przed wypadkiem.

– Skąd to masz?

– Z miejskiego monitoringu. Tu masz kopię. – Tran wyciągnął pudełko z płytą CD, przesunął je po blacie w jej stronę.

– Okej, ale skąd masz dostęp do miejskiego monitoringu?

– Naprawdę to cię w tej chwili najbardziej interesuje?

– Mhm.

– Od kogoś znajomego.

– A ten ktoś? Skąd ma dostęp, co?

– Powiedzmy, że jest w odpowiednim miejscu.

Kolejny ogólnik. Kolejna ściema.

– Janek, zdajesz sobie sprawę, jak to brzmi?

– No?

– Jak przestępstwo. I to dość poważne. – Julita czuła, jak uchodzi z niej senność. Była spięta, sztywna. Pewnie, akcja, którą odwaliła parę dni wcześniej w kancelarii, też nie była legalna. Ale to był inny kaliber. Włamanie do policyjnej bazy danych... Nie miała pojęcia, jaka kara za to grozi, ale podejrzewała, że dość wysoka. I to nie w zawiasach.

Janek wsadził ręce w kieszenie, podszedł do wiszącego na lewo od wejścia plakatu z warszawską syrenką. Ktoś jej dorysował flamastrem kolczyki w sutkach i okulary przeciwsłoneczne. Uśmiechnął się pod nosem, odwrócił w jej stronę.

– Myślałem, że ci zależy – powiedział.

– Bo zależy. – Kiwnęła głową. – Ale nie chcę się wpakować w jeszcze większe kłopoty.

– Czasem jedno wyklucza drugie.

– Co chcesz przez to powiedzieć?

– Że czas się zdecydować.

Julita milczała przez chwilę, z oczami utkwionymi w leżącej na blacie płycie. Błyszczała w świetle rzucanym przez sufitowe lampki, opalizowała jak oka benzyny w kałuży. Kusiła.

– Jak można zrobić coś takiego? Przejąć kontrolę nad cudzym samochodem? – spytała, podnosząc wzrok.

– Nie wiem.

– Nie wiesz?

– Nie słyszałem, żeby się to komukolwiek wcześniej udało, w każdym razie nie do tego stopnia. – Janek stanął w oknie, wyjrzał na ulicę. – To, co widziałaś na materiale z WIRED, to przy tym nic, głupia sztuczka.

Tran zamilkł, zrobiło się cicho. Hiszpanie musieli skończyć, pewnie już spali.

– To co dalej? – spytała Julita.

– Wydaje mi się, że żeby odwalić taki numer, trzeba mieć fizyczny dostęp do samochodu. Wejść do niego, no wiesz, zrobić coś z komputerem pokładowym.

– Jest jakiś sposób, żeby to sprawdzić?

– Jest. A przynajmniej tak mi się wydaje.

– I?

Janek odwrócił się od okna. Wyglądał, jakby pobladł, pomyślała Julita. A może tylko tak wygląda w świetle ulicznej latarni.

– Czekam, aż podejmiesz decyzję – powiedział, wskazując leżącą na ladzie płytę. – Wchodzisz czy nie?

– Ale w co, Janek? – Walnęła ręką o blat, wystraszona, zirytowana. – O co tu, do cholery, biega?!

– Cicho, bo ludzi pobudzisz.

– O co?

– O to, ile jesteś gotowa zaryzykować. Julita… – Zawiesił głos. – Ten koleś, ten twój Skurwysyn… On jest dobry. Zajebiście dobry. To nie są żarty. Jak chcesz go dorwać, musisz grać na poważnie. I sama łamać prawo, jeśli nie ma innej opcji.

Gdzieś daleko zazgrzytał metal. Pierwsze tramwaje zajeżdżały na pętlę na rondzie Wiatraczna, zaczynał się nowy dzień. Piąta czterdzieści pięć. Kwadrans do końca zmiany.

Julita schowała płytę do torebki.

– Zadowolony?

– Zadowolony.

– To co teraz?

– Pójdę po kawę – powiedział, zakładając czapkę. – I jedziemy.

– Ale gdzie?

– Sprawdzić, czy mam rację.

– Słuchaj, ja… Nie spałam całą noc…

– Dlatego właśnie idę po kawę – powiedział, przewracając oczami. – Czarna czy z mlekiem?

Prokurator Cezary Bobrzycki zatrzymał się przed przejściem dla pieszych, przepuszczając matkę z dzieckiem. Kobieta spojrzała na niego jak na wariata. Po chwili wahania – może to jakiś okrutny żart? Może jak tylko wejdę na pasy, ruszy z piskiem opon? – pociągnęła syna za rękę i weszła na ulicę. Miała około trzydziestki, stara puchowa kurtka, legginsy, znoszone adidasy, odrosty na tlenionych włosach. Wracała ze sklepu. W plastikowej torebce grzechotało szkło.

Bobrzycki ruszył dalej. Powoli, w końcu teren zabudowany. Małe smutne miasteczko przy DK 60: obdrapane dwupiętrowe bloki z płyty, jakby mali kuzyni warszawskich mrówkowców, przystanek PKS z blachy pokrytej koślawymi graffiti, kryte eternitem domy plujące w niebo czarnym dymem, szum rozpędzonych tirów.

Za sklepem odbił w prawo. Zniknęły budynki, zaczął się las – sosny jak zapałki, gęste krzaki, w których pobłyskują foliowe worki ze śmieciami. Przejechał dwa kilometry, aż dotarł do skrzyżowania. Pusto, jeśli nie liczyć znaku drogowego wystającego z wysokiej trawy. Regionalny Ośrodek Psychiatrii Sądowej. I nie tylko, pomyślał prokurator.

Bobrzycki wrzucił kierunkowskaz, choć nikt nie jechał ani za nim, ani przed nim. Skręcił w wyboistą drogę; łatany asfalt, dziury zasypane żwirem. Za drzewami widać było już mury. Wieńczył je drut kolczasty. Bobrzycki wyłączył radio, którego i tak nie słuchał. Cisza, jakby las był martwy.

Podjechał pod bramę, wylegitymował się w wartowni, wpisał się do księgi. Do okładki przylepiona była naklejka z napisem: „Krajowy Ośrodek Zapobiegania Zachowaniom Dyssocjalnym". Więzienie, nie więzienie, niby zgodne z prawem, ale nie do końca. Miejsce, do którego trafiają ci, którzy teoretycznie już wyszli, ale wyjść nie mogą. Ustawa nazywała ich „osobami z zaburzeniami psychicznymi, stwarzającymi zagrożenie życia, zdrowia lub wolności seksualnej innych osób". Częściej mówiło się jednak po prostu: bestie.

Strażnik otworzył zakratowane drzwi. Bobrzycki wziął głęboki oddech i wszedł do środka.

Janek zjechał w Spacerową, docisnął pedał gazu. Stary ford mondeo zaryczał, wymijając furgonetkę, po czym wrócił na prawy pas. Kobieta, która szła obok chodnikiem z siwiejącym owczarkiem na smyczy, podskoczyła wystraszona. Julita spojrzała na prędkościomierz. Sto dziesięć.

– Wiesz, że tu jest fotoradar? – spytała.

– Atrapa – odpowiedział, nie odwracając się w jej stronę.

Dochodziła siódma, niebo się przecierało, korkowały ulice. Przed światłami przy skrzyżowaniu z Belwederską i Gagarina ustawiła się już kolejka aut, więc Janek zredukował bieg i gwałtownie wyhamował, tak że z tekturowego kubka, który trzymała Julita, prawie wylała się kawa. Minutę później stanęła za nimi furgonetka, ta sama, którą dopiero co wyminęli. Kusiło Julitę, żeby spytać Janka, po cholerę tak gna, ale dała sobie spokój. Znała ten typ kierowcy.

Janek wrzucił kierunkowskaz, skręcił w Belwederską. Minęli przystanek autobusowy: zgarbieni, zaspani ludzie wpatrzeni w telefony, bezdomny grzebiący w koszu na śmieci. Na skrzyżowaniu z Dolną Janek wykręcił, zawrócił, po czym zatrzymał się jakieś trzysta metrów dalej, przed pseudosecesyjnym apartamentowcem z widokiem na Łazienki: zaokrąglone okna, balkonowe barierki z kutego żelaza, przeszklone atrium, donice z tujami wzdłuż wyłożonego granitową kostką podjazdu.

– Co to za miejsce? – spytała Julita, zadzierając głowę.

– Buczek tu mieszkał. – Janek odpiął pasy. – Szóste piętro, mieszkanie numer dwanaście.

Julita obróciła się w jego stronę, zaskoczona. Szukała adresu aktora już od jakiegoś czasu, ale bez powodzenia. Nawet znajomi paparazzi nie byli w stanie pomóc. Wiedzieli tylko, że Buczek wyprowadził się jakiś czas temu z domku na Górnym Mokotowie, w którym mieszkał od kilkunastu lat, ale gdzie – nie mieli pojęcia. Ostatnimi laty bardzo dbał o swoją prywatność, wręcz obsesyjnie.

– Skąd to wiesz?

– Buczek był na diecie. Wiesz, takiej pudełkowej. Tysiąc pięćset kalorii dziennie.

– Okej... i? Co to ma do rzeczy?

– Firma, która robiła te pudełka, Fat-2-Fit, miała wyciek danych. W tym nazwiska i adresy swoich klientów.

– Wyciek gdzie?

Janek pokręcił korbką, żeby uchylić nieco okno. Zaśmierdziało spalinami.

– Korzystałaś już z TOR-a?

– Nie, jeszcze nie.

– To powinnaś. W polskim dark necie jest takie forum dla aspirujących hakerów, Tornado... Nie patrz tak na mnie, nie ja wymyśliłem tę nazwę. Głównie gówniarzeria i drobne cwaniaczki, ale czasem trafi się coś ciekawego. Parę miesięcy temu jeden koleś włamał się na serwery Fat-2-Fitu i wrzucił tam ich dane, żeby się popisać. Kilkanaście tysięcy osób, dużo celebrytów.

– No dobra... I co dalej?

– Zakładam, że Skurwysyn musiał mieć fizyczny dostęp do auta Buczka. O ile nie był jakimś jego kumplem, nie mógł liczyć na to, że tak po prostu wpuści go do środka, czyli musiał się włamać. Mógł to zrobić gdzieś na ulicy, ale wtedy musiałby śledzić Buczka, wiedzieć, gdzie akurat zaparkuje. Wydaje mi się to mało prawdopodobne; z tego, co widziałem do tej pory, on tak raczej nie działa. Mógł to zrobić na parkingu przed TVP, Buczek przecież nagrywał w Dwójce, ale tam się kręci dużo osób, co zwiększa ryzyko. Czyli zostaje garaż podziemny w domu – dokończył Tran, wskazując zjazd na parking. – Nadążasz?

– Nadążam.

– Na dole są kamery. Jeśli do włamania rzeczywiście doszło tutaj, mogły coś zarejestrować. Od śmierci Buczka minęło kilkanaście dni, więc jest szansa, że jeszcze nie skasowali tych nagrań.

– Okej, ale czy to by właśnie nie odstraszyło Skurwysyna?

– Co?

– No to, że w garażu są kamery.

– Wszędzie są kamery. – Janek wzruszył ramionami.

– O matko, znowu te twoje paranoje. – Julita uniosła się w fotelu; zaskrzypiała skóra. – Tak, i śledzą nas amerykańskie satelity.

– Żebyś wiedziała. I nie przewracaj oczami.

– Janek, znasz to powiedzenie, że jak ktoś się nauczył używać młotka, wszędzie widzi gwoździe? Ty tyle o tym wszystkim myślisz, że...

– Tam, na skrzyżowaniu, przy światłach. – Janek wyciągnął palec; miał obgryzione paznokcie. – Jest jedna, monitoring miejski. Tu przy aptece kolejna, tyle że prywatna. A tam, po drugiej stronie ulicy, widzisz ten bankomat? To kółko w obudowie to obiektyw. W tamtym autobusie są co najmniej dwie...

– Serio? Czy mnie podpuszczasz?

Odwrócił się do niej. Kamienna twarz, której nie potrafiła czytać.

– W samym metrze jest ponad tysiąc kamer – powiedział Janek. Nie brzmiał, jakby żartował. – W całym mieście... Nie wiem dokładnie, coś koło kilkudziesięciu tysięcy? Może więcej.

– Czyli co, cały czas ktoś mnie podgląda?

– Nie. – Pokręcił głową. – Bo nikogo nie interesujesz. I módl się, żeby tak zostało.

Minął ich samochód dostawczy, zaparkował przed wejściem do budynku. Delikatesy, dostawa do domu. Janek uniósł się w fotelu, sięgnął do kieszeni kurtki. Wyciągnął mały dysk USB w spękanej obudowie z czerwonego plastiku.

– Byłem tu wcześniej. W środku, obok recepcji, jest stróżówka. Dwóch ochroniarzy, monitor z podglądem z kamer, no i komputer. Trzeba włożyć do niego to... – Janek obrócił w ręku dysk. – I będzie po sprawie. Pytanie, jak to zrobić.

– Pytanie retoryczne, bo pewnie masz już jakiś plan.

– W sumie to mam, rzeczywiście. – Przytaknął. – Myślałem, że zrobimy tak: wejdziemy razem. Ja wbiegnę po schodach, spróbują mnie zatrzymać...

– Skąd ta pewność? Może po prostu uznają, że jesteś tu z kimś umówiony albo...

– Uwierz mi. – Janek Tran uśmiechnął się szeroko, tak że oczy zwęziły mu się w szparki. – Nie przejdzie im to nawet przez myśl. No więc... Oni pobiegną za mną, a ty w tym czasie wejdziesz do stróżówki i włożysz dysk.

– Szczerze? Brzmi ryzykownie.

Szum przejeżdżających aut, trąbienie, mechaniczny głos powtarzający „światło zielone, można przejść, światło zielone, można przejść, światło zielone...".

– Mówiłem ci, czas się zdecydować. Albo jesteś gotowa grać ostro, albo nie.

– Ostro nie znaczy głupio. – Julita przechyliła kubek, wypiła ostatni łyk kawy. – Mają drukarkę w tej stróżówce?

– Z tego, co widziałem, to tak. Ale co to ma do rzeczy?

– Daj mi ten dysk. No, raz, raz.

Spojrzał jej w oczy. Konsternacja, która się w nich malowała, sprawiała Julicie dużą przyjemność.

– Wolałbym wiedzieć, co chcesz zrobić.

– Oczywiście. Właśnie dlatego ci nie powiem.

– Słuchaj, jeśli wydaje ci się, że to jest jakaś zabawa, to...

– Przestań już pieprzyć i daj mi ten dysk.

Mierzyli się chwilę wzrokiem, jego twarz pozbawiona wyrazu, jej usta złożone w bezczelny uśmieszek. W końcu oddał jej dysk.

– Pięknie dziękuję.

– I co teraz?

– Zobaczysz.

Julita wyciągnęła z torby jakąś kartkę, zdjęła przykrywkę z kubka po kawie... i wylała ostatnie kilka kropel na papier, po czym rozsmarowała je palcem. Janek przyglądał się temu przez jakiś czas w milczeniu, ale w końcu nie wytrzymał.

– Co ty, do cholery, robisz?

– Po prostu mi zaufaj. Gdzie się widzimy?

– Za rogiem, na Gagarina. Zaparkuję za przystankiem.

– To do zobaczenia.

Wyszła z samochodu, zamknęła za sobą drzwi i ruszyła w stronę budynku, rozglądając się wokół siebie. Pod budynkiem było kilka miejsc postojowych. Nad dwoma z nich wisiała różowa tabliczka z napisem „Tylko dla pracowników salonu SPA Abaya". Może być, pomyślała. Zatrzymała się na chwilę przed wejściem i zacisnęła powieki, mocno, aż zabolało. Nie musiała długo czekać: zmęczone oczy szybko się zeszkliły.

Julita weszła do środka. Po lewej salon ze sportowymi samochodami we wszystkich odcieniach kryzysu wieku średniego: krwiście czerwony, smoliście czarny, jaskrawożółty. Po prawej elegancki kiosk z cygarami, jeszcze zamknięty. Na środku monumentalne, wyłożone kamieniem schody, które mogłyby zagrać w remake'u *Pancernika Potiomkina*. Julita stanęła na środku, rozłożyła bezradnie ręce.

– Pomóc pani w czymś? – Odezwał się gruby, męski głos.

Julita się odwróciła. Ochroniarz miał tak na oko trzydzieści, czterdzieści lat. Krótko przystrzyżony, napakowany, w czarnym mundurze, wyglądał raczej na byłego wojskowego niż na rencistę. Dobrze, że Janek nie próbował przed nim uciekać. Daleko by nie pobiegł.

– Przepraszam... Gdzie jest Abaya?

– Schodami na górę, drugie piętro. Ale otwiera się dopiero za godzinę.

– Wiem. Ja na rozmowę o pracę. Na manikiurzystkę.

– A, to powodzenia życzę. – Zobaczyła szeroki, szczery uśmiech. Pożółkłe zęby, nie miał górnej trójki. Nazwała go w myślach Szczerbatym.

– Przyda się. Oj, przyda – westchnęła ciężko, pociągnęła nosem. Szczerbaty wyraźnie się zmartwił.

– Coś się stało?

– Pan zobaczy. – Julita wyjęła z torby poplamioną kartkę, machnęła mu nią przed oczami, szybko, tak żeby nie zdążył się dobrze przyjrzeć. – Kawa mi się wylała na CV, jak jechałam autobusem. Kierowca tak zahamował na światłach, że aż mną rzuciło...

– No tak, oni to jakby kartofle wozili, a nie ludzi... – powiedział Szczerbaty takim tonem, jakby wygłaszał jakąś filozoficzną maksymę.

– I jak mam iść na rozmowę? Z takim papierem psu z gardła wyjętym? – Jeszcze raz ścisnęła powieki, udało jej się wydusić łzę. – Myślałam, że może tu w środku będzie otwarty już jakiś sklep, że mi wydrukują, ale jak pech, to pech...

– A ma pani to CV gdzieś nagrane?

– Tak, tak. – Ręka szpera w torebce, jakby czegoś szukała, chociaż Julita dobrze wie, że dysk jest w bocznej kieszonce, razem z kluczami i gumą do żucia. – O, tutaj.

– No to może coś zaradzimy. Pani pozwoli.

Ruszyła za nim; gumowe podeszwy jej trampek skrzypiały na wypolerowanej kamiennej podłodze, miała wrażenie, że słychać ją w całym budynku. Szczerbaty otworzył stróżówkę: wąski, ciemny pokój, na ścianie dwa monitory, promocyjny kalendarz od jakiejś firmy budowlanej, z wizualizacją nowego grodzonego osiedla o nazwie Luxury Park, drewniany krzyżyk zawieszony na gwoździku. Z tyłu, pod ścianą, siedział drugi mężczyzna, starszy, grubawy, z sarmackim wąsem, w którym wciąż tkwiły okruchy ze śniadania. Chyba bułka i serek wiejski, oceniła Julita.

– Panienka ma problem, przyszła wydrukować CV.

– Ooo, to niedobrze – westchnął wąsacz – bo drukarka akurat zepsuta.

No oczywiście, kurwa, pomyślała Julita. Myśl, myśl, myśl.

– A mogę chociaż chłopakowi przesłać? – powiedziała. – Może zdąży wydrukować w domu i podjechać. Mieszkam niedaleko, tu na Dolnej…

– No, czemu nie… Pani próbuje.

Julita odsunęła fotel, usiadła za komputerem. Wyglądał na stary i tani, podstawę monitora pokrywał kurz, klawiatura była poplamiona i rozklekotana. Znalazła port USB, spróbowała wsunąć dysk do środka. Oczywiście, za pierwszym razem nie trafiła. Obróciła dysk. I jeszcze raz. Wreszcie się udało.

– Oj, nie ma pani dzisiaj szczęścia.

Julita spojrzała na monitor.

Lokalizacja nie jest dostępna.
E:\ nie jest dostępny.
Plik lub katalog jest uszkodzony i niedostępny.

Ta, pomyślała Julita, ukrywając uśmiech, na pewno.

– Ojej... Chyba coś nie tak z tym dyskiem... – Julita wstała od komputera, przygryzła usta. – Panowie, wiecie co, ja spróbuję jednak wrócić do domu. Mam jeszcze piętnaście minut do rozmowy, może się wyrobię. Ale bardzo dziękuję za pomoc.

– A proszę. Powodzenia.

Wyszła z budynku na miękkich nogach. Nic nie dawało jej takiego kopa, takiego zastrzyku adrenaliny, skoki na bungee mogą się schować. Skręciła w Gagarina, minęła koszmarny klockowaty budynek z szarego betonu poprzecinanego zaciekami, zdezelowaną budkę prasową i knajpę ze świeżo wyciskanymi sokami („ZDROWE, SMACZNE, NISKOKALORYCZNE!", krzyczał napis na szyldzie). Kawałek dalej, za pasami, stał poobijany ford mondeo w kolorze granatowym. Julita otworzyła drzwi od strony pasażera i wsiadła do środka. Janek nawet na nią nie spojrzał. Miał na kolanach otwartego laptopa, stukał w klawiaturę.

– Jak ci się to udało? – spytał, nie przerywając pisać. Słyszała uznanie w jego głosie. Miło.

– Powiem ci... – Podarła poplamioną kartkę, wrzuciła strzępy do popielniczki. – Ale pod jednym warunkiem.

– Aha?

– Wytłumaczysz mi, co teraz robisz. Powoli, dokładnie, i dbając o to, żebym nie czuła się jak idiotka.

Janek oderwał wzrok od komputera, spojrzał na nią spode łba.

– To może być trudne.

– Nie wątpię. – Usta Julity wygięły się w kwaśnym uśmiechu. – Ale wierzę w ciebie, Janek. Dasz radę.

– No dobra... – westchnął. – Mam już połączenie z wewnętrzną siecią, mam dostęp do serwera plików, na którym przechowywane są nagrania, ale nie znam hasła. Spróbuję najpierw ataku *SQL injection*, es-ku-el, od *structure query language*, to taki język używany do tworzenia i modyfikowania baz danych, a *injection*, bo...

Dochodziła ósma rano. Julita nie spała od dwudziestu godzin. I wcale tego nie czuła.

Prokurator Bobrzycki siedział w poczekalni, w szklanym kubku parzyła się herbata. Inaczej sobie wyobrażał ten ośrodek. Bardziej jak więzienie. A tu podłoga wyłożona linoleum, ściany pomalowane na pastelowo, a na nich przeraźliwie brzydkie obrazy autorstwa pacjentów (martwa natura z kwiatami, wiejski pejzaż, czyjś zezujący portret), tanie plastikowe meble we wszystkich odcieniach tęczy. Czasem korytarzem przejdzie zgarbiony mężczyzna, szurając przydeptanymi kapciami, gdzieś w oddali gra telewizor, w powietrzu unosi się zapach gotowanej kapusty. Coś jak dom spokojnej starości. Tylko w drzwiach są zamki magnetyczne, a okien nie da się otworzyć.

– Panie prokuratorze?

Bobrzycki odwrócił się w stronę głosu. W drzwiach stał strażnik, nie strażnik.

– Tak?

– Wszystko gotowe.

– Dziękuję. Już idę. – Upił łyczek gorącej herbaty, poparzył usta.

Niewielki pokój, okno wychodzące na las, biurko, dwa krzesła. Na jednym z nich siedział Paweł Kordycki. Być może najbardziej znienawidzony mężczyzna w kraju. Długie przerzedzające się włosy spięte w kucyk kolorową gumką. Wyciągnięte dresy. Klapki podróbki. Opuchnięta, szara twarz. Rzadko bywał na słońcu.

– Dzień dobry. – Prokurator zajął miejsce po drugiej stronie stołu. – Cezary Bobrzycki.

– Szalenie mi miło.

Cisza. Bobrzycki otwiera teczkę, *klik* zwalnianego zatrzasku.

– Czemu zawdzięczam tę przyjemność? – Kordycki kładzie dłonie na stole. – Nowe oskarżenie? Znów coś znaleźliście u mnie w pokoju?

– Nie. Nie chodzi o pana.

– A o kogo?

– Pan pozwoli, że ja będę zadawał pytania.

– A muszę odpowiadać?

– Nic pan nie musi.

– No tak – prychnął Kordycki. – Jestem w końcu wolnym człowiekiem.

Piętnaście lat, pomyślał Bobrzycki. Tyle mu zasądzili. Za mało, krzyczały gazety, za mało, krzyczeli ludzie pod sądem po ostatniej rozprawie. No, to znalazło się rozwiązanie. Sprawiedliwe, niesprawiedliwe.

– Pracował pan od tysiąc dziewięćset dziewięćdziesiątego pierwszego do tysiąc dziewięćset dziewięćdziesiątego trzeciego roku w teatrze Królewicz. Zgadza się?

– Zgadza. – Kordycki kiwnął głową. – Jako magazynier.

– W tym samym czasie występował tam Ryszard Buczek. Znał go pan?

– Pewnie, że tak. Wszystkich znałem.

– Jak by pan określił wasze relacje?

Kordycki uniósł wzrok. Na środku sufitu była kamera.

– Nie rejestruje dźwięku – powiedział Bobrzycki, czytając jego myśli.

– Akurat.

Znów cicho. Tykał tylko wiszący na ścianie zegar.

– Powtarzam, że tu nie chodzi o pana.

– Aha. Nie jestem głupi.

– Spróbuję inaczej. Czy Ryszard Buczek miał coś na sumieniu?

Kordycki spojrzał mu w oczy, jakby sprawdzał, czy sobie z niego kpi. A potem się zaśmiał. Mokry śmiech przechodzący w kaszel, flegma odrywająca się od krtani.

– Co pana tak rozbawiło?

– Nic, nic, coś mi do gardła wpadło. – Kordycki otarł łzę.

Bobrzycki złożył dłonie w trójkąt. Skoro trzeba nacisnąć, naciśnie.

– Słyszałem, że pozwolili panu mieć w pokoju telewizor. Dziesięć kanałów, tak? Okno na świat, można by rzec.

– A co?

– Przecież nie jest pan głupi.

Kordyckiemu drgała noga. Aż trzęsło się biurko.

– Opowiem panu historyjkę, panie prokuratorze – powiedział wreszcie. – Całkiem zmyśloną. Wszelkie podobieństwo do rzeczywistych osób i zdarzeń przypadkowe. Rozumie pan?

– Rozumiem. – Bobrzycki zdjął skuwkę z wiecznego pióra. – Zamieniam się w słuch.

Julita widziała kilka filmów o hakerach. Ciemna piwnica, mężczyzna z kapturem naciągniętym na oczy, twarz oświetlona bladym światłem bijącym od monitora. Palce tańczą po klawiaturze, szybko, coraz szybciej, jak u pianisty wchodzącego w *crescendo*, w tle buduje napięcie dynamiczna muzyka elektroniczna, *tam-dam-tam-dam--dam, tam-dam-tam-dam-dam*, w dół ekranu spływają zielone litery i cyfry, albo jeszcze lepiej, chińskie znaki, tak szybko, że zwykły człowiek nie jest w stanie ich odczytać;

311

na zbliżeniu widać rozbiegane, podkrążone oczy hakera, w których odbija się tekst. Nagle pojawia się czerwony pasek z napisem ACQUIRING NETWORK albo BREACHING FIRE-WALL, trzydzieści procent, pięćdziesiąt procent, siedemdziesiąt procent, haker stuka w klawisze jeszcze szybciej, na ekran wyskakują kolejne migające okienka z wykrzyknikami, osiemdziesiąt pięć procent, dziewięćdziesiąt pięć procent... Wreszcie pasek dochodzi do końca, pojawia się zielony napis ACCESS GRANTED, haker opada na fotel i ociera pot ze strudzonego czoła.

To, co robił Janek, w niczym nie przypominało tych filmów. W polu „login" wpisał tylko jeden symbol: apostrof, po czym wcisnął enter. Chwilę później pojawił się komunikat. *Server Error.*

– Doskonale. – Janek zatarł ręce. – Szybko pójdzie.

– Nie rozumiem... – Julita wpatrywała się intensywnie w ekran, jakby oglądała jeden z tych obrazków, które ukrywają w sobie drugi rysunek, widoczny tylko gdy wytęży się wzrok. Ten się jednak nie ukazywał.

– To znaczy, że baza danych jest błędnie skonfigurowana. Źle filtruje znaki ucieczki. Inaczej dostałbym po prostu informację, że nie ma takiego użytkownika.

– Hm?

– No, dzięki temu mogę zmienić wykonywane zapytanie – powiedział Janek, wpisując w polu „login" kolejną komendę. – Dobra, teraz mi nie przeszkadzaj, potrzebuję parę minut i...

– Hola, hola, hola. – Julita złożyła ekran laptopa, ignorując protesty Trana. – Nie taka była umowa. Miałeś mi wszystko tłumaczyć.

– No to tłumaczę przecież.

– Tak, żebym nie czuła się jak idiotka.

Janek przejechał palcami po wąsach, westchnął.

– Julita, wiesz, czego ty ode mnie wymagasz? – powiedział, wyraźnie poirytowany. – To tak, jakbyś przyszła na wykład na czwartym roku matematyki i spodziewała się, że będą ci tam tłumaczyć, jaka jest kolejność wykonywania działań. Ty przecież nic nie wiesz, dziewczyno.

Niby to wiedziała, ale i tak zabolało, zagrało na ego. I jeszcze to protekcjonalne „dziewczyno" na koniec. Pierdol się, chłopaku, pomyślała, nie odpuszczę ci.

– Pomyśl o tym tak – powiedziała słodkim tonem. – Jakież to pole do popisu dla ambitnego dydaktyka.

– Ale ja nie jestem... Ugh. – Janek urwał w pół słowa i otworzył schowek na rękawiczki. Grzebał chwilę w środku, szukając czegoś wśród pomiętych chusteczek i papierków po batonach. Wreszcie wyciągnął pożółkły, wymięty notatnik kołowy i czarny flamaster. – Zrób mi tę uprzejmość i skup się teraz, okej? Załóżmy, że dostęp do tej bazy danych ma facet nazywający się Jan Malinowski. Kiedy wpisujesz do pola „login" Malinowski i wciskasz enter, wysyłasz tak naprawdę takie zapytanie. – Flamaster skrzypi po papierze, Janek ma brzydkie, koślawe pismo. Skończył pisać, podał notatnik Julicie. *SELECT * FROM uzytkownicy WHERE uzytkownik = ‚malinowski'.* – Czyli mówisz komputerowi, żeby z kategorii „użytkownicy" wybrał użytkownika o nazwie „malinowski". Jasne?

– Jasne.

– Fantastycznie. Oby tak dalej. – Janek wyrwał jej notatnik. – Słowo „malinowski" jest wpisane między apostrofy, tak? Te apostrofy to część komendy, wydzielają jej część. No to teraz uważaj: jeśli w polu „login" wpiszę po prostu apostrof, serwer powinien odczytać to jako zapytanie o użytkownika o nazwie, no wiesz, apostrof. – Szybkie maźnięcie flamastra, krótka kreska. – Ale jeśli jest źle skonfigurowany, odczytuje to jako część komendy, więc odsyła mi informację, że jej nie rozumie, tak jak przed chwilą. Inaczej mówiąc, ktoś spieprzył robotę, bo mogę wpisywać komendy administratora z poziomu użytkownika. A to oznacza, że wejdziemy do środka w kilka minut.

– Ale jak?

– Sposobów jest kilka. – Janek otworzył ponownie laptopa. – Zacznijmy może od listy użytkowników, tak będzie najprościej...

Janek stukał w klawiaturę. W polu „login" pojawił się krótki tekst: *admin' OR ,1'='1*.

– To jest taki prosty trik – powiedział. – Baza danych powinna odczytać „OR" jako jakiekolwiek inne słowo, ale przez ten błąd z apostrofem, o którym ci mówiłem, potraktuje je jako część komendy. Czyli mówimy komputerowi: zwróć użytkownika o nazwie „admin", lub, i to lub jest właśnie najważniejsze, takiego, dla którego jeden równa się jeden. I tutaj biedny program wariuje, bo to jest zawsze prawda, jeden równa się jeden, ten warunek jest zawsze spełniony dla każdego użytkownika. – Widząc, że Julita już otwiera usta, żeby coś powiedzieć, Janek powstrzymał ją gestem. – Błagam, nie każ mi tego tłumaczyć w szczególe, bo będziemy tu siedzieć do jutra, okej? Po prostu patrz.

Janek wcisnął enter. Po chwili na ekranie pojawiła się lista użytkowników.

JLipski
KPorebski
ZMikolski
AFalecka

HKupiec
WChrusciel
JSwierzynska
PBaranski
MZych
MNicgorska
ARabiega
MTomaszkiewicz
BBlacha
AMotyka
DMichalski

Dobra. – Janek stuknął palcem w ekran laptopa. Dopiero teraz Julita zauważyła, jak bardzo jest brudny; całą powierzchnię pokrywały tłuste plamy i kurz. – Kogo sobie wybieramy?

– To ma jakieś znaczenie?

– Żadne.

– Hm… – Julita pochyliła się w fotelu. – To niech będzie Chruściel. Moja polonistka z podstawówki miała tak na nazwisko. Całkiem fajna babka, tylko…

– Może być. – Janek nie dał jej skończyć. – Wiemy, że mamy użytkownika o nazwie WChrusciel, tak? Włodzimierz, Wanda, Wacław, nieważne. Pytanie, jakie ma hasło. Można się zabrać za to na kilka sposobów… Na przykład możemy wykorzystać tę komendę. Patrz.

Janek skrzypiał chwilę flamastrem o papier, po czym podał Julicie notatnik. ' *OR EXISTS(SELECT * FROM uzytkownicy WHERE uzytkownik='WChrusciel' AND password LIKE '%a%') AND* ''='.

– Okej… – Julita podrapała się po szyi. Skóra się lepiła. Marzył jej się długi, gorący prysznic. – Wybierz spośród

315

użytkowników użytkownika o nazwie WChrusciel i hasło... Dalej już nie wiem.

– Zasadniczo pytamy, czy hasło zawiera literę „a".

– A zawiera?

– Nie wiem. – Janek wzruszył ramionami. – Jeśli zawiera, to wejdziemy do środka. Jeśli nie zawiera, to wyskoczy nam komunikat, że hasło albo nazwa użytkownika jest nieprawidłowa, i spróbujemy jeszcze raz. Gotowa?

– Mhm.

Za pierwszym razem się nie udało. Janek spróbował tej samej komendy z inną literą, tym razem „e". Znów pudło. Kolejne podejście – tym razem z „i". „Witaj, WChrusciel, jesteś zalogowany". Julita gapiła się w ekran z niedowierzaniem, jakby zobaczyła magiczną sztuczkę: królika, który wyskoczył z cylindra, albo przeciętą piłą kobietę, która z uśmiechem macha widowni mimo tryskającej ze skrzyni krwi. Janek otworzył butelkę coli, wziął łyk, otarł spierzchnięte usta. Opuszki miał czarne od tuszu flamastra.

– Nie myśl sobie. – Brzmiał jak zadowolony z siebie. – Rzadko kiedy jest aż tak łatwo. Tu ktoś po prostu mocno zjebał robotę. Jak znam życie, to napisał im tę bazę danych dziesięć lat temu jakiś student, którego wzięli na darmowe praktyki, i od tego czasu nikt do niej nie zaglądał. No bo skoro działa, to po co ruszać... No dobra, bierzemy się do pracy?

– Bierzemy.

BIIIIIIP. Ryk klaksonu otrząsnął Bobrzyckiego z zamyślenia. Jadący za nim TIR błyskał światłami. Prokurator spojrzał na prędkościomierz, wskazówka ledwo przekraczała pięćdziesiąt kilometrów na godzinę. Bobrzycki zjechał na pobocze, przepuścił ciężarówkę i ciągnący się za nią sznur samochodów osobowych. Serce biło mu tak mocno, że widział, jak z każdym uderzeniem unosi się i opada koszula. Prokurator włączył światła awaryjne, uchylił drzwi.

Dużo się dowiedział. Może nawet za dużo.

Muszę się odezwać do tych Australijczyków, pomyślał. Jeszcze dziś, najdalej jutro.

Bobrzycki nacisnął sprzęgło, przekręcił kluczyk w stacyjce.

A potem wyszedł z auta i zwymiotował w przydrożne krzaki. Trawa gięła się pod pędem powietrza bijącego od przejeżdżających tuż obok aut, odsłaniając rdzewiejące puszki po piwie i foliowe opakowania. Nitki gęstej, palącej usta śliny ciągnęły się jak babie lato.

Bobrzycki wytarł twarz chusteczką, po czym wsiadł do auta. W oddali było widać sylwetki warszawskich wieżowców.

Julita założyła ręce za głowę, przeciągnęła się. Wszystko ją bolało. Plecy, ramiona, nogi – od siedzenia w niewygodnej pozycji. Głowa – od chemicznego, pseudokwiecistego smrodu bijącego od zwisającej z lusterka choinki zapachowej. Oczy – od ciągłego gapienia się w monitor. Przez ostatnie kilka godzin przeglądali nagrania z monitoringu osiedla Buczka. Dość szybko znaleźli kamerę, z której było widać miejsce parkingowe aktora. Ale potem musieli przejrzeć taśmy z kilku ostatnich tygodni. Nawet ze zwiększoną prędkością odtwarzania trwało to całą wieczność. Co jakiś czas w kadrze pojawiał się Buczek. Przez przyśpieszone ruchy wyglądał śmiesznie, jak postać z czołówki Benny'ego Hilla, *taratatararata-tatararara*. Buczek parkuje. Buczek rusza. Buczek niesie siatki z zakupami.

Buczek kłóci się o coś z żoną. Buczek przywozi syna z piłki. Buczek przyciera samochód sąsiada przy cofaniu, chwilę się zastanawia, co zrobić, patrzy przez moment prosto w obiektyw kamery, po czym wyrywa karteczkę z kalendarza, pisze coś na niej i chowa ją za wycieraczką uszkodzonego samochodu. Julicie zrobiło się gorąco. Widziała miejsce, z którego Buczek wyrwał tę stronę. Przejechała palcem po postrzępionej krawędzi.

– Wszystko w porządku? – Tran zatrzymał nagranie.

– Tak, tak. A co?

– Masz dziwną minę.

– Hm? Nie, nic takiego. Puszczaj dalej.

Pusto, pusto, pusto, nic się nie dzieje. Buczek parkuje. Buczek rusza. Buczek niesie siatki z zakupami. Julita ziewnęła, zamknęła na chwilę oczy. Buczek gada przez telefon. Buczek upuszcza torbę, wychodząc z samochodu, zbiera z ziemi pomarańcze. Buczek wyjeżdża gdzieś z domu wieczorem, razem z żoną, może na kolację do znajomych, może do kina. Wracają, parkują. Pusto, pusto, pusto.

– Może chociaż puścisz jakąś muzykę? – westchnęła Julita. – Bo umrę z nudów.

– Mhm.

Klik. Ostre gitarowe riffy, perkusja jak rozpędzony pociąg, wysoki i skrzekliwy wokal. Brzmiało znajomo.

– Judas Priest? – spytała.

– Tak.

– Pierwszy chłopak mojej siostry ich słuchał. Jedyny facet z długimi włosami w całym Żukowie. Raz jak...

– Cicho, cicho. – Janek podskoczył na fotelu, zatrzymał nagranie, cofnął je o kilka minut. – Patrz.

Napis w dolnym rogu pokazuje „17:18, 13 X 2018". Buczek zaparkował samochód, wychodzi. W jednej ręce ma płócienną torbę, z której wystają bagietki, w drugiej klucze od auta. Naciska guzik na pilocie, żeby zamknąć samochód. Nic. Zdziwiony Buczek zatrzymuje się w pół kroku, naciska guzik jeszcze raz. Tym razem auto mruga światłami i opadają zamki. Buczek otwiera drzwi na klatkę, znika.

– No i?

– Patrz dalej.

Pięć minut później zza kadru, z martwego kąta, którego nie obejmowała kamera, wychodzi mężczyzna. Wysoki, coś koło metra dziewięćdziesiąt. Ma na sobie czapkę z daszkiem, który zasłania twarz, i skórzane rękawiczki. Zagląda pod auto. Wyciąga stamtąd mały przedmiot, coś przy nim majstruje. *Pik-pik*, drzwi się otwierają. Mężczyzna wchodzi do środka.

Julita wcisnęła pauzę.

– O ja pierdolę… – wyszeptała.

– Mówiłem ci.

– Jak… Jak on to zrobił? Miał drugi zestaw kluczy?

– Nie. Nie musiał. – Janek cofnął nagranie o kilka klatek. – Widzisz ten sprzęt, który wyciągnął spod samochodu? To się nazywa RollJam.

– Okej… I co to jest?

– Wiesz, jak działają te pikadełka do samochodów? – Tran wyciągnął kluczyki do auta z kieszeni kurtki, zadyndał nimi przed nią jak przed dzieckiem, któremu pokazuje się grzechotkę. – Zakładam, że nie.

– Mogłeś sobie już darować. – Julita się skrzywiła. – Owszem, nie wiem, jestem głupia. No, mów dalej.

– W środku jest nadajnik. Kiedy naciskasz guzik, wysyłasz sygnał radiowy, a kiedy sygnał dociera do odbiornika, zwalniają się zamki. Jasne?

– Jasne.

– Kiedyś cały czas używało się jednego sygnału... Ale to średnio bezpieczne rozwiązanie, bo taki sygnał można przechwycić. Dlatego teraz w samochodach ten klucz zmienia się za każdym razem. Możesz go sobie przechwycić, ale następnym razem i tak nie zadziała.

– Okej, ale jak w takim razie auto ma rozpoznać sygnał właściciela?

– Dobre pytanie. I nadajnik, i odbiornik mają pseudolosowe generatory kodów, które są ze sobą zsynchronizowane. Za każdym razem, kiedy naciskasz guzik, generatory wybierają nowy klucz, który wygląda na zupełnie przypadkowy, o ile nie znasz punktu wyjścia tych obliczeń, a ten ustawia producent.

– Niegłupie.

– Mhm. Przez długi czas się wydawało, że tego zabezpieczenia właściwie nie da się złamać... No, a potem pojawił się RollJam. On działa tak, że blokuje odbiornik w samochodzie, więc sygnał nigdy do niego nie dociera...

– A, i dlatego Buczkowi nie udało się zamknąć auta za pierwszym razem?

– Mhm. Jednocześnie ten zablokowany sygnał nagrywa się na RollJamie... I można go potem odtworzyć. Odbiornik w aucie ma ten sygnał w pamięci jako wiarygodny, bo sam przecież też go wcześniej wygenerował, ale nadal niewykorzystany. Wystarczy więc wcisnąć guzik... – Janek puścił nagranie, samochód Buczka mrugnął światłami. – I proszę, zamek się otwiera.

– Aha. I gdzie można dostać ten gadżet?

– Oficjalnie? Nigdzie. Można go pewnie kupić gdzieś na czarno... Albo zrobić samemu. W sieci są instrukcje. RollJam wymyślił taki *white hat* haker, pokazywał go na DEF CONIE w Las Vegas jakiś rok czy dwa lata temu...

Julita już go nie słuchała. Patrzyła, jak mężczyzna wchodzi do auta Buczka, schyla się i znika na chwilę za deską rozdzielczą. Mija pięć minut, dziesięć. Nagle mężczyzna się prostuje, rozgląda się, jakby coś go spłoszyło; może usłyszał czyjś głos, może zobaczył, że ktoś idzie w jego stronę. Wyskakuje z samochodu, idzie szybkim krokiem. Na jednym ujęciu patrzy w bok. Nawet na ziarnistym, czarno-białym nagraniu widać, że ma w uszach duże dziury. Jak po tunelach. Jak u mężczyzny, którego Leon widział na pogrzebie Buczka. Wzdrygnęła się. Nagle dotarło do niej, co właściwie ogląda. Mordercę, który zastawia pułapkę na swoją ofiarę.

– Janek... – Urwała, słysząc, że drży jej głos. Przełknęła ślinę, zaczęła jeszcze raz. – Słuchaj, fajnie było się bawić w detektywa... Ale ja wymiękam.

– Co?

– Musimy z tym iść na policję.

Janek zamknął komputer, zabębnił palcami po obudowie.

– Widzisz... Z tym może być mały problem.

– Bo?

Odwrócił się w jej stronę. Sterczące na wszystkie strony krótkie czarne włosy. Płaski nos pokryty piegami. Czarne, śmiertelnie poważne oczy.

– Julita... – mówił powoli, niezwykle spokojnie. – Ja jestem z policji.

= 10 =

Nie, nie, nie... – Julita pokręciła głową; zadzwoniły cicho kolczyki. – Nie wierzę. To niemożliwe. To jakiś głupi żart.

Janek odwrócił wzrok i wyjrzał na ulicę. Przejechała za nimi śmieciarka, gdzieś w parku ujadał pies. Czekała, aż Janek do niej mrugnie, aż zacznie się śmiać, aż klepnie ją w kolano i powie: „Żebyś widziała swoją twarz!". Nic. Milczał.

– Pokaż mi w takim razie swoją odznakę – powiedziała, krzyżując ramiona. Kręciło jej się w głowie. Może to ze zmęczenia. Może przez zaduch w starym fordzie.

– Nie mogę.

– Aha. Niby czemu?

– Bo mi ją zabrali – odpowiedział Janek. – Zostałem zawieszony w obowiązkach.

– Za co?

– Pogadamy o tym później.

– Czyli kiedy?

– Kiedy mi wreszcie uwierzysz.

Julita czuła, jak wzbierają w niej emocje. Złość. Strach. Frustracja. Wzięła głęboki oddech, wypuściła powoli powietrze. Lepiej.

– Nie możesz oczekiwać, że tak po prostu ci zaufam. Nie po tym, co przeszłam.

– Wiem. – Kiwnął głową. – Otwórz schowek na rękawiczki.

– I?

– Na samym dole.

Julita sięgnęła ręką, wyczuła pod palcami śliski papier. „997 – Magazyn Policyjny", wrzesień 2018. Prychnęła.

– Mam ci uwierzyć, bo masz gazetkę policyjną? Ja mam w torbie „Politykę". Czy to znaczy, że…

– Strona siedemnasta. – Wszedł jej w słowo.

Zamilkła. Przerzuciła strony. Tani, robiony po kosztach magazyn. Brzydki layout, brzydkie zdjęcia, brzydkie grafiki. Tekst o orkiestrze reprezentacyjnej, podsumowanie XVIII Mistrzostw Kynologicznych, fotorelacja z Międzynarodowego Salonu Przemysłu Obronnego. Na stronie siedemnastej był wywiad. „Co czyha w sieci – rozmowa z aspirantem Janem Kazimierzem Nguyenem, Biuro do Walki z Cyberprzestępczością Komendy Głównej Policji".

– Nguyen? – spytała Julita.

– Mhm. – Kiwnął głową. – Tran to nazwisko matki.

Julita spojrzała na zdjęcie obok wywiadu. Uśmiechnięty Janek w niepozornym pokoju: kremowe ściany, korkowa tablica, tanie sklejkowe biurko, a w tle duże okno i stary żeliwny grzejnik. Na biurku stoją dwa monitory z naklejkami z jakiegoś funduszu unijnego.

– A Gruby? – Julita zrolowała magazyn. – Skąd się znacie?

Janek przejechał dłonią po spierzchniętych ustach, spojrzał w bok.

– W ogóle się nie znamy.

– Jak to? Przecież ja z nim rozmawiałam…

– Rozmawiałaś ze mną.

– Jak to? Wtedy, jak mu pisałam, że cię opieprzyłam… Wtedy też?

– Wtedy też.

– A twoja matka…?

– Ma się dobrze.

Julita próbowała uporządkować wywrócone do góry nogami myśli, pozbierać rozsypane informacje. Nie szło jej.

– Szukałem dojścia do ciebie… – powiedział. – Ale dyskretnie. Mikołaj wyglądał na kogoś, kogo kojarzysz, ale z kim nie rozmawiałaś od dłuższego czasu. Założyłem, że nie masz do niego numeru telefonu, więc będziesz się kontaktować przez internet… I nie zorientujesz się, że coś jest nie tak, bo nie pamiętasz już, jak mówił, jakie miał manieryzmy. Wystarczyło przejąć jego konto na Facebooku i… – Urwał w połowie zdania, westchnął. – Julita, przepraszam cię. Naprawdę. Gdybym…

– Czego ty ode mnie chcesz? – Miała w oczach łzy. I strach. – Czego ty ode mnie, kurwa, chcesz?

Janek otworzył drzwi od auta. Powietrze było zimne. Trzeźwiące.

– Chodź – powiedział. – Przejdziemy się.

Julita wytarła nos. A potem wyszła na ulicę.

Janek siedział zgarbiony, z łokciami opartymi o kolana. Gołębie podeszły do ławki, oczekując, że zaraz im coś rzuci, ziarna słonecznika albo porwany na strzępki czerstwy chleb. Krążyły po zeschłej trawie, nie spuszczając z niego oczu. Janek tupnął nogą. Zerwały się do lotu.

– Rok temu – powiedział, nie unosząc wzroku – Interpol rozbił grupę cyberprzestępczą z Rosji. Dłubali we wszystkim po trochu. Spam. Narkotyki. Internetowe apteki z podrobionymi lekami z Indii i Chin. *Ransomware*. Ekstremalne porno: zoofilskie, pedofilskie, gwałty, czego dusza zapragnie. Robili kilkanaście milionów dolarów rocznie. Oczywiście, rosyjska policja miała to w dupie. Ale jeden z nich popełnił błąd. Wyjechał z rodziną na wakacje do Turcji. Miał fałszywy paszport, myślał, że nikt się nie połapie.

Julita zapaliła papierosa, osłaniając zapalniczkę przed wiatrem. Zaciągnęła się i wypuściła dym przez nos, po czym opadła na oparcie. Ławka była zimna.

– No, ale się połapali – ciągnął Janek. – Zamknęli go, skonfiskowali mu laptopa. Nie wiem, co mu dokładnie zrobiła turecka policja, ale w końcu dał im klucz do odszyfrowania dysków twardych. A tam wiadomo: mejle, zapisy czatów, rozliczenia. Interpol dostał namiary na ich dostawców, kontrahentów, klientów i tak dalej.

– Ale co to wszystko ma wspólnego ze mną? – spytała Julita.

– Cierpliwości. – Janek zapiął suwak kurtki pod samą szyję, postawił kołnierz. – Wszystko w swoim czasie. Interpol zajął się grubymi rybami, a informacje o płotkach przekazał organom ścigania w odpowiednich państwach. W tym w Polsce. Kilkanaście nazwisk jakoś powiązanych z Rosjanami.

Janek zamilkł, czekając, aż ich ławkę miną przechodnie. Całe szczęście nie było ich wielu. Pogoda była ohydna, robiło się ciemno.

– No, to zaczęliśmy ich odławiać. Większość to była drobnica. Jeden koleś dla nich spamował, inny kupił numery skradzionych kart kredytowych. Nic wielkiego. Z jednym wyjątkiem.

– Jakim?

– Ryszard Buczek – odpowiedział Janek. – Dostał od Rosjan przelew na ponad dwa miliony złotych.

Julita cmoknęła z uznaniem. Spora kwota.

– Tak po prostu? – spytała, rozgniatając niedopałek o ławkę. – Przelali mu do banku?

– Nie, oczywiście, że nie. W bitcoinach. Można przesłać niby anonimowo... Chyba że popełnisz jakiś błąd. A Buczek popełnił. Zarejestrował swój portfel na adres mejlowy, który można było powiązać z jego nazwiskiem.

– Czekaj, czekaj, ten sam Buczek, który opowiadał w wywiadach, że nie potrafi nawet komputera włączyć?

– Ten sam. – Janek skinął głową. – Może ściemniał... A może ktoś mu pomagał. Nieważne. Zrobiliśmy mu nalot. Jego komputer wylądował na moim biurku. Dysk był zaszyfrowany, ale z użyciem starej wersji TrueCrypta, która korzysta z wadliwych sterowników i... Nieistotne. W każdym razie była szansa na złamanie szyfru.

– Ale?

Janek wyprostował się, schował zgrabiałe dłonie do kieszeni. Drgała mu noga, góra-dół, góra-dół, góra-dół, coraz szybciej.

– Zabrali nam tę sprawę.

– Kto?

– Komenda Główna. Ale skąd szły naciski... Nie wiem. Po prostu któregoś dnia przyszedłem do biura i komputera Buczka już nie było. Dowody przekazano do innego pionu, tyle mi powiedzieli. Zaraz później poszła informacja, że dochodzenie umorzono, a Buczkowi nie postawiono żadnych zarzutów.

– Mocno podejrzane.

– Aha – przytaknął Janek. – Dobra, chodź, bo zaraz dupa mi przymarznie do ławki.

– Tylko nie do twojego samochodu. Serio, nie wysiedzę w tym gracie ani minuty dłużej.

– Tu na górze jest już Puławska. Usiądziemy w jakiejś knajpie.

– Wiesz, chętnie, ale...

– Spokojnie. Ja stawiam.

Ruszyli pod górę, z nisko opuszczonymi głowami, żeby osłonić się przed przybierającym na sile wiatrem. Minęli śmietnik, z którego wygrzebywały jedzenie gawrony, potem niewielki staw; na zielonej od glonów wodzie unosiły się puste butelki po piwie. Morskie Oko, prychnęła Julita, dobre sobie.

– I co było dalej?

– Poszedłem z tym do naczelnika mojego wydziału. Potem do komendanta. Mówiłem, że poszlaki były silne, że przecież Buczek nie dostał tych pieniędzy w ramach jakiejś bezinteresownej darowizny. Że ci Rosjanie to byli poważni gracze, że to może być gruba afera. Usłyszałem, że mam się przestać interesować tym tematem. Że sprawa jest zamknięta.

– I co? Posłuchałeś się?

Rzucił jej spojrzenie z ukosa. Weszli na szczyt skarpy, minęli płytę upamiętniającą ofiary powstania warszawskiego, pod którą pobłyskiwały potłuczone znicze. Płyty chodnikowe były połamane, wypchnięte ku górze przez korzenie drzew, trzeba było uważać, żeby się nie potknąć. Słychać już było szum Puławskiej.

– Nie wiedziałem, co mam zrobić – ciągnął Janek. – W końcu postanowiłem, że muszę z tym iść do prasy.

– I dlatego uderzyłeś do mnie?

– Proszę cię – parsknął. – To było jeszcze, jak Buczek żył. Poszedłem do poważnej gazety, do znajomego dziennikarza, który coś tam nawet rozumiał ze spraw cyberbezpieczeństwa. Przekazałem mu materiały, powiedziałem, co podejrzewam.

– No i?

Szli wzdłuż ruchliwej ulicy. Kanciasty peerelowski blok, buroszary i praśny, elegancki szklany biurowiec odbijający światła mijających go aut, dziewiętnastowieczna kamienica z frontonem oklejonym kolcami, tak żeby nie siadały na nim ptaki. Lumpeks z ciuchami na wagę, a koło niego hipsterska knajpa, zakład krawiecki w sutenerze, a obok salon masażu tajskiego.

– Zadzwonił tydzień później – ciągnął Janek. – Powiedział, że nie będzie mógł się zająć tym tematem. Kiedy zapytałem czemu, po prostu się rozłączył. Chwilę później dostałem wezwanie na rozmowę. Zawieszono mnie za zdradzenie tajnych informacji, rozpoczęło się już postępowanie dyscyplinarne. Z tego, co słyszę, mam zostać zwolniony.

Weszli do baru z kebabami, Janek zamówił dwie herbaty i frytki. Usiedli w kącie, pod telewizorem ustawionym na kanał informacyjny. Żółty pasek biegł wzdłuż ekranu, gadające głowy ruszały bezdźwięcznie ustami, jak ryby w akwarium.

– Niedługo potem Buczek miał wypadek. – Janek zrobił palcami znak cudzysłowu. – A ja znalazłem w sieci twój artykuł. Śledziłem, co porabiasz, co piszesz... A kiedy wybuchła ta cała afera ze zdjęciami i zostałaś zwolniona, postanowiłem, że się do ciebie odezwę. Wiesz, na wypadek gdybyś potrzebowała pomocy.

– Czemu nie we własnym imieniu?

– Nie chciałem cię spłoszyć... Ani przysporzyć sobie więcej problemów.

Napili się herbaty. Gęsta, słodka, doprawiona kardamonem. Natychmiast rozgrzewała.

– W takim razie o co w tym wszystkim chodzi? – spytała Julita. – Masz jakąś teorię?

– Nie. Wiemy tylko tyle, że Buczek był w coś umoczony. W tym świetle jego śmierć na pewno nie była przypadkowa. Może wisiał komuś duże pieniądze. Może wiedział coś, co nie mogło wyjść na światło dzienne. A może właśnie powiedział o jedno słowo za dużo, kiedy go aresztowano, i ktoś się na nim zemścił. Nie sposób powiedzieć.

– To co dalej? – spytała Julita.

– Przykro to mówić, ale… Na policję nie ma co z tym iść. Po prostu zamiotą to wszystko pod dywan, tak jak poprzednio. Jedyna szansa, żeby to pchnąć do przodu, to nagłośnić tę historię. Kiedy zrobi się z tego skandal, kiedy zacznie się o tym mówić – Janek spojrzał na telewizor – nie będą mieli wyjścia, będą musieli otworzyć z powrotem sprawę. Jest taki młody prokurator, który chętnie by się za to zabrał, ale musi być ostrożny, potrzebuje odpowiedniej podkładki.

– I co? Ja mam to nagłośnić? Ja, Julita Wójcicka, i mój wielce poczytny blog?

Janek nalał sobie resztkę herbaty; parowała z filiżanki, przesłaniając na chwilę jego twarz.

– Nie wiem, co się stało w tamtej gazecie – powiedział. – Nie wiem, kto uciszył mojego znajomego ani jakich argumentów użył… Ale musiały być cholernie przekonujące. Nie wiem też, co by się stało, gdybym poszedł do innej redakcji. Może coś by zrobili… A może cała historia by się powtórzyła. Wiem natomiast, że jeśli ty napiszesz o tych nagraniach z monitoringu, jeżeli je wrzucisz do sieci… To już tam zostaną.

Julita siedziała w milczeniu, wpatrzona w koszyk ze stygnącymi frytkami. Nie jadła od rana. Nie była głodna.

– Tylko żebyś była świadoma… – Janek przerwał ciszę. – To jest ryzyko. Skurwysyn już wcześniej reagował ostro na twoje publikacje.

– Pamiętam, wierz mi.

– To co zrobisz?

– Nie wiem – powiedziała Julita, skubiąc wystającą z szalika nitkę. – Naprawdę nie wiem. Muszę się zastanowić.

– Rozumiem.

Julita zaczęła się ubierać. Zapięła się pod szyję, naciągnęła czapkę na uszy. Czuła, że jeśli zaraz nie wróci do domu, nie weźmie gorącego prysznica i nie wejdzie pod kołdrę, zupełnie się rozłoży.

– Janek?

– Tak?

– Czy ty mnie śledziłeś?

– Słucham?

– Wtedy, kiedy spotkaliśmy się pierwszy raz, w tej obskurnej knajpie na placu Hallera. – Przerzuciła torbę przez ramię; była ciężka, pasek wrzynał się w skórę. – Dałeś mi komórkę, żebym sprawdziła pocztę, bo moja się rozładowała. Czy zachowałeś wtedy moje hasło?

Nie odpowiedział. Oczy uciekły mu w bok. Kiedy znów spojrzał w jej stronę, wychodziła już na ulicę.

Szybko się uczy, pomyślał.

Julita wchodziła po schodach, powłócząc nogami. Czuła się jak alpinista cierpiący na chorobę wysokościową: kręciło jej się w głowie, bolał ją każdy mięsień. Wreszcie, ciężko dysząc, wdrapała się na szóste piętro. Miała nadzieję, że Piotrek będzie w domu, że chociaż będzie mogła mu się wygadać, ale nie, mieszkanie było puste. Rzuciła kurtkę na kanapę i poszła do kuchni. Czekając, aż zagotuje się woda w czajniku, usiadła na podłodze i oparła się plecami o rozgrzany kaloryfer.

Kiedy w Meganewsach pisała kolejny tekst o tym, co słychać u obecnego chłopaka byłej żony partnera popularnej w latach dziewięćdziesiątych piosenkarki, marzyła o tej chwili. Julita Wójcicka na tropie wielkiej afery! Sprawiedliwy glina powierza jej informacje kluczowe dla śledztwa, ryzykując własną karierę! Jej tekst obnaża układ, o którym bały się pisać mainstreamowe media! Ale teraz, kiedy ten moment wreszcie nadszedł, nie czuła ekscytacji ani radości. Była przerażona. Ściśnięty żołądek, zjeżone włosy na karku, urywany oddech, każdy dźwięk wydawał się przeraźliwie głośny, każdy ruch gwałtowny. W co ja się wpakowałam, myślała, łapiąc się za ramiona, wbijając paznokcie w skórę.

Zalała sypaną kawę wrzątkiem i spojrzała na zegarek. Dochodziła siódma. Za trzy godziny zaczynała się jej zmiana w hostelu. Powinna była się położyć, chociaż na chwilę przymknąć piekące oczy, odpocząć. Ale wiedziała, że dopóki nie zrzuci z siebie tego ciężaru, dopóki nie pozbędzie się z głowy kłębiących się słów, nie będzie w stanie myśleć o niczym innym.

Julita włączyła komputer.

Leon Nowiński przeciągnął się, ziewnął, po czym odłożył książkę (*Czarny szlak*, kryminał, akcja toczy się w polskich górach, ciało turysty z głową rozłupaną czekanem znalezione o świcie na szczycie Giewontu, wsparte plecami o oszroniony krzyż). Nie mógł skupić się na lekturze, co chwila coś go rozpraszało. A to musiał poprawić poduszkę, bo mu było niewygodnie, a to spojrzał na telefon, czy czasem czegoś nie dostał. Nie żeby książka była nudna – przyjemne czytadło, może nic ambitnego, ale przyzwoicie napisane. Po prostu jakoś nie mógł wejść w ten świat. Postaci nie nabierały kształtów; nie słyszał ich głosów, nie widział twarzy.

Leon sięgnął po telefon, chociaż właściwie nie wiedział, po co. Odblokował ekran, włączył przeglądarkę. Sprawdził wiadomości, ale w nic nie kliknął. Zajrzał na chwilę na forum dla grafików komputerowych, potem wszedł na Twittera, przewijając kciukiem kolejne wpisy, aż dotarł do tych, które oglądał kilkanaście minut wcześniej. Potem przez chwilę gapił się w ekran, zastanawiając się, co dalej, aż w końcu postanowił wejść na stronę Julity. Jakiś czas temu przestał ją odwiedzać, po pierwsze dlatego, że już długo nie była aktualizowana, po drugie, zdawał sobie sprawę z tego, że tak naprawdę bardziej niż same artykuły interesuje go ich autorka. Nie bądź żałosny, mówił sobie, miałeś swoją szansę, spieprzyłeś, nie ma co tego rozpamiętywać, po prostu zapomnij. Ale jakoś nie mógł.

Na stronie był nowy wpis. Kiedy Leon zobaczył tytuł, gwizdnął przeciągle. No, no, pomyślał, śledztwo nabiera rumieńców.

MĘŻCZYZNA Z TUNELAMI

Coraz więcej wskazuje na to, że Ryszard Buczek nie zginął w wypadku – lecz został zamordowany. Zabójstwa dokonano najprawdopodobniej poprzez zdalne przejęcie kontroli nad autem aktora – a następnie celowe spowodowanie śmiertelnej w skutkach kolizji.

Zdaję sobie sprawę, że brzmi to niewiarygodnie, jak fragment scenariusza filmu science fiction – dlatego nie stawiałabym tej tezy, gdybym nie miała solidnych dowodów na jej podparcie.

Zacznijmy od tego, że możliwość zdalnego przechwycenia auta została już udokumentowana przez dziennikarzy WIRED (1). Wówczas co prawda nie udało się przejąć pełnej kontroli nad układem sterowania – co wcale nie znaczy, że nie jest to możliwe przy fizycznym dostępie do pojazdu, a dokładnie jego komputera pokładowego. Prawdopodobieństwo powodzenia takiego ataku rośnie, kiedy mamy do czynienia z samochodem kilkuletnim, używającym starego oprogramowania – a jeep Ryszarda Buczka zszedł z taśmy produkcyjnej w zamierzchłym z perspektywy standardów cyberbezpieczeństwa roku 2014.

Dzięki anonimowemu informatorowi weszłam w posiadanie dwóch nagrań, które wspierają tezę o morderstwie. Umieszczam je poniżej. Na pierwszym widać, jak niezidentyfikowany mężczyzna otwiera samochód Ryszarda Buczka za pomocą urządzenia o nazwie RollJam (2). Na drugim wyraźnie można zaobserwować, jak samochód aktora skręca bez jakiegokolwiek udziału kierowcy – i ku jego rozpaczy.

W świetle tych nagrań wydaje się oczywiste, że jak najszybciej powinno zostać wznowione śledztwo w sprawie śmierci Ryszarda Buczka – a także jego powiązań. Z mojego śledztwa wynika bowiem, że dobroduszny Pan Migdał miał drugie, mniej przyjazne oblicze. Więcej na ten temat napiszę w kolejnym wpisie.

Zastanawiam się też, kim jest mężczyzna z tunelami. Podobną osobę widziano na pogrzebie

Ryszarda Buczka – bezczeszczącą dopiero co przysypany ziemią grób aktora. Czyżby był to mój prześladowca, któremu zawdzięczam nieśmiertelną sławę na portalach erotycznych? Jeśli tak, to cieszę się, że miałam okazję się odwdzięczyć i szeroko rozpowszechnić także Twój wizerunek. Teraz pozostaje jeszcze tylko przypisać do niego imię i nazwisko.

Julita Wójcicka

(1) https://www.wired.com/2015/07/hackers-remotely-kill-jeep-highway/
(2) https://makezine.com/2015/08/11/anatomy-of-the-rolljam-wireless-car-hack/

Leon odłożył telefon. O cholera, pomyślał.

Potrzebuję pana podpisu tu, tu i jeszcze tu. – Julita wskazała puste pola na formularzu końcówką długopisu. – Przyjechał pan do nas samochodem?

– Nie. Pociągiem – odparł mężczyzna. Jarosław Kuczek, tak było w dowodzie, zameldowany w Rzeszowie, na ulicy Ustrzyckiej. Miał trzydzieści sześć lat, ogorzałą twarz, rzednące blond włosy zaczesane starannie na bok. Tani brązowy garnitur z plastikowym połyskiem, tak ze dwa rozmiary za mały, może jeszcze ze ślubu, koszula z kołnierzykiem pożółkłym od potu, przydeptane czarne buty, rano pastowane, ale już oblepione błotem, a w ręku poobijany skórzany neseser. Jedna noc. Pewnie przyjechał do stolicy na rozmowę o pracę. Może budowlaniec, pomyślała Julita, patrząc na pobliźnione dłonie, albo magazynier.

– W takim razie pominę informację o miejscu parkingowym... Nasza sieć nazywa się „kaczka", hasło „warszawa", od małej litery – ciągnęła, ledwo powstrzymując ziewnięcie. – Nie podajemy śniadań, ale może pan korzystać z kuchni na pierwszym piętrze. Ma pan jakieś pytania?

– Nie, wszystko jasne.

– W takim razie życzę spokojnej nocy.

– I pani również.

Oby, pomyślała Julita, patrząc, jak mężczyzna wspina się po skrzypiących schodach. To był ostatni gość, którego miała przyjąć, więc o ile do hostelu nie przyjdzie ktoś z ulicy, powinna mieć już spokój do rana. Wiedziała, że jeśli spróbuje czytać, natychmiast zaśnie: od trzydziestu godzin była cały czas na nogach, dlatego wzięła ze sobą laptopa. Obiecała sobie, że nie będzie sprawdzać, jak sobie radzi jej artykuł, ile już uzbierał lajków i szerów, a ile komentarzy. Nie chciała się stresować. Zamiast tego postanowiła, że poszpera trochę w tym owianym złą sławą dark necie.

Otworzyła laptopa, a następnie połączyła się z siecią kawiarni po drugiej stronie ulicy: zawsze lepiej dmuchać na zimne, teraz trudniej by ją było namierzyć. Następnie znalazła na pulpicie ikonkę w kształcie cebuli, *Start Tor Browser*. Julita wzięła głęboki oddech, kliknęła dwa razy... I otworzyło się okienko przeglądarki. Żadnej złowrogiej muzyki, żadnego błysku piorunów za oknem. „Witaj w przeglądarce TOR". No dobra, pomyślała Julita, to zobaczmy, co i jak.

Najpierw wpisała adres pierwszej strony, jaka jej przyszła do głowy, cnn.com. Załadowała się jak w zwykłej przeglądarce, tylko znacznie wolniej: dane musiały w końcu przeskoczyć przez kilku pośredników, żeby zatrzeć ślady połączenia.

– No dobra... – powiedziała, stukając w klawiaturę. – A teraz zejdźmy pod powierzchnię.

Janek powiedział, że niektóre strony istnieją tylko w dark necie i można do nich dotrzeć właśnie za pomocą przeglądarki TOR. To tak zwane *hidden services*, „ukryte usługi". Adresy niektórych z nich były powszechnie znane i łatwe do sprawdzenia w „zwykłym" internecie. Julita znalazła jedną z takich list w kilka minut. Pierwsza pozycja: indeks *hidden services*, Tor Links, http://torlinkbgs6aabns.onion/. Z ciekawości, Julita przekleiła najpierw adres do zwykłej przeglądarki. Nic, pusta strona. „Ta witryna jest nieosiągalna. Nie udało się znaleźć adresu IP serwera". Okej, pomyślała, to teraz spróbujmy w TOR-ze. Strona załadowała się w kilka sekund. Szare tło, czerwone napisy.

– Niesamowite... – wyszeptała.

Przewijała listę *hidden services*, podzieloną na kategorie. Niektóre były banalne, w niczym nie odbiegały od tego, co można było znaleźć w zwykłej sieci. Usługi finansowe. Wyszukiwarki. Hosting. Fora dyskusyjne. Inne wyglądały na kryjówki przed cenzurą: strony irańskich opozycjonistów, anarchistów z Rożawy, działaczy prawno-człowieczych z Ameryki Łacińskiej. Jeszcze inne brzmiały niepokojąco. Narkotyki. Pornografia. Hacking. Julita zaczęła czytać opisy poszczególnych stron. Czuła, jak włos jeży jej się na karku. Broń i amunicja z UK, sprzedaż za bitcoiny. Marihuana, haszysz, speed, ecstasy. Płatni zabójcy – teren USA/Kanada, UE. Zmroziło ją. Nie no, pomyślała, ten ostatni link to już są żarty, przecież to niemożliwe, prawda? Ale bała się kliknąć.

Może lepiej zacząć od czegoś niewinnego, pomyślała. Na przykład wyszukiwarka *hidden services*, taki Google dla dark netu, http://xmh57jrzrnw6insl.onion/. *Klik*. Prosta strona, okienko wyszukiwania, a pod nim migające bannery reklamowe. „SuperCards, sklonowane numery kard debetowych i kredytowych – u nas najtaniej!", „TorStore – kradzione towary w okazyjnych cenach!", „DrugDome – sprawdzone narkotyki najlepszej jakości!".

Julita gapiła się w ekran komputera, pocierając skronie. Nie mieściło jej się to wszystko w głowie, miała wrażenie, że ma halucynacje. Jak to jest w ogóle możliwe? Naprawdę wystarczy ściągnąć z sieci jeden darmowy program i to, co nielegalne, ba, ściśle zakazane, jest nagle do kupienia od ręki, jak trampki, garnki, krem do twarzy? Czemu to w ogóle istnieje, czemu ktoś tego jeszcze, do cholery, nie zamknął?

Przesunęła kursor nad jeden z bannerów – i zawahała się. Czy samo wejście na stronę, która rzekomo sprzedaje twarde narkotyki, nie jest przestępstwem? Nie była pewna. Z jednej strony, TOR niby zapewniał pełną anonimowość, ale ponoć zdarzały się wyjątki. Z drugiej strony, miała zabezpieczony przez Janka komputer, łączyła się przez sieć, której nie można było z nią powiązać... Raz kozie śmierć.

Julita zaczęła przeglądać *hidden services*. Wiele z adresów nie odpowiadało, ale mniej więcej co trzecia strona w końcu się wczytywała. Http://2ogmrlfzdthnwkez.onion/. Wynajmij usługi hakera! Prosta robota, np. hakowanie kont na Facebooku, Twitterze, instalowanie trojanów, ataki DDOS na prywatne strony – 250 EUR, płatne w bitcoinach (0,036 B). Http://vfqn4rfieccqyvv3.onion/. Brytyjskie paszporty – jak prawdziwe, z hologramami i znakami wodnymi, satysfakcja gwarantowana albo zwrot pieniędzy! Imię, które sam wybierzesz! 1000 GBP za sztukę, oferujemy zniżki przy dużych zamówieniach! Http://fr4tcoez7ui9oaf.onion/. Niagra – jak viagra, ta sama jakość, niższa cena! 12 tabletek 100 mg w cenie 15 GBP, 10% zniżka na pierwsze zamówienie! Http://5tyd5gtu9kloo8s. onion/. Forum dla hakerów, spamerów i scammerów. Rejestracja tylko dla polecanych użytkowników!

To, co uderzało w tych wszystkich stronach – poza treścią, rzecz jasna – to ich brzydota i toporność. Tytuły stron pisane fontem Comic Sans, rozmiar 36, kolor wściekle różowy. Ściany tekstu. Bure tła. Koślawe, chałupniczo robione grafiki. Wszystko to kojarzyło się z internetem późnych lat 90., ze zdjęciami ładującymi się piksel po pikselu, z rzężącym metalicznie modemem, krótko mówiąc – z czasami, kiedy sieć była jeszcze ciekawostką, zabawką, a nie nowym wymiarem rzeczywistości. Przeglądając kolejne *hidden services*, Julita miała wrażenie, jakby przeniosła się do jakiejś równoległej rzeczywistości, w której zatryumfowali anarchiści i libertarianie, gdzie wszystko jest legalne, wszystko jest do kupienia, nikt nie zadaje pytań, tylko liczy się pieniądze. Dobra, stwierdziła Julita, jak na pierwszy raz wystarczy, dziękuję bardzo, mam dość materiału do przemyśleń.

Już miała zamykać przeglądarkę TOR, kiedy coś ją tknęło. Wszystkie *hidden services* wyglądają tak samo, seria losowych znaków zakończona .onion zamiast .com. 5tyd5gtu9kloo8s. fr4tcoez7ui9oaf. vfqn4rfieccqyvv3. Widziała już gdzieś taki ciąg symboli. Przerzuciła torbę, wyciągnęła z niej swój notatnik. W środku była karteczka z cyframi i literami wypisanymi świecową kredką. l12muifye5m4ldjz. Bełkot skopiowany z kalendarza Buczka.

Julita wkleiła ciąg znaków do okna przeglądarki, dopisała na końcu .onion, po czym nacisnęła enter. Chwilę później załadowała się strona.

Witaj. Podaj nazwę użytkownika i hasło.

Posterunkowy Radosław Gralczyk wyszedł z mieszkania tylko na chwilę, wyrzucić śmieci. Nie chciało mu się czekać na windę, więc zszedł po schodach; klapki klaskały o betonowe stopnie, szeleścił foliowy worek. Wyszedł na podwórko, minął trzepak, na którym bawił się jako dziecko, zaparkowane na trawniku samochody, tam gdzie kiedyś były huśtawki. Kontenery na śmieci stały pod blaszaną wiatą. W zeszłym roku administracja osiedla postanowiła ogrodzić kosze metalową siatką, bo sąsiedzi narzekali na grzebiących w odpadkach bezdomnych. „Altanka śmietnikowa", głosiła tabliczka przypięta do furtki, „wstęp tylko dla mieszkańców wspólnoty mieszkaniowej «Jutrznia»". Nie ma co, pomyślał Gralczyk, szukając kluczyka w kieszeniach dresu, ekskluzywny klub.

– Siema – usłyszał głos zza pleców. – Radosław Gralczyk, prawda?

Posterunkowy drgnął, zaskoczony. Na ławce siedział mężczyzna w skórzanej kurtce. Kojarzył go. Trudno było nie kojarzyć jedynego Wietnamczyka w warszawskiej policji.

– Zgadza się. – Gralczyk postawił śmieci na ziemi, otrzepał ręce. – O co chodzi?

– Pytanie mam.

– Ale jakie? O pracę?

– Mhm. – Janek wstał z ławki. – Słyszałem, że to ty byłeś pierwszy na miejscu wypadku Buczka.

Zawiał wiatr. Gralczykowi zrobiło się zimno. Ala miała rację, pomyślał. Trzeba było włożyć kurtkę.

– Słuchaj – rzekł. – Dochodzi dwudziesta trzecia…

– Wiem, która jest godzina, dzięki. Tak czy nie?

– No, tak.

– Czy znalazłeś coś w aucie?

– W sensie?

– Coś, co wyglądało jak przenośny dysk.

Gralczyk zaklął w myślach. Przyłapali go, nie wiedział jak, ale przyłapali. Tylko czemu przysłali kogoś z Biura do Walki z Cyberprzestępczością? Niedobrze, niedobrze. Przyznać się? Iść w zaparte? I tak źle, i tak źle. Trzeba przeciągnąć sprawę, kupić sobie trochę czasu…

– No? – spytał Janek. – Znalazłeś czy nie?

– Ej, co to, kurwa, jest, przesłuchanie? Chcesz gadać, to przyjedź do mnie jutro na komendę, a nie przy śmietniku mnie zaczepiasz, jak jakiś menel.

– Nie chcesz tego.

– Co?

– Mówię, że nie chcesz tego załatwiać na komendzie.

– Co to ma niby znaczyć, co?

– Wiem, że dzwoniłeś do redakcji Meganewsów. – Janek oparł się o siatkę. – Pierwszy raz piętnastego października, ósma pięć rano, kwadrans po tym, jak dotarłeś na miejsce wypadku. Drugi raz trzy dni temu, o osiemnastej jedenaście. Ciekawe, o czym rozmawialiście.

Gralczyk pobladł.

– Możemy to załatwić po cichu – powiedział Janek po chwili. – Tak, żeby nie robić ci kłopotów. Ale muszę wiedzieć: znalazłeś coś w środku?

Posterunkowy bezwiednie rozcierał palce. Tam, gdzie przed chwilą wrzynały się sznurki od worka na śmieci, skórę znaczyły białe linie.

– Tak – przyznał w końcu. – Dysk, tak jak mówiłeś.

– I co się z nim stało?

– Zabrałem go. Przez pomyłkę.

– Aha, oczywiście. I co? Masz go dalej?

– Mam. – Gralczyk skinął głową. – Ale...

– Ale?

– Wykasowałem wszystkie pliki.

Janek patrzył mu przez chwilę w oczy. A potem się uśmiechnął, odsłaniając brzydkie, krzywe zęby.

– Nic nie szkodzi – powiedział.

Login: Buczek
Haslo: Niebieskiemigdaly

Błąd. Niepoprawna nazwa użytkownika bądź hasło.

Login: Buczek
Haslo: Barbara

Błąd. Niepoprawna nazwa użytkownika bądź hasło.

Login: Buczek
Haslo: Niezlomny

Błąd. Niepoprawna nazwa użytkownika bądź hasło.

Julita westchnęła, przetarła zmęczone oczy. Znów pudło. A może by tak spróbować tej sztuczki, którą pokazał jej Janek...

Login: '
Haslo: '

Błąd. Niepoprawna nazwa użytkownika bądź hasło.

Uderzyła dłonią w blat biurka. Bez sensu, pomyślała. Ekscytacja, którą odczuła, odnajdując tajemniczą stronę, szybko ustąpiła miejsca frustracji. Niczego tu nie było: żadnej nazwy, napisu, zdjęcia. Białe tło, okienko logowania, którego nijak nie potrafiła sforsować, i migający kursor. Zrozumiała, że sama nic tu więcej nie zdziała, że potrzebuje pomocy Janka: a ten jak na złość nie odbierał telefonu.

Julita postanowiła, że chwilę się zdrzemnie. Położyła się na kanapie – musiała podwinąć nogi, żeby się zmieścić – i przykryła kocem. Mimo że była wycieńczona, sen nie przychodził. Myśli uciekały do Buczka, miała go przed oczami w stroju Pana Migdała, w brokatowym cylindrze i muślinowej musze, tańczącego do melodii dżingla: „Czy się chce, czy też nie, czasem trudno skupić się, kiedy myśli są daleko, za górami i za rzeką, ku przygodzie same rwą!". Potem przychodziły kolejne obrazy: zmiażdżony jeep, ręka wystająca przez wybite okno, gra promieni słońca na pękniętej tarczy zegarka, pozdzierane, zakrwawione paznokcie. Świeży grób przykryty kwiatami, ubrani na czarno ludzie, oślepiające światło kamer telewizyjnych. Z tyłu głowy rodziły się pytania: kim on tak naprawdę był? Czemu zginął? Jakie miał związki z rosyjskim półświatkiem? I co, do cholery, robił na darknetowym forum?

Zasnęła dopiero około pierwszej, z ręką zwisającą na podłogę, z głową wspartą na oparciu kanapy. Jej ostatnią świadomą myślą było, że rano na pewno będzie bolała ją szyja. Chwilę później po drugiej stronie ulicy, tuż koło cukierni, zaparkowało czarne bmw.

Janek wszedł do mieszkania. Powiesił kluczyk na haczyku, zapalił kadzidełko pod zdjęciem dziadków. Wyciągnął z lodówki colę. Pił prosto z puszki, bo wszystkie szklanki stały brudne w zlewie, powkładane jedna w drugą, wypełnione tłustą zimną wodą. Podszedł do okna, wyjrzał na ulicę. Na ławce siedziało kilku ostrzyżonych na krótko chłopaków, palili trawę, obok, na chodniku, stały butelki po piwie z zielonego szkła, ustawione w równym rządku, jakby eksponowane dumnie trofea.

Nie miał czasu ani ochoty gotować, więc podgrzał w mikrofalówce parówki, dwie minuty, aż zaczęły pękać, które potem polał gęstym sosem rybnym. Zjadł je na stojąco, szybkimi kęsami, żeby nie poparzyć podniebienia, zajadając czerstwym chlebem – tak suchym, że skrzypiał, kiedy się go gryzło. Kiedy tylko skończył, żując jeszcze, odłożył talerz na blat, otarł twarz z okruchów i poszedł do pokoju obok – sypialni, pracowni, salonu, dziesięć metrów kwadratowych, scena, na której rozgrywało się jego życie. Stara, zdarta klepka przykryta wyblakłym dywanem w arabeski, stół zastawiony komputerami i rozkręconym na kawałki sprzętem elektronicznym, obok, w tekturowym pudle, kłębiły się kable.

Janek włączył komputer, na którym miał postawionego Qubesa, po czym wyciągnął z kieszeni czarny dysk USB i wsunął go do portu. Przez chwilę czekał, czy nie włączy się któryś z programów ostrzegających przed działaniem *malware*, ale nie, żaden nie bił na alarm. Otworzył dysk. Zgodnie z zapowiedzią Gralczyka, był pusty: zajęte o MB z dostępnych 32 GB. Janek odpalił program do odzyskiwania plików, kliknął przycisk „skanuj" – i *voilà*, pięć sekund później na ekranie wyświetliły się usunięte dane.

Janek wziął łyk coli, potrzymał ją chwilę w ustach, żeby pozbyć się nieprzyjemnego posmaku podłego jedzenia. Chociaż kwestiami cyberbezpieczeństwa zajmował się zawodowo od kilkunastu lat, nadal nie przestawało go szokować, jak mało ludzie wiedzą na ten temat, jak bardzo nie rozumieją świata, który ich otacza – i jak mało ich to obchodzi. Gralczyk był przekonany, że skoro wykasował te pliki, że skoro ich nie widzi, to *puf!*, zniknęły bez śladu, jak za dotknięciem magicznej różdżki. Ale one wciąż tam były – tyle tylko, że prowadząca do nich ścieżka została zatarta. Żeby się ich naprawdę pozbyć, trzeba by je nadpisać: raz, drugi, trzeci, i znów. A na wszelki wypadek i tak lepiej wyjąć wiertarkę i zrobić z twardego dysku durszlak. Ale kogo by to interesowało, myślał Janek, kto by poświęcał na to swój cenny czas. Lepiej obejrzeć sobie mecz w telewizji i wypić piwko na kanapie. A potem ustawić sobie urodziny jako numer dostępu u operatora komórkowego i dziwić się, że ktoś ma dostęp do twoich billingów.

Janek otworzył odzyskany plik – i uniósł brwi.

No, no, pomyślał, to będzie ciekawa noc.

Przepraszam? – Męski głos.

Julita otworzyła oczy. Przez chwilę nie wiedziała, gdzie jest, zdezorientowana skanowała otoczenie: biały sufit, zgaszona lampa z żółtym szklanym kloszem, pajęczyna w rogu, odgłos ulicy, zapach taniego płynu do podłóg, ręka dotyka zimnego kafelka, policzek lepi się do skórzanego oparcia. Hostel, olśniło ją, jestem w hostelu. Zaspałam.

Usiadła na kanapie, wpadające z ulicy światło raziło w oczy. Ktoś stał przy schodach, rozmyta sylwetka powoli nabierała kształtu. Łysiejący mężczyzna w tanim garniturze. Jarosław Kuczek, gość spod trójki.

– Ojej, nie chciałem pani budzić…

– Nic się nie stało – wychrypiała Julita, odgarniając włosy z twarzy. – Wie pan, w końcu jestem w pracy. W czym mogę pomóc?

– Wie pani, jak dojechać na... – Sięgnął do kieszeni, rozwinął wymiętą karteczkę. – Ulicę Puławską numer sto dwadzieścia?

– To po drugiej stronie Wisły. Najlepiej będzie, jak złapie pan tramwaj na Wiatracznej i przesiądzie się w centrum.

– Na Wiatracznej...?

– Jak pan wyjdzie, trzeba skręcić w prawo, potem za cukiernią w lewo i... Albo wie pan... – Julita spojrzała na zegarek, dochodziła szósta. – Jak pan sekundkę poczeka, to wyjdę razem z panem i panu pokażę.

– Na pewno? To nie będzie problem?

– Żaden. – Pokręciła głową. – I tak miałam skoczyć po coś do jedzenia.

Julita włożyła buty, zarzuciła płaszcz. Szczypało ją gardło, miała zapchany nos. Wychodzi na to, że oprócz bułek trzeba będzie też kupić cytryny i gripex. Wyszła na zewnątrz, *dzyń*, *dzyń*, zadzwonił dzwoneczek w drzwiach do hostelu. Pokazała Jarosławowi, którędy dojść na Wiatraczną, pożegnała się, po czym naciągnęła czapkę na uszy i ruszyła w stronę sklepu. Był po drugiej stronie ulicy. Dziesięć, może piętnaście kroków. Blisko.

– Uwaga!!!

Odwróciła się.

Ryk silnika.

Pisk opon.

Czarny samochód. Jechał środkiem ulicy. Prosto na nią.

Julita zaczęła biec. Nagle nogi oderwały się od ulicy. Poczuła ból, słyszała swój własny krzyk, zgrzyt gnącej się blachy, góra była na dole, dół na górze, mokry asfalt, gorąca krew, znowu ból, ból rozlewający się po całym ciele, smród palonej gumy, tupot czyichś nóg.

A potem nagle zupełnie nic.

Prokurator Cezary Bobrzycki nie lubił urlopów. Brał je co jakiś czas, ale tylko dlatego, że musiał. Zwykle zostawał wtedy w domu. Robił generalne porządki, wykonywał drobne naprawy, czytał książki. Parę razy gdzieś wyjechał za namową znajomych – nad morze, w góry – ale te wycieczki go męczyły. Nowe miejsca, do których trzeba było się przyzwyczaić, które trzeba było oswoić. Jedzenie, które nie wiadomo jak będzie smakować, autobusy, których tras nie znał. Ale najgorsze było poczucie bezcelowości, dryfu; nie miał pojęcia, co ze sobą robić. Chodził na spacery, które donikąd nie prowadziły, rozmawiał z ludźmi, którzy nie mieli nic do powiedzenia, zwiedzał atrakcje, które nie miały w sobie nic atrakcyjnego, przynajmniej nie dla niego. Dlatego w pracy zdziwili się, kiedy poprosił o dwa tygodnie wolnego. A kiedy powiedział, dokąd jedzie, z początku myśleli, że żartuje. Oczywiście, Cezary Bobrzycki nie miał zamiaru odpoczywać. Ale to już zachował dla siebie.

Prokurator napił się kawy, równie drogiej, co niedobrej, po czym oderwał wzrok od gazety i kolejny raz sprawdził tablicę z informacjami o odlotach. Robił to w równych interwałach, co pięć minut. Specjalnie wybrał miejsce, z którego miał dobry widok, żeby nie musieć się odwracać. Wciąż nic. Cezary Bobrzycki wrócił do artykułu, ale nim doczytał zdanie do końca, z głośników dobiegł kobiecy głos:

– Pasażerów podróżujących do Sydney lotem British Airways BA15 prosimy o udanie się do bramki D38. Powtarzam, pasażerów podróżujących do Sydney...

Prokuratorowi Bobrzyckiemu nie trzeba było powtarzać. Jeszcze nim komunikat wybrzmiał do końca, dopił kawę, zwinął gazetę w rulon i ruszył w stronę wyjścia.

Kap. Kap. Kap.

Znowu nie dokręciłam kranu, pomyślała Julita, nie otwierając nawet oczu. Była taka zmęczona, chciała spać, spać, spać, ale nie mogła, rytmiczny odgłos drażnił, irytował, wybudzał. Będzie tak kapać całą noc. Trzeba wstać, Julita wie, że trzeba wstać i zakręcić, ale nie może się przecież ruszyć, jej ciało jest ciężkie, obolałe, a myśli wolne, spływają jak gęstniejąca smoła, we śnie, nie śnie, w rozciągliwym bezczasie. Która godzina, zastanawia się Julita, musi być już późno, światło przebija przez zamknięte powieki, czemu nie zadzwonił budzik? Spóźnię się, nie wiem gdzie, ale się spóźnię, wstawaj, no wstawaj już.

W końcu Julita próbuje otworzyć oczy. Otwiera się jedno.

Kap, kap, kap, przezroczysty płyn ścieka z kroplówki i spływa długą krętą rurką do wenflonu wbitego w pokrytą strupami rękę. Julita chce go dotknąć, to odruch, ale nie może, bo drugie ramię jest sztywne, w gipsie, promieniuje bólem.

Teraz sobie przypomina. Rozpędzony samochód, oślepiające światło. Facet, ten facet spod trójki, podnosi ją z ziemi. Błysk kogutów, ratownik medyczny, który coś mówi, ale jego słowa rozciągają się jak guma. Szpital, myśli Julita, jestem w szpitalu. Teraz dopiero docierają do niej inne dźwięki: szum maszyn, kaszel, szept rozmów. Kto mówi? Julita chce obrócić głowę, ale szyja jest w sztywnym kołnierzu, który uciska, prawie że dusi, jakby miała na sobie za ciasną obrożę.

– Widzę, że się pani obudziła. – W pole widzenia wchodzi lekarka, około pięćdziesiątki, krótkie czarne włosy, sztuczna opalenizna przecięta głębokimi zmarszczkami. – Dobrze. Jak ma pani na imię?

– Julita… – Z trudem wypowiada to krótkie słowo, głoski powoli odklejają się od wyschniętego gardła, jak odrywany plaster. – Julita Wójcicka.

– Ile palców pani widzi?

Julita wytęża wzrok. Obraz jest trochę rozmyty, chwiejny, ale nie ma wątpliwości.

– Dwa.

– Doskonale. A boli? – Lekarka postukała długopisem w gips.

– Boli.

– I dobrze, znaczy, że jest czucie. Ale gdyby ból był nie do zniesienia, proszę mówić, pomyślimy o zwiększeniu dawki środku przeciwbólowego.

– Co… Co się stało?

– No jak to co, wypadek pani miała. – Lekarka sprawdzała coś na wydruku z wynikami przypiętym do łóżka. – O ile tak to można nazwać. Ja to bym powiedziała, że ktoś próbował panią zabić.

– Kto?

– Nie wiadomo. Sprawca, nie uwierzy pani, uciekł z miejsca wypadku. Znaczy, próbował wpierw panią przejechać jeszcze raz, cofając się, ale całe szczęście zasłonił panią ten pan, który przyjechał tu z panią karetką, Jarosław, Jarosław jakiś tam…

Przejechać jeszcze raz. Julita czuła, jak cierpnie jej skóra pod gipsem.

– No, ale o tym to będzie z panią rozmawiać policja, jak dojdzie pani do siebie – ciągnęła lekarka. – Ja mogę rozmawiać o pani stanie medycznym. Chce pani posłuchać?

– Chcę.

Kobieta skinęła głową, usiadła na stołku obok łóżka.

– Złamana kość strzałkowa i piszczelowa lewej nogi, pęknięte czwarte i piąte żebro, złamana kość promieniowa lewej ręki, nieznaczne przesunięcie drugiego i trzeciego kręgu szyjnego, lekkie wstrząśnienie mózgu, tu i tam trzeba było założyć parę szwów... – wyliczała lekarka, przeglądając zdjęcia rentgenowskie. – A poza tym już tylko siniaki i zadrapania. Krótko mówiąc, miała pani szczęście.

– Szczęście?!

– No pewnie. Gdyby tamten pan pani nie ostrzegł, gdyby nie skoczyła pani w bok... Na organy nie byłoby czego zbierać. A tak auto tylko o panią zahaczyło. Nawet śrub nie trzeba było wkręcać. W przyszłe lato będzie pani mogła maratony biegać. – Julita wytężyła wzrok, żeby przeczytać nazwisko na identyfikatorze przypiętym do białego kitla. „Dr Irena Kozłowska". – No, ale nie uprzedzajmy faktów. Na razie trzeba leżeć. Ma pani założony cewnik, więc toaletą się nie przejmujemy. Nóżka, rączka, wiadomo, w gipsie, musi się zrosnąć. Szyja jest na wyciągu, żeby kręgi wskoczyły na swoje miejsce. Trzymamy tak minimum tydzień, potem założymy pani kołnierz z gąbki, też sztywny, ale będzie trochę wygodniej. Tu ma pani guzik, żeby wezwać pielęgniarkę, a...

– Kiedy będę mogła stąd wyjść?

Lekarka spojrzała jej w oczy, uniosła brew.

– No proszę, dopiero co przyjechała, a już by chciała wychodzić. Zobaczymy, proszę pani, zobaczymy, trochę cierpliwości... Ach, zapomniałabym. Była tu wcześniej pani siostra. Prosiła o informację, kiedy odzyska pani przytomność. Czy mam powiedzieć, że jest pani gotowa na wizytę, czy wolałaby mieć pani na razie święty spokój?

– Nie... Niech przyjedzie.

– Dobrze, przekażę.

Doktor Kozłowska wyszła na korytarz. Jeszcze chwilę słychać było stukot jej chodaków, zwielokrotniony echem, a potem zrobiło się cicho. Strasznie cicho. Chyba była sama w pokoju, trudno powiedzieć, nie mogła unieść głowy, rozejrzeć się, widziała sufit, kawałek okna, firanki, nic więcej. Powoli docierało do niej, co się stało. Jak mało brakowało, żeby zamiast do szpitala zabrali ją do kostnicy. Zmroziło ją. Nigdy wcześniej nie myślała na poważnie o śmierci, przynajmniej nie swojej. Oczywiście, była świadoma tego, że kiedyś umrze, tak samo jak była świadoma, że za ileś tam miliardów lat Ziemię pochłonie gasnące słońce – obie te informacje niosły ze sobą ten sam ładunek emocjonalny, zdawały się tak samo odległe, nijak nie przekładały się na jej codzienne życie. Śmierć to nie było coś, co próbowała od siebie odsunąć, tak jak jej rodzice, którzy co dzień łykali baterię suplementów diety, mających wzmocnić ich kości, serca, nerki, włosy, skórę, ani tym bardziej coś, na co się jakkolwiek przygotowywała. Nie spisała testamentu (zresztą, co miałaby w nim niby zapisać?), nie zastanawiała się, czy chciałaby zostać skremowana, czy pochowana w trumnie, czy pogrzebana w rodzinnym grobowcu w Kartuzach, skąd pochodziła mama, czy może jednak w Żukowie, gdzie się wychowała. Julita uświadomiła sobie, tak naprawdę po raz pierwszy w życiu, że jest śmiertelna. Co więcej, ktoś jej tej śmierci życzy. Ktoś próbował ją zabić.

Była przerażona. I nawet nie mogła się ruszyć.

Janek wstał od komputera. Po pierwsze dlatego, że chciało mu się sikać. Po drugie dlatego, że słońce wzeszło już nad budynek po drugiej stronie placu Hallera i świeciło mu prosto w monitor. Janek zaciągnął kotary; w powietrze wzbiły się drobinki kurzu, zrobiło się ciemno.

Łazienka była niewielka, dwa na trzy metry. Dość, żeby zmieścić kabinę prysznicową, pralkę i sedes. Na ziemi, za drzwiami, leżały brudne ubrania: czarne koszulki, dżinsowe spodnie, skarpetki nie do pary. Janek wysikał się, namydlił ręce, po czym opłukał je nad pożółconą kamienieniem umywalką. Spojrzał w lustro rozświetlone mrugającą jarzeniówką. Skóra świeciła się od potu, opuchnięte oczy nabiegły krwią.

Janek usiadł przy komputerze, odsunął na bok zgniecione puszki po coli. To była owocna noc – zaskakująco owocna. Nie przypuszczał, że dotrze do kodu źródłowego. Każdy szanujący się haker użyłby przecież obfuskatora, przez co odzyskany kod byłby zupełnie nieczytelny – a przy okazji ułożyłby się jeszcze w kształt wyprostowanego środkowego palca. Ale Skurwysyn, jak nazywała go Julita, tego nie zrobił. Czemu? Najprawdopodobniej nie planował zostawić dysku w samochodzie, nie sądził, że ktoś poza nim będzie miał do niego dostęp. Zostawił go tylko dlatego, że się śpieszył, bo coś go spłoszyło. A może… A może wręcz przeciwnie, chciał się pochwalić, chciał, żeby ktoś odczytał ten kod – i docenił jego geniusz? Jeśli tak, to mu się udało. Janek był pod wrażeniem. Pod bardzo dużym wrażeniem.

Samochód Buczka, jak każde nowe auto, obsługiwał komunikację w standardzie Bluetooth. Wielka wygoda: wystarczy raz sparować komórkę z autem, a ta będzie się od tej pory łączyć z samochodem automatycznie – i rzecz jasna, bezprzewodowo. Chcesz posłuchać muzyki? Możesz puścić w samochodowym radiu playlistę z telefonu, nie wyciągając go nawet z kieszeni. Ktoś dzwoni? Odbierasz przychodzące połączenia za pomocą systemu głośnomówiącego, wciskając jeden guzik na kierownicy. Albo może czekasz na kogoś na parkingu i zaczynasz się nudzić? Dwa kliknięcia i puszczasz film z telefonu na ekranie wbudowanym w deskę rozdzielczą.

Świetne rozwiązanie. Szkoda tylko, że niespecjalnie bezpieczne. Po pierwsze, system audio i wideo jest połączony z systemem sterowania. Głupi błąd w architekturze, na który nikt nie zwracał specjalnie uwagi. No bo co takiego może się zdarzyć? Po drugie, protokół Bluetooth jest wadliwy. Wykorzystując błąd znany jako BlueBorne, haker może połączyć się z wybranym urządzeniem, całkowicie omijając procedurę weryfikacji.

Skurwysyn musiał jechać za Buczkiem, śledzić go. Połączył się z komputerem pokładowym za pomocą Bluetooth, a następnie przesłał pakiety danych udające plik muzyczny, powiedzmy, o rozszerzeniu *.MP3* albo *.M4V*. Procesor systemu audio odtwarza je, myśląc, że to na przykład nowa piosenka Eda Sheerana. Tymczasem tak naprawdę były to dane typu *CAN*, używane do komunikacji z układem sterowania – który z kolei jest sprzężony z systemem rozrywki. Oczywiście, wbudowane w oprogramowanie zabezpieczenia powinny uniemożliwić przejęcie zdalnej kontroli. Tyle że *firmware* został wcześniej podmieniony na złośliwą wersję, którą komputer pokładowy uznał za aktualizację. Wszystko za sprawą małego dysku. Tak małego, że Buczek nie zwrócił nawet na niego uwagi.

Janek pokiwał głową z uznaniem. Już wcześniej podejrzewał, że Skurwysyn naprawdę zna się na swojej robocie, że jest wymiataczem. Teraz miał na to twardy dowód – który jednak nie przybliżał go specjalnie do rozwiązania sprawy. Jeśli na obudowie dysku były jakieś odciski palców, to ten kretyn Gralczyk je zatarł. Model był popularny i powszechnie dostępny, nie sposób byłoby więc dojść do tego, kto go kupił, przynajmniej nie przy środkach, jakimi dysponował. Można przejrzeć jeszcze raz nagrania z miejskiego monitoringu, ale Janek wątpił, czy cokolwiek tam znajdzie. Samochodowe odbiorniki Bluetooth miały zasięg kilkudziesięciu metrów, Skurwysyn mógł więc zachować spory dystans do jeepa Buczka. Zresztą, czego tak naprawdę miałby szukać? Czarnego auta z czaszką i skrzyżowanymi piszczelami na masce?

Pozostawał więc sam kod. Janek przetarł zmęczone oczy i wbił wzrok w monitor. Plik o nazwie „hd". Fragment skryptu podmieniającego oprogramowanie jednego z procesorów.

```
#!/bin/sh
# update ioc
/fs/mmco/cmds/iocupdate -c 4 -p /fs/mmco/cmd/cmcioc.bin
# restart in app mode
lua /fs/mmco/cmd/reset_appmode.lua
# sleep and wait for reset
/bin/sleep 42
```

Linijki wyglądały dziwnie znajomo. Było tu coś, co już wcześniej widział, był tego pewien. Ale właściwie co?

Gdzie? Kiedy? Za cholerę nie mógł sobie przypomnieć. Ziewnął przeciągle, sięgnął po telefon. Siedem nieodebranych połączeń od Julity. Próbował oddzwonić, ale nie odpowiadała, więc nagrał się na automatyczną sekretarkę. Ciekawe, pomyślał, zamykając oczy, co takiego pilnego miała mu do powiedzenia.

Julita odkryła, że ból, o dziwo, nie jest problemem. Oczywiście, zdarta skóra wciąż piekła, a złamane kości wciąż napieprzały. Ale środki przeciwbólowe całe szczęście robiły swoje. Wszystko to wydawało się wytłumione, jakby ktoś kłuł ją szpilką w zdrętwiałą nogę: niby to czujesz, ale tak nie do końca, nie w stu procentach. Dopiero kiedy próbowała się ruszyć – albo, co gorsza, głębiej odetchnąć – ból znajdował jakoś drogę do mózgu i uderzał, eksplodował, tak że wyciskał jej łzy z oczu.

Gorsze było co innego: nie mogła się podrapać. A szorstki koc drażnił nogę, metka od szpitalnej piżamy drapała kark, skóra pod gipsem swędziała jak cholera. Doprowadzało ją to wszystko do szaleństwa, a nie miała nic, co mogłoby ją rozproszyć: komputera, telefonu, książki, gazety. A Julita musiała być czymś zajęta, zawsze, wszędzie, tak już był skonstruowany jej umysł; kiedy zapominała wziąć ze sobą komórkę do toalety, czytała etykiety odświeżaczy powietrza albo liczyła kafelki na ścianach. A teraz musiała leżeć, leżeć z głową na wyciągu, ze wzrokiem wbitym w biały jak kartka sufit.

Poznawała już salowe po odgłosach ich kroków: pani Lucyna chodziła powoli, szurając kapciami, pani Elżbieta energicznie, przytupując, jakby nadrabiała niski wzrost. Czasem słyszała też stukot chodaków doktor Kozłowskiej; kobieta musiała cały dzień biegać z jednego końca szpitala na drugi. A teraz usłyszała inne kroki. Męskie, w twardych butach. Otworzyły się drzwi do jej pokoju.

– Kto... Kto to? – wychrypiała.

Nie było odpowiedzi, tylko odgłos odpinanego suwaka, a potem ciche *kliki*. Co to, pomyślała, co to?! Próbowała się unieść na łokciu, ale po ciele rozlał się ból, straszny ból, aż ją oślepiło, aż wydawało jej się, że pokój wypełnił się białym światłem.

– I jeszcze jeden z bliska... Uśmiech! – usłyszała męski głos. Nim zdążyła zareagować, zobaczyła czarne oko obiektywu i znowu rozbłysnął flesz, raz, drugi, trzeci. – Pięknie.

– Co... Co ty robisz?!

– A jak myślisz? – Mężczyzna odsunął aparat od twarzy. Podgolone skronie, długie włosy zaczesane do tyłu na żel. – Zdjęcia.

– Pojebało cię?!

Paparazzo nie zwracał na nią w ogóle uwagi. Sprawdził na podglądzie, czy fotografie wyszły jak trzeba, po czym, najwyraźniej zadowolony, schował aparat do futerału i zgiął się w dworskim ukłonie.

– Życzę szybkiego powrotu do zdrowia – powiedział, po czym wyszedł na korytarz. I znów zrobiło się cicho.

Julita czuła, że drżą jej usta, że oczy nabiegają łzami. Tylko mi się tu nie rozpłacz, myślała, zaciskając zdrową dłoń w pięść, bo to będzie boleć, strasznie boleć, i nawet nie będziesz sobie mogła otrzeć smarków z twarzy. Zresztą, gdyby tak o tym pomyśleć, cała sytuacja była na swój sposób zabawna. Wróciła do niej zła karma, spotkała ją kara za grzechy. Kiedyś to ona pisała artykuły o celebrytach w szpitalu, teraz to jej posiniaczona gęba będzie ściągać kliknięcia. Zastanawiała się, jaki ona dałaby tytuł do tego materiału. Może „O NIE! INTERNETOWA GWIAZDKA POTRĄCONA PRZEZ CZARNE BMW. CHCIELI JĄ ZABIĆ?!", albo lepiej: „OD GOŁYCH ZDJĘĆ DO OSTREGO DYŻURU: DRAMAT MŁODEJ DZIENNIKARKI".

– Julita?

Wreszcie znajomy głos. Magda.

– Hej – odpowiedziała. Jeszcze jej nie widziała, ale słyszała, jak zdejmuje kurtkę, jak szeleści plastikową torebką.

– Boże, tak się martwiłam... Jak się czujesz?

– Świetnie.

– Przepraszam... Idiotyczne pytanie. – Magda usiadła przy łóżku, dopiero teraz zobaczyła jej zaczerwienioną twarz, zmierzwione włosy. – Nie wiem, co powiedzieć... Tak strasznie, strasznie się o ciebie martwiłam...

– Lekarka mówi, że będzie dobrze.

– Tak, ale... Sama myśl, że... No wiesz.

– Wiem. Wierz mi.

Magda złapała ją za dłoń, ścisnęła. Trochę za mocno.

– Przepraszam za tamto, w domu.

– Daj spokój. To ja się zachowałam jak świnia.

– Nie, nie, naskoczyłam na ciebie bez sensu... Julka, wróć do mnie, dobrze? Jak cię wypiszą?

Julita uśmiechnęła się, przymknęła na chwilę oczy.

– Dzięki za gest, naprawdę doceniam... Ale nie.

– Nie? Czemu?

– Bo teraz to ja bałabym się o twoje dzieci.

Przez chwilę nic nie mówiła. Nie musiała. Julita doskonale wiedziała, co myślała jej siostra. Julka, odpuść, do cholery jasnej, zapomnij o tej sprawie, to nie jest tego warte, to nie są żarty. Miała rację, a mimo to potrafiła ugryźć się w język. W przypadku starszej siostry trudno o większy wyraz miłości.

– Słuchaj. – Magda podniosła torbę. – Kupiłam ci trochę rzeczy... Tu masz wodę, taką z dzióbkiem, żeby ci się dobrze piło na leżąco... Tu takie mleko w tubce... Pamiętasz? Lubiłaś je, jak byłaś mała... Herbatniki... Kilka tygodników... Chcesz, żebym ci załatwiła coś jeszcze?

– Mhm.

– Co? Powiedz tylko.

– Mój komputer.

Cisza. Magda znów ugryzła się w język. Chociaż tym razem ewidentnie było jej trudniej.

– Kochanie, po pierwsze, nie wiem, czy pani doktor się zgodzi, po drugie, przecież ty do niego nawet nie usiądziesz...

– Położysz go tu obok, na łóżku, przy zdrowej ręce, i podłożysz poduszkę. Jak spojrzę w bok, to będę widziała ekran, nawet na wyciągu. A doktor Kozłowska sprawia wrażenie równej babki, jakoś ją przekonasz.

– Julita...

– Proszę.

Magda wyraziła, jak bardzo jej się to nie podoba, teatralnie ciężkim westchnięciem.

Ale potem zrobiła to, o co ją poprosiła.

Janek jechał dwójką w stronę Siedlec. Wąska, rozjeżdżona przez ciężarówki droga, którą we wciąż niesprecyzowanej przyszłości miała zastąpić autostrada A2. Samochody jechały zderzak w zderzak, sześćdziesiąt, w porywach siedemdziesiąt kilometrów na godzinę. Na poboczach – festiwal kiczu. Bar Las Vegas, blaszany barak kuszący jednorękimi automatami, grillem i grochówką z kuchni polowej. Hurtownia figur gipsowych, wylany betonem, otoczony rdzewiejącą siatką plac, zaludniony przez pyzate krasnale, rozmodlone anioły, szczerzące kły lwy, a nawet fantazyjnie umaszczone dinozaury. Szamba, tanie i szczelne; to miejsce czeka na twoją reklamę; blaszane dachówki we wszystkich kolorach tęczy na tle zasnutego chmurami, listopadowego nieba.

Kolejna wieś, kolejny korek; dziesiątki aut czekają na czerwonym świetle, aż starowinka przeprowadzi poobijanego składaka na drugą stronę ulicy. Janek zmrużył oczy, żeby odczytać tablicę z nazwą miejscowości. „Konik Nowy". Był już niedaleko. Za domem weselnym zgodnie z instrukcjami skręcił w prawo. Potem chwila wyboistą szutrową drogą, przy krzyżu prosto, a następnie w lewo, w stronę lasu. Na poboczu stały trzy radiowozy, między drzewami rozciągnięto policyjną taśmę. Janek zatrzymał auto i otworzył drzwi. Natychmiast poczuł smród spalenizny.

– Jak się jechało? – Martyna wyszła na drogę. Szara jesionka nie dopinała się jej już na brzuchu.

– W porządku. – Wysiadł z auta, zatrzasnął drzwi.

– Janek, Boże, jak ty wyglądasz...

– No, jak?

– Jakbyś nie spał od tygodnia.

– Mhm. – Uśmiechnął się. – Mniej więcej się zgadza.

Martyna milczała, ale wszystko, co chciała powiedzieć, można było zobaczyć w jej oczach. Weź się za siebie, chłopie, nim będzie za późno. Co było, minęło, musisz sobie z tym poradzić, poukładać się. Odwrócił wzrok. Bo i z jego twarzy można było pewnie wiele wyczytać.

– Gdzie samochód? – spytał.

– Tu zaraz, za tamtymi drzewami.

– To chodźmy. Za godzinę zajdzie słońce.

Martyna uniosła trzepoczącą na wietrze taśmę, żeby mógł przejść. Milczeli. Suche liście chrzęściły pod stopami, trzaskały patyki. Las sprawiał wrażenie wymarłego: szary, cichy, pusty. W głąb prowadziła rzadko używana, piaszczysta droga. Szli obok, po zwiędłym mchu, żeby nie zatrzeć świeżych śladów opon. Po kilku minutach dotarli na niewielką polankę, na której czernił się wrak samochodu. Została tylko osmalona blacha, wnętrze było doszczętnie wypalone.

– To na pewno ten sam samochód? – spytał Janek.

– Mhm. Numer rejestracyjny pokrywa się z tym, który podali świadkowie.

– I co?

– Skradziony. Dostaliśmy zgłoszenie dwa dni temu.

Janek obszedł auto dookoła. Przedni zderzak był wgięty.

– Dobra, opowiadaj.

– Samochód został oblany benzyną, w środku i na zewnątrz, a następnie podpalony – powiedziała Martyna. – Słup dymu było widać we wsi. Straż pożarna została powiadomiona o jedenastej dwadzieścia trzy. Ale byli na miejscu dopiero około dwunastej, mieli problem ze znalezieniem dojazdu.

– Długo.

– Aha. Dlatego wnętrze zdążyło doszczętnie spłonąć, na ślady organiczne nie ma co liczyć. Ani zresztą na żadne inne.

– Bo?

– Bo niczego nie znaleźliśmy. – Martyna wzruszyła ramionami. – Żadnego etui na okulary, atlasu, puszki po redbullu, długopisu, choćby pięciogroszówki pod wycieraczką… Musieli go dokładnie wyczyścić.

– Czyli wiedzieli, co robią. Zawodowcy.

– Też mi się tak wydaje… Zwłaszcza że na kierowcę czekał drugi samochód. Tam, od północy.

– Ktoś to widział?

– Nie.

– A odciski butów?

– Są, ale... – Martyna zawahała się. – Janek, to potrącenie pieszego i ucieczka z miejsca wypadku, nikt nie będzie...

– To była próba morderstwa.

– Ty tak uważasz. Ale nie sądzę, żeby prokurator też tak uznał. Brak dowodów.

– Oczywiście – parsknął. – Totalny zbieg okoliczności.

– Janek... Wiesz, że to nie mnie musisz przekonywać.

– Nikogo nie muszę przekonywać – powiedział Janek, po czym odwrócił się i ruszył w stronę samochodu.

Noce w szpitalu nigdy nie są ciche. Słychać, jak w sali obok ktoś jęczy z bólu albo bredzi po narkozie, pod oknami przejeżdżają karetki na sygnale, szumią podpięte do śpiących niespokojnie pacjentów maszyny. W pokoju Julity słychać było też stukanie w klawisze: powolne, nierówne. Komputer leżał z prawej strony, mogła go dosięgnąć zdrową ręką. Gorzej było z patrzeniem: szyję miała unieruchomioną, musiała więc cały czas łypać w bok, co było cholernie męczące. Co kilka minut musiała zrobić sobie przerwę, bo oczy zachodziły jej łzami, a litery zaczynały się rozjeżdżać.

Zaczęła od sprawdzenia swojego bloga. Ciągle wisiał w sieci. Ostatni artykuł odbił się naprawdę szerokim echem, zebrał setki komentarzy, tysiące polubień i udostępnień, był linkowany na dużych portalach. Potem weszła na jedną ze stron plotkarsko-informacyjnych, powoli ją przewijała, przesuwając drżący z wysiłku palec po touchpadzie. Znalazła informacje o swoim wypadku w bocznej szpalcie, na samym dole, zilustrowany fotografią, którą zrobiono jej rano. Wyglądała strasznie: posiniaczona, podrapana twarz, włosy przylepione do spoconego czoła. Jeśli ktoś liczył na kolejne nagie zdjęcia, musiał się srogo zawieść. Potem otworzyła skrzynkę pocztową. Janek – napisał, że dopiero co dowiedział się o wypadku, że porozmawia ze znajomą z policji, żeby dowiedzieć się czegoś więcej, i że niedługo będzie miał dla niej nowe informacje. Leon – pytał, co się stało, gdzie leży i czy może ją odwiedzić. Miło, że pamiętał. Kolejna wiadomość.

Gorąco, serce podchodzi do gardła, rozszerzają się źrenice.

– O ja pierdolę… – wyszeptała, rozrywając sklejone zakrzepłą krwią usta.

A potem odszyfrowała i otworzyła wiadomość.

od: Wiesz Kto <wieszkto@protonmail.com>
do: Ja <teodozja.ambrozja@gmail.com>
data: 8 listopada 2018 20:10
temat: wypadek

Wiesz, kim jestem.
To nie byłem ja.

Skurwysyn. Julita odwróciła wzrok od ekranu. Serce waliło jej tak mocno, że obijało się o potłuczone kości, oddychała przez usta, coraz szybciej i szybciej, aż zaczęło jej się mroczyć przed oczami. Muszę się uspokoić, pomyślała, muszę się opanować, bo jeszcze zemdleję. Raz, dwa, trzy, cztery, pięć…

Spojrzała znów na monitor. Przesunęła z trudem kursor; spocony palec ślizgał się po touchpadzie. „Odpowiedz". Stuka w klawiaturę, mozolnie składając ze sobą proste słowa.

od: Ja <teodozja.ambrozja@gmail.com>
do: Wiesz Kto < wieszkto@protonmail.com>
data: 8 listopada 2018 20:18
temat: Re: wypadek

A kto?

Kilka nerwowych minut; jej ciało oblewa zimny pot, piżama przykleja się do skóry, przemięka poduszka. *Ping*. Dostała SMS-a. Wyciągnęła trzęsącą się rękę w stronę stolika, poza pole widzenia, szukała na oślep znajomego kształtu. Wreszcie poczuła pod palcami telefon. Ostrożnie, myślała, tylko go teraz nie upuść, nie potłucz.

Telegram
08/11/2018, 20:22
Użytkownik „Wiesz Kto" zaprasza cię
do poufnego czatu.
Poufne czaty:
– są szyfrowane *end-to-end*,
– nie zostawiają śladów na naszych serwerach,
– ulegają samozniszczeniu po określonym czasie,
– nie zezwalają na forwardowanie.
Aby rozpocząć rozmowę, kliknij w link poniżej.

Julita zablokowała ekran komórki. Co zrobić? Może to kolejny podstęp, może pod linkiem kryje się kolejny *malware*, który zainfekuje jej telefon, który posłuży do tego, żeby ją śledzić, prześwietlić, upokorzyć. A może nie? Może naprawdę chce z nią tylko porozmawiać? Wiedziała, że powinna wpierw zadzwonić do Janka, jakoś zweryfikować to zaproszenie, ale bała się, że Skurwysyn w międzyczasie zmieni zdanie, że się spłoszy, i straci szansę jedną na milion. Otworzyła link.

Wieszkto: jesteś. dobrze.
Wieszkto: słyszałem o wypadku
Wieszkto: chciałem porozmawiać
Ja: powoli
Ja: skąd mam wiedzieć, że to naprawdę ty?
Wieszkto: dobre pytanie
Wieszkto: uczysz się
Wieszkto: tego dnia w meganewsach
Wieszkto: kiedy przejąłem twój komputer
Wieszkto: miałaś kolczyki w kształcie błyskawicy
Wieszkto: widziałem w kamerce
Ja: okej, zgadza się
Ja: ten wypadek
Ja: to niby nie ty?
Wieszkto: nie
Wieszkto: jestem gotów posunąć się daleko
Wieszkto: ale nie tak daleko
Ja: to kto?
Wieszkto: nie wiem
Wieszkto: albo inaczej – nie jestem pewien
Ja: niezbyt wiarygodne
Ja: zabiłeś Buczka
Ja: wiem już na pewno
Ja: wiem nawet jak
Wieszkto: Buczek sobie na to zasłużył
Wieszkto: ty nie
Ja: zasłużył sobie?
Ja: czym?
Wieszkto: czemu mam ci powiedzieć?

Ja: hmm

Ja: no, nie wiem

Ja: częściowa rekompensata

Ja: za to że rozjebałeś mi życie?

Wieszkto: ostrzegałem cię

Wieszkto: mówiłem, żebyś nie przeszkadzała

Ja: przeszkadzała w czym?

Ja: o co w tym wszystkim chodzi?

Wieszkto: jeśli ci powiem

Wieszkto: zaczniesz znów mieszać

Wieszkto: nie mogę na to pozwolić

Wieszkto: mam jeszcze dużo pracy

Ja: spoko

Ja: w końcu sama to ustalę

Wieszkto: wątpię

Wieszkto: nic nie wiesz

Ja: tak?

Ja: wiem, że buczek był aresztowany

Ja: a potem nagle zwolniony

Ja: że miał jakieś dziwne powiązania z rosją

Ja: przelewy w bitcoinach itede

Ja: znalazłam forum na dark necie

Ja: to wszystko nic?

Dłuższą chwilę nie odpowiadał. Julita odłożyła na chwilę telefon; nie była już w stanie utrzymać go przed twarzą, trzymane ciągle w górze ramię odmawiało posłuszeństwa. *Ping.* Nowa wiadomość.

Wieszkto: czemu to robisz?

Ja: tzn?

Wieszkto: to twoje śledztwo

Wieszkto: czemu tak ci zależy?
Ja: Hmm
Ja: bo chcę poznać prawdę
Ja: po prostu

Znów cisza. Po chwili na ekranie pojawiły się trzy migoczące kropeczki. Coś pisał. Kasował. Znów pisał.

Wieszkto: jesteś sama?
Ja: co to ma do rzeczy?
Wieszkto: odpowiedz
Ja: tak
Wieszkto: login: 83rhfn3uf34ufr5yhvmw4oyi96ki
Wieszkto: hasło: 39ti934tj3g8efjef9345dcmvnq]
Wieszkto: będziesz wiedziała, co to jest

====== użytkownik wieszkto opuścił czat =====

Miał rację. Wiedziała doskonale.

Odłożyła telefon, sięgnęła po komputer. Połączyła się z TOR-em, weszła na adres z notatnika Buczka i zaczęła przepisywać login i hasło. Trwało to prawie pół godziny: mając do dyspozycji tylko jedną rękę, musiała podnieść telefon, zapamiętać kilka znaków z długiego ciągu, wklepać je jeden po drugim, sprawdzić, czy się nie pomyliła, po czym powtórzyć całą czynność od nowa, i tak aż do skutku. Wreszcie, tuż przed dziesiątą w nocy, wcisnęła enter. Strona ładowała się długo. Ale w końcu się załadowała.

Forum miało prostą oprawę graficzną: szare tło, niebieskie litery. U góry nazwa: „Plac Zabaw". A poniżej działy: zdjęcia, filmy, transmisje na żywo. Otworzyła jeden z nich. Przedziały wiekowe: 4–8 lat, 8–12 lat, 12–16 lat. Już wiedziała, co będzie dalej. Ale musiała kliknąć. Musiała się upewnić. A kiedy tylko to zrobiła, zamknęła z trzaskiem laptopa i zrzuciła go z łóżka.

Zaniepokojone hałasem salowe przybiegły chwilę później, mówiły coś do niej, zadawały pytania, ale Julita ich nie słyszała. Myślała o Dorotce. Siedmioletnia, niepełnosprawna dziewczynka z Inowrocławia, która jeździła po studiu *Niebieskich Migdałów* na kucyku, nie płakała wcale ze szczęścia.

W Sydney było upalnie, pot spływał po czole, wilgotne spodnie ocierały uda. Cezary Bobrzycki nie lubił takiej pogody, nie lubił ekstremów, gdyby to od niego zależało, gdyby miał magiczny termostat, zawsze i wszędzie byłoby osiemnaście stopni. Wziął taksówkę prosto do hotelu i spędził cały dzień w klimatyzowanym pokoju. Próbował czytać, ale przysypiał, co chwilę opadała mu głowa. W końcu odłożył książkę i włączył telewizję. Skakał chwilę po kanałach, wreszcie postanowił obejrzeć mecz rugby, South Sydney Rabbitohs kontra Brisbane Broncos, mimo że nie znał nawet zasad gry. Gigantyczni brodaci mężczyźni zderzali się ze sobą w pełnym biegu; na powtórkach widać było w zwolnionym tempie, jak pod wpływem impetu odginają się do tyłu ich głowy, jak odkształcają się twarze. Prokurator miał wrażenie, że od samego patrzenia można dostać wstrząsu mózgu.

Wyszedł z hotelu dopiero pod wieczór. Na ulicach było głośno, mieszkańcy świętowali zwycięstwo swojego zespołu: wszędzie słychać było klaksony i chóralne, pijackie śpiewy kibiców wylewających się z barów. Prokurator szedł Pitt Street, mijał chińskie knajpy i sklepy dla turystów. Po piętnastu minutach dotarł do Circular Quay i kupił bilet na prom do Manly. Statek był pełen turystów, którzy rzucili się, żeby robić zdjęcia słynnego budynku opery w świetle zachodzącego słońca; dziesiątki zwalnianych raz za razem migawek brzmiały jak chmara cykad. Prokurator usiadł na rufie, przymknął oczy i oddychał głęboko słonym powietrzem.

Był umówiony w barze nad samą plażą, przy deptaku, po którym biegali opaleni joggerzy. Usiadł na tarasie, zamówił wodę z cytryną i napawał się widokiem ciemniejącego oceanu. Kilku amatorów surfingu próbowało jeszcze wykorzystać ostatnie widne chwile, ale niezbyt im wychodziło; fale były chyba zbyt małe, woda za spokojna.

Prokurator usłyszał ciężkie kroki, ktoś szedł w stronę jego stolika. Wysoki, otyły mężczyzna o strzaskanej słońcem skórze, na oko czterdzieści, może pięćdziesiąt lat. Rzadkie siwiejące włosy zaczesane do tyłu, szyja czerwona od golenia stępioną żyletką. Cezary widział go wcześniej na zdjęciach, chociaż musiały być robione parę lat temu, kiedy był szczuplejszy. Sierżant Nathan Kelly, założyciel grupy Aporia.

– Panie sierżancie, tutaj. – Prokurator wstał i pomachał. – Cezary Bobrzycki. Dziękuję, że…

– Jak? – Policjant zmarszczył czoło.

– Bobrzycki. Bo-brzy-cki.

– *Bob-shee-tsky?*

– Mhm. Dziękuję, że zechciał się pan ze mną spotkać.

– Po pierwsze, mów mi Nate. – Sierżant usiadł w fotelu, wyciągnął nogi. Miał na sobie stare, niezasznurowane adidasy. – Po drugie, nie ma sprawy, kumpel Michaela to mój kumpel, a poza tym… Mam teraz dużo czasu. Kochanie… – Nathan zaczepił przechodzącą obok kelnerkę. – Bądź tak miła i przynieś mi butelkę tooheys.

– Pewnie. – Młoda piegowata dziewczyna skinęła głową. – Ciemne czy jasne?

– Ciemne.

– Robi się.

– To o czym chcesz porozmawiać? – Sierżant odwrócił się do Cezarego.

– Pewnie się domyślasz. O operacji „Clockwise".

– No tak. – Nate przejechał palcami po włosach, milczał dłuższą chwilę. – Zajmowałeś się wcześniej sprawami pedofilów?

– Nie. To moja pierwsza.

– Aha. A masz mocne nerwy?

– Jestem prokuratorem. Muszę mieć.

– Jasne. To powiedz mi, kolego... – Nate wziął piwo od kelnerki, podziękował jej lekkim skinieniem głowy. – Słyszałeś kiedyś, jak krzyczy gwałcony pięciolatek?

Bobrzycki zaniemówił. Czuł się, jakby ktoś uderzył go z całej siły w brzuch, zgiął się, zrobiło mu się niedobrze. Nate pokiwał głową, pociągnął długi łyk piwa. Blady ślad po obrączce odcinał się od opalonej skóry.

– Ja słyszałem – powiedział Nate, odstawiając butelkę. – I widziałem. Klatka po klatce. Siedziałem przed komputerem, ryczałem jak bóbr, ale oglądałem. Bo musiałem. Bo to część mojej pracy. Bo... Ja pierdolę, dobry Jezu... Tego się nie da opisać.

Znów zrobiło się cicho. Nad tarasem przelatywały nietoperze wielkości małego psa. Nikt nie zwracał na nie uwagi.

– Pamiętaj o tym – powiedział sierżant. – Jak już wysłuchasz całej historii, jak poczujesz potrzebę, żeby mnie zwyzywać, żeby napluć mi w twarz, a ręczę, że poczujesz... Przypomnij sobie, że ja widziałem rzeczy, których ty nie widziałeś. Których nikt nie powinien był nigdy oglądać. Okej?

– Okej. – Bobrzycki skinął głową.

– Gdzie by tu zacząć... Może tak. Wiesz, że w latach dziewięćdziesiątych prawie się udało wyeliminować pornografię pedofilską? Długo nikt się tym nie zajmował, w latach sześćdziesiątych, siedemdziesiątych handlowano takimi materiałami zupełnie otwarcie... A potem, całe szczęście, ktoś poszedł po rozum do głowy i w latach osiemdziesiątych całkowicie ich zakazano. W tysiąc dziewięćset dziewięćdziesiątym w cyrkulacji było tylko około siedmiu tysięcy takich zdjęć. Mieliśmy je wszystkie w bazie danych, ponumerowane. Wydawało się, że jeszcze trochę i zlikwidujemy problem.

– A potem?

– A potem pojawił się internet. – Nate postukał palcem w zgaszony ekran leżącego na blacie smartfona. – Wcześniej pedofilskie zdjęcia trzeba było wywołać albo skopiować, kupić, gdzieś przechowywać... Duże ryzyko, a konsekwencje potencjalnej wpadki ogromne. A w sieci? Możesz obrazy kopiować bezkosztowo i błyskawicznie, a potem w ciągu kilku sekund rozesłać je po całym świecie, i to względnie anonimowo. Na efekty nie trzeba było długo czekać. W dwa tysiące siódmym Interpol zebrał już pięćset tysięcy zdjęć z pornografią pedofilską. A w dwa tysiące jedenastym mówiło się o dwudziestu dwóch milionach fotografii i filmów. To się nazywa boom, co?

– A teraz? Ile ich jest teraz?

– Bóg jeden wie. – Nate dopił piwo, stłumił beknięcie, po czym zamówił kolejną butelkę. – Ale... To jeszcze nie było najgorsze. Nauczyliśmy się ścigać ich też w internecie. Sieć wcale nie była taka bezpieczna, jak mogłoby się wydawać, wystarczyło poznać numer IP, żeby wyśledzić połączenie. Po pierwszych aresztach pedofile oczywiście się wycwanili, zaczęli zacierać ślady na różne sposoby. Używali na przykład techniki zwanej ścieżką okruszków, wiesz, jak w bajce. Żeby tak naprawdę zobaczyć, co jest na stronie, trzeba było zebrać pliki z ciasteczkami z innych adresów, przejść konkretną drogę. A jeśli wchodziłeś bezpośrednio pod podany adres, widziałeś zupełnie coś innego. Efekt był taki, że dostawaliśmy zgłoszenie, że na stronie takiej to a takiej są materiały pedofilskie, sprawdzaliśmy to, i znajdowaliśmy witrynę poświęconą akwarystyce albo, dajmy na to, curlingowi.

– Pomysłowe.

– Mhm. Ale w końcu zorientowaliśmy się, w czym rzecz. No i tak to właśnie wyglądało, zabawa w kotka i myszkę. Oni wymyślali nowy sposób, żeby się ukryć, więc my znajdowaliśmy nową metodę na to, żeby ich zdemaskować. I tak to trwało parę lat... Aż nagle pojawił się dark net. Wiesz, co to?

– Wiem.

– No, to wiesz też, że w dark necie możesz być naprawdę anonimowy. Stuprocentowo. Jedyne, co nam pozostało, to monitorować ruch na stronach pedofilskich... I czekać, aż któryś z nich popełni jakiś błąd. Wspomni, gdzie mieszka, gdzie pracuje... Albo źle wykadruje film. To dlatego je oglądałem. Często wiele razy, w zwolnionym tempie. Bo gdzieś w tle, na drugim planie, przez sekundę czasem mignie opakowanie płatków śniadaniowych. Albo kalendarz. Albo zabawka.

– I na tej podstawie próbowaliście ustalić, gdzie i kiedy zrobiono zdjęcia?

– Dokładnie. Dam ci jeden przykład... Na jednym z nagrań w tle było widać zasłony w taki charakterystyczny wzór, kolorowe trójkąty ułożone w równoległe pasy. Pedofile, bo było ich dwóch, i jedenastoletnia dziewczynka, ale lepiej nie wnikajmy w szczegóły, mówili z silnym akcentem. Południe Stanów, może Alabama, może Luizjana. Więc napisaliśmy do wszystkich producentów tkanin w tamtej części kraju z zapytaniem, czy wyrabiają takie zasłony. Nie pamiętam, ile to było mejli, ale dużo, sto, może nawet dwieście. W końcu znaleźliśmy fabryczkę, która je robiła, jak się okazało, na zamówienie lokalnej sieci hotelowej. Potem poszło już z górki. Przekazaliśmy sprawę Amerykanom. Szukali dwóch mężczyzn i małej dziewczynki, którzy zatrzymali się w jednym z hoteli w konkretnym przedziale czasowym. Recepcjonista z oddziału w Huntsville ich zapamiętał, bo dziwnie się zachowywali. Tydzień później byli już w areszcie. Innym razem rozpoznaliśmy jegomościa po plamce na penisie. Był wcześniej notowany, znamię było w zeznaniach ofiar. Zabawne, co? – zapytał policjant, a jego oczy zdawały się puste, jakby były ze szkła. – Wpaść przez fiuta.

Nate wziął kolejny łyk piwa, otarł usta. Deptakiem przed knajpą szła kobieta z wózkiem, rozmawiała z kimś przez telefon; niemowlak, przykryty cienkim kocykiem, spał głębokim snem. Nieco dalej, na plaży, kilku nastoletnich chłopaków rzucało między sobą frisbee w świetle latarni. Na drugim końcu promenady ktoś grał na didgeridoo; niskie, wibrujące dźwięki mieszały się z szumem fal.

– Ale wiesz... – Sierżant westchnął, odsunął butelkę. – Udawało nam się złapać najwyżej kilka osób rocznie, i to ogromnym nakładem czasu i środków. Jednocześnie mieliśmy świadomość, że w dark necie jest aktywnych tysiące pedofilów. Ci bardziej doświadczeni, a przez to groźniejsi, chowali się na zamkniętych forach, do których nie mieliśmy dostępu. Największym z nich był właśnie Ganimed.

– Próbowaliście się tam zapisać? Pod przykrywką?

– Oczywiście... Ale moderatorzy byli ostrożni. Dokładnie prześwietlali każdego chętnego, wymagali rekomendacji od innych użytkowników... A potem był egzamin.

– Egzamin? – Bobrzyckiemu wydawało się, że czegoś nie zrozumiał, albo może w australijskiej odmianie angielskiego to słowo miało jeszcze jakieś drugie, nieznane mu znaczenie.

– Aha. – Nate rozwiał wątpliwości. – To był ostatni etap. Zadawali pytania... O ulubiony akt seksualny. O ulubiony przedział wiekowy. Chłopcy czy raczej dziewczynki. Ja... – Policjantowi zaschło w ustach, znów napił się piwa. – Zrobiłem trzy podejścia. Potem dałem sobie spokój. Bałem się, że ich spłoszę.

– Ale w końcu uzyskaliście dostęp, prawda?

– Tak. Tylko że przez zupełny przypadek. – Nate skinął głową. – W Tajlandii aresztowano australijskiego obywatela, Randalla Blushera. Na jego komputerze znaleziono kilkadziesiąt gigabajtów pornografii pedofilskiej, część zdjęć była zrobiona niedawno, jeszcze nieudostępniona w sieci. Jak się okazało, był jednym z moderatorów Ganimeda, pseudonim 3rast3s. Pojechał do Azji biznesowo, jeśli wiesz, co mam na myśli... W zamian za obietnicę obniżenia kary przekazał nam dane do swojego profilu.

– I?

– Na początku byłem wniebowzięty... A potem porozmawiałem z naszymi technikami. To, że zyskaliśmy dostęp do forum, tak naprawdę niewiele zmieniało. Jego członkowie wciąż byli anonimowi. Mogliśmy skopiować ich posty, mogliśmy zacząć analizować zdjęcia... Ale jeśli chcielibyśmy naprawdę skręcić kark całej operacji, potrzebowaliśmy czasu, żeby zastawić pułapki, podpuścić ich. A na forum zaczęły się pojawiać pytania: czemu 3rast3s milczy, czemu nie wrzuca nowych zdjęć? Niektórzy użytkownicy słusznie podejrzewali, że został aresztowany, zaczęli się niepokoić, domagali się, żeby usunąć jego konto. Trzeba było działać szybko. Tak zaczęła się operacja „Clockwise".

Nate Kelly zamilkł, zaczął bezwiednie skubać paznokcie. Niektóre były obgryzione do krwi. Cezary Bobrzycki nie pośpieszał go, nie nagabywał. Domyślał się już trochę, co będzie dalej. Rozumiał, jak trudno musi być o tym mówić.

– Postanowiliśmy, że przejmę jego personę, że będę dalej aktywnym członkiem forum. Sędzia z początku nie chciał udzielić pozwolenia, ale w końcu się ugiął. Spędziłem cały weekend, czytając wcześniejsze wpisy Blushera, musiałem poznać jego styl, nauczyć się go naśladować. W poniedziałek napisałem pierwszego posta... I wrzuciłem pierwsze zdjęcie.

– Jedno z tych, które znaleźliście na laptopie Blushera?

– Tak. Tyle że nasi technicy dodali do niego coś od siebie: *malware*, który miał pozwolić nam na ustalenie prawdziwego numeru IP.

– Udało się?

– Za pierwszym razem? – spytał Australijczyk. – Nie. Ale cała operacja trwała rok. Ostatecznie z trzystu siedemnastu użytkowników udało się zidentyfikować ponad stu, w tym trzech innych moderatorów. Niestety, facet, który zawiadywał całą informacją, wciąż jest na wolności. Wiemy o nim tylko tyle, że działa z Rosji i używa nicka Xtraterrestria1.

Nate odwrócił się, skrzyżował owłosione ramiona na brzuchu.

– Rok musiałem być jednym z nich – powiedział po chwili. – Siedem dni w tygodniu, po osiem, dziesięć godzin dziennie. Rozmawiać z nimi. Żartować. Wrzucać im nowe zdjęcia, patrzeć, jak dzielą się swoimi, komentować, gratulować udanych łowów. Nie mogłem interweniować, musiałem czekać, aż technicy zrobią swoje. Mówię ci... Każdy dzień, każda chwila to była tortura. Kurewska tortura. Oni... Oni robili transmisje na żywo. Transmisje z gwałtu, rozumiesz? A ja ich nie wyłączyłem, chociaż mogłem, bo bym ich spłoszył. Musiałem zrobić taki rachunek. Ktoś musiał, kurwa.

Bobrzycki dał tym słowom wybrzmieć, poczekał, aż Nate się uspokoi. Dopiero potem zadał pytanie.

– A czemu przerwaliście akurat wtedy?

– Bo o całej sprawie dowiedziała się prasa. Ktoś od nas musiał się wygadać. Część artykułów była wyważona. A część, jak zapewne możesz sobie wyobrazić, mniej. W Polsce też macie brukowce, nie? – Nate założył nogę na nogę. – „Policjanci przez rok pomagali prowadzić forum pedofili", „Poznajcie policjanta, który wrzucał do sieci pedofilskie porno" i tak dalej. Działanie grupy wstrzymano. Czekamy na wnioski komisji... Znaczy, nie wszyscy... – Policjant wygiął usta w uśmiechu równie szerokim, co nieszczerym. – Moja żona na przykład nie czekała.

Powiało od oceanu, zaszeleściły rosnące wzdłuż deptaku palmy.

– A teraz powiedz... – Nate odwrócił się w stronę Bobrzyckiego, spojrzał mu prosto w oczy. – Czemu cię to tak interesuje?

– Mamy chyba podobną sprawę.

– Chyba?

– Powiedzmy, że śledztwo zostało zakończone przedwcześnie... I że zbieram materiał dowodowy, żeby je ponownie otworzyć.

– Mhm... Rozumiem. Możesz liczyć na pomoc kogoś, kto zna się na komputerach?

– O tak – odparł Bobrzycki, kiwając głową. – O to się akurat nie martwię.

```
#!/bin/sh
# update ioc
/fs/mmco/cmds/iocupdate -c 4 -p /fs/mmco/cmd/cmcioc.bin
# restart in app mode
lua/fs/mmco/cmd/reset_appmode.lua
# sleep and wait for reset
/bin/sleep 42
```

Janek odchylił się w krześle i potarł skronie. Napieprzała go głowa, każdy ruch, każde mrugnięcie wywoływało ostre kłucie z przodu czaszki. Organizm dawał mu znać, że ma dosyć, że musi wreszcie odkleić się od ekranu i położyć się spać. Janek próbował zagłuszyć ten sygnał dwiema tabletkami paracetamolu popitymi wygazowaną colą, ale rezultaty nie były zadowalające – nie dość, że ból nie przeszedł, to jeszcze zaczęło go mdlić.

Skup się, myślał Janek, skąd to *déjà vu*, czemu ten fragment kodu wygląda znajomo? Może chodzi o nazwę folderu w ścieżce – „cmds"? Nie, nic mu to nie mówiło, niczego nie przypominało. Może w takim razie coś w komentarzach? Też nie. Były pisane suchym językiem, bez ozdobników, bez jakiegokolwiek charakterystycznego elementu, którego mógłby się uczepić. W takim razie może wartość w komendzie *sleep*, czterdzieści dwa. Czterdzieści dwie sekundy i ani mniej, ani więcej. Czemu akurat tyle? Czemu nie piętnaście albo trzydzieści? Czemu haker pomyślał akurat o tej, a nie innej liczbie? Może dlatego, że w kodzie ASCII 42 zapisuje asterysk, który jest wieloznacznikiem? Albo dlatego, że 42 jest bitowym znacznikiem formatu .TIFF? Nie, nie, bez sensu, denerwował się Janek, wyłamując spocone palce ze stawów, to nie to. Wpisał „42" do Wikipedii. Liczba atomowa molibdenu, piosenka zespołu Coldplay z albumu *Viva la Vida*, uważana w kulturze japońskiej za przynoszącą nieszczęście... oraz odpowiedź udzielona przez komputer Deep Thought na „wielkie pytanie o życie, wszechświat i całą resztę" w książce Douglasa Adamsa *Autostopem przez galaktykę*.

Wtedy go olśniło. Spotkał kiedyś kodera, który był fanem Adamsa, który wstawiał liczbę 42 wszędzie, gdzie tylko mógł. Nie osobiście, rzecz jasna, tylko przez internet, kilkanaście lat temu, na dawno temu dezaktywowanym forum dla aspirujących hakerów. Wrzucali tam napisane przez siebie programy i zrzuty ekranu dokumentujące wczesne tryumfy (podmieniona grafika na stronie elitarnego warszawskiego liceum, gdzie podpis pod portretem patrona zmieniono z „Mikołaja Reja" na „Mikołaja Beja", domowa witryna prawicowego polityka, któremu dorysowano na zdjęciu hitlerowski wąsik), wyzywali się nawzajem od noobów i lamerów. Janek nie pamiętał nawet jego nicka, ale miał pewność, że w końcu go znajdzie.

W sieci przecież nic nie ginie.

= 12 =

Nieszczęścia rzeczywiście lubią chodzić parami, pomyślała Julita. W dniu, kiedy miała wreszcie wyjść ze szpitala, Saszka rozbiła sobie w szkole głowę o parapet. Nic poważnego, raptem trzy szwy, ale Magda musiała pojechać z córką na SOR – więc nie mogła odebrać siostry. Julita dzwoniła do przyjaciół, ale nikt nie mógł jej pomóc, nawet Piotrek ani Janek. Wybacz, kochana, ważne spotkanie z klientem, nie mogę wyjść dzisiaj z pracy; ojej, akurat wyjechałam na urlop, wiesz, były tanie loty do Porto, strasznie cię przepraszam; głupio się złożyło, wczoraj skasowałam samochód, jak wracałam z działki, nie mogę.

Julita siedziała więc na wózku inwalidzkim, przewijając powoli listę kontaktów, aż w końcu dotarła do imion, które zamiast nazwisk miały jedynie przypisane słowa przypominające, o kogo właściwie chodzi: „Wojtek Fotograf", „Sara Joga", „Igor Domówka". Na myśl, że miałaby zadzwonić do kogoś z tego drugiego garnituru znajomych, do ludzi, z którymi okazjonalnie lajkowała sobie nawzajem memy na Facebooku, chciało jej się śmiać. Wyobraziła sobie, jak wyglądałaby taka rozmowa. „Hej, z tej strony Julita… Kto? No, wiesz, spotkaliśmy się kiedyś u Marcina, aha, u którego?, no, chyba Kowalczyka, tak, parapetówkę robił, no i gadaliśmy w kuchni o głupich reklamach, a potem wymieniliśmy się numerami, bo fajnie byłoby się jeszcze kiedyś zobaczyć, i tak sobie pomyślałam, że co prawda nie widziałam cię od roku, ale może chciałbyś odebrać mnie ze szpitala, bo jestem połamana i ledwo chodzę?".

Julita zatęskniła za domem, za babcią, która ugotowałaby jej rosół na kurzych sercach i nóżkach na pokrzepienie, za swoim pokojem w rodzinnym domu, zamrożonym w czasie, obwieszonym plakatami z zapomnianymi gwiazdkami muzyki pop i tłumem zakurzonych pluszaków na parapecie. Zatęskniła za Żukowem, gdzie nigdy nic się nie dzieje, gdzie wszyscy wszystkich znają – i gdzie nikt nie próbuje rozjechać cię czarnym bmw.

Julita dotarła do końca listy. Pod „ż" miała zapisane telefony do źródeł, ludzi, do których dzwoniła zawodowo, żeby nie mieszały jej się z resztą kontaktów. Przy jednym z imion się zatrzymała: „Ż. Leon", Leon Nowiński. Przypomniała sobie o randce, nie randce, o tym, jak gapił się na nią maślanymi oczami, jak się zaczerwienił, kiedy wyznał, że obejrzał jej zdjęcia. Wtedy się na niego wściekła. Teraz, po tych wszystkich oszustwach, kłamstwach i drugich dnach, jego niepotrzebna szczerość wydawała się rozczulająca. Julita była pewna, choć nie do końca zdawała sobie sprawę czemu, że jeśli do niego zadzwoni, Leon rzuci wszystko i po nią przyjedzie. To była miła myśl. Pierwsza od dłuższego czasu.

Wcisnęła zieloną słuchawkę.

Bip-bip, bip-bip, bip-bip.

Janek wymacał budzik, wyłączył go bez otwierania oczu. Trzynasta, czas wstawać. Zwlekł się z kanapy, ochlapał twarz zimną wodą i poszedł do kuchni. Zjadł ostatnie kawałki kurczaka z kubełka, który zamówił wczoraj o trzeciej nad ranem; na zimno smakowały jeszcze gorzej.

Wytarł tłuste palce w papierowy ręcznik, po czym zaparzył zieloną herbatę. Janek nie przepadał za jej smakiem, ale uwielbiał aromat: hibiskus, jaśmin, trawa cytrynowa. Ten zapach kojarzył mu się z Wietnamem, ale nie tym prawdziwym, do którego wrócił dopiero jako dwudziestolatek, który oszołomił go hałasem, ruchem i napierającym zewsząd spoconym tłumem, tylko jego własnym Wietnamem, splecionym ze zniekształconych i zabarwionych nostalgią wspomnień, Wietnamem, który nigdy nie istniał, ale za którym zawsze będzie tęsknił. Janek zaniósł parującą filiżankę do komputera. Niebieskie światło pomagało zapomnieć o tym, co nieistotne, pozwalało się skupić. Dzisiaj mi się uda, myślał Janek, wpisując hasło, musi się udać.

Forum, od którego Janek rozpoczął poszukiwania, funkcjonowało pod adresem hackitude.pl. Strona przestała istnieć w 2009, ale to nie był problem: Internet Archive miało w swojej bazie danych historyczne kopie strony sięgające wstecz aż do 1999 roku. Janek przewijał oś czasu miesiąc po miesiącu, przeglądając ciągnące się przez dziesiątki stron dyskusje. Skupił się na latach 2004–2005, sam był w tym czasie aktywny na forum, więc to wtedy musiał natknąć się na hakera z zamiłowaniem do liczby 42. Archiwalne strony ładowały się powoli, piksel po pikselu, cały proces był więc długotrwały i frustrujący – ale podróż w czasie miała jednak swój urok. Czytając, jak aspirujący hakerzy ekscytują się nowymi procesorami Intela o porażającej mocy 1.3 GHz albo dyskutują o wirusie JS.Spacehero, który błyskawicznie rozprzestrzenia się poprzez portal MySpace, trudno było się nie uśmiechnąć. Stare, dobre czasy.

Po dwóch dniach szperania w archiwach Janek znalazł to, czego szukał: wpis użytkownika o pseudonimie Clusterf!ck, chwalącego się napisanym przez siebie kodem – w którym przewijała się liczba 42. Janek wyszukał wszystkie jego posty. Poza aktywnością w głównym dziale Clusterf!ck pisał też w tak zwanym Off Topicu, czyli części forum przeznaczonej do dyskusji na tematy niezwiązane z hakerką. Udzielał się w wątku Fantasy, Sci-Fi, Horror, gdzie dowodził wyższości Douglasa Adamsa nad Jasperem Fforde'em – i mieszając z błotem każdego, kto śmiał mieć inne zdanie. Bingo. Ostatni post pochodził z 2006 roku, potem Clusterf!ck zniknął z forum. Najpewniej po prostu dorósł, zgolił dziewiczy wąs i zamiast kłócić się z nieznajomymi w internecie, zajął się czymś pożyteczniejszym.

Janek sprawdził, czy pseudonim Clusterf!ck pojawił się w sieci gdzieś jeszcze – ale nie, pudło, ktokolwiek chował się za tym nickiem, musiał potem przybrać inną ksywkę. Całe szczęście, w jednym z wątków Clusterf!ck podał adres do swojej prywatnej strony, haxior.pl. Ta też już nie istniała – ale jej kopia również znajdowała się w Internet Archive, zapisana po wsze czasy. Janek załadował ją w kilka sekund: kiczowaty banner z monitorem, na którym wyświetla się czaszka, czarne tło i białe litery. Nie znalazł tam nic ciekawego; bufonada nastolatka pozującego na groźnego hakera. Wtedy, w 2005 czy 2006, jeszcze było mu do tego daleko: włamy, którymi się przechwalał, były banalne, a kod, który wrzucał na swoją stronę, niepotrzebnie skomplikowany. Był jednak na tyle ostrożny, żeby nie ujawnić żadnych informacji na swój temat – nie podawał swojego imienia, miejsca zamieszkania ani szkoły, nie wgrał swojego zdjęcia. Szkoda, ale z drugiej strony Janek nie spodziewał się niczego innego.

Janek sprawdził, jakiego e-maila użyto przy rejestracji domeny haxior.pl – hackandcrack@wp.pl. Odwrócone zapytanie WHOIS nie zwróciło dodatkowych stron powiązanych z tym adresem – ale po godzinie szperania Jankowi udało się ustalić, że trzy lata później użyto go do otworzenia konta o nazwie „Paranoid_Android_666" na Skypie. Paranoid Android. Tak samo nazywała się jedna z postaci *Autostopem przez galaktykę*. Dobrze, pomyślał, im częściej nawiązuje do tej książki, tym łatwiej będzie go znaleźć. Janek odpalił Skype Database Resolver, żeby ustalić adres IP, którego używano do połączeń, ale wyniki, 24.206.31.255, 5.63.127.255 i 42.201.255.255, wskazywały odpowiednio na Bahamy, Kazachstan i Pakistan – więc poszukiwany haker albo często podróżował, albo, co znacznie bardziej prawdopodobne, łączył się poprzez VPN, żeby zatrzeć ślady.

Janek wrzucił hasło Paranoid_Android_666 do wyszukiwarek skanujących media społecznościowe: knowem.com, com.lullar.com. Nic. Potem wrzucił to samo zapytanie do Google'a. Tym razem wyników było mnóstwo – ale zupełnie niepowiązanych z hakerem, którego tropił. Zawęził kwerendę do stron z lat 2004–2007, język: polski. Wyskoczyło mnóstwo stron na temat grupy Radiohead, która nazwała tak piosenkę z albumu OK *Computer*, Janek dodał więc do wyszukiwania warunek '-Radiohead', żeby odfiltrować wszystkie wyniki dotyczące zespołu. Wciąż musiał przebić się przez dziesiątki stron niemających nic wspólnego ze sprawą – aż wreszcie trafił na kanał na YouTubie, gdzie jedenaście lat temu użytkownik o nazwie P4ranoid_Andro1d wrzucił filmiki z instrukcjami, jak przeprowadzić proste ataki phishingowe. Janek obejrzał je wszystkie po kilka razy, w zwolnionym tempie, wypatrując, czy haker przypadkiem nie zostawił gdzieś w tle zakładki z otwartą skrzynką pocztową albo profilem na portalu społecznościowym, ale nie, pudło.

Wtedy Janek zrobił kilka kroków do tyłu i przeprowadził pasywny skan DNS dla adresu haxior.pl, żeby znaleźć powiązane z nim numery IP. Wyszukiwarka wypluła numer hosta: 83.24.106.21. IP Tracker wskazywał, że numer był aktywny w Polsce, a konkretnie w Warszawie, co jednak nie stanowiło przełomowego odkrycia. Z tym samym IP hosta powiązana była jeszcze inna strona: hackzandwarez.net. Janek przeprowadził ten sam proces, co ostatnio: WHOIS, odwrócone WHOIS, wyszukiwanie powiązanego z witryną adresu e-mailowego. Znów dotarł do kilku kont zarejestrowanych na pseudonim Paranoid_Android_666 albo jego wariacje – i znów się odbił. Trop się urywał.

Janek napił się herbaty, przetarł piekące oczy, po czym wrócił do roboty. Przejrzał kopie prywatnych wiadomości ze zhakowanych forów darknetowych, szukając wzmianek o Paranoid_Android_666 albo Clusterf!ck. Nic. Sprawdził, czy w bazach danych wykradzionych z wielkich sieci handlowych: Target, Adobe, Home Depot, znajdują się konta rejestrowane przy użyciu adresu hackandcrack@wp.pl. Nic. Wrócił po raz kolejny do kopii strony haxior.pl i przeanalizował metadane wszystkich grafik, jakie tam znalazł. Nic. Za pomocą tineye.com sprawdził, czy nie wgrywano ich na inne strony. Pudło, znowu pudło.

– Kurwa jebana w dupę mać! – Janek walnął pięścią w stół, aż podskoczył laptop. Tydzień roboty i wciąż nic, jedyne, co miał, to stare pseudonimy, zrzucone skóry, wężowe wylinki. Skurwysyn od samego początku dbał o anonimowość, wystrzegał się czegokolwiek, co mogłoby go zdradzić, starannie segregował swoje internetowe alter ego. Jedyny błąd, jedyne, co o sobie odsłonił, to uwielbienie dla prozy Douglasa Adamsa, ale co to Jankowi dało? Gówno mu to dało. Myśl, że mu się nie uda, że nie ustali tożsamości hakera, doprowadzała go do furii. Chuj, warknął pod nosem, muszę odreagować, bo ocipieję.

Janek włożył stare glany, zarzucił kurtkę na plecy. Ale zanim wyszedł z domu, przesłał kopie starych postów Clusterf!cka na adres Julity. Kto wie, pomyślał, przekręcając klucz w zamku, może zobaczy coś, czego ja nie dostrzegłem.

Powoli... Powoli... – Leon złapał Julitę pod rękę, pomógł stanąć na zdrowej nodze. – W porządku? Nie przewrócisz się?

– Mhm.

– Okej, to oprzyj się o samochód, a ja wyciągnę kule.

Kiedy zadzwoniła, Leon był na spotkaniu. Don Kiszon okazał się hitem, chociaż wcale nie w grupie targetowej wybranej na podstawie pogłębionych badań rynku. Młodzież z byłych miast wojewódzkich uczęszczająca do skate parków nie chciała bynajmniej orzeźwiać się sokiem z kiszonej kapusty, a uśmiechniętą beczkę na deskorolce uznała, cóż, za totalnie obciachową. Dodatkowa kampania reklamowa przygotowana przez zewnętrzną agencję, opierająca się na młodzieżowych hasłach typu „Don Kiszon nadaje ton!", „Na zgona najlepiej zapodaj Kiszona!", tylko pogorszyła sprawę. Wydawało się już, że produkt trzeba będzie zdjąć po cichu z rynku, kiedy nagle skoczyła sprzedaż w Warszawie, Trójmieście i Wrocławiu. Okazało się, że wielkomiejscy trzydziestolatkowie z klasy średniej zakochali się w człowieku-beczce: nie dość, że Don Kiszona serwowano coraz częściej w modnych knajpach, to jego uśmiechnięta podobizna zaczęła pojawiać się na przypinkach, płóciennych torbach na ekowarzywa z kooperatywy i naklejkach, którymi zdobiono kolarzówki i laptopy.

Oczywiście, trzydziestolatkowie też uważali, że Don Kiszon jest obciachowy – i właśnie dlatego go nosili, robili to bowiem ironicznie.

Dyrektor Diet-Polu był biznesmenem z krwi i kości, więc chociaż nie do końca pojmował, jak można ironicznie pić sok z kiszonej kapusty, to doskonale rozumiał, że można zrobić na tym pieniądze. Dział prawny zaczął więc rozsyłać groźne listy do chałupniczych producentów donkiszonowych memorabiliów, a dział kreatywny dostał zadanie, by jeszcze zwiększyć powab człowieka-beczki. Może dodać mu wąsy *à la* wczesny Wałęsa, żeby skapitalizować przybierającą na sile modę na lata 80.? A może złoty ząb albo wełnianą czapkę chytrej baby z Radomia? Leon wyszedł w trakcie dyskusji, czując na plecach gniewne spojrzenie szefostwa. Nawet chciał, żeby go wreszcie zwolnili. Sam się nigdy nie zdobędzie, żeby odejść, a tak miałby przynajmniej impuls, żeby coś zmienić w swoim życiu.

– Gotowa? – spytał, podając Julicie kule.

– Chyba tak.

– No to chodźmy.

Pokonanie kilkunastu metrów dzielących ich od wejścia na klatkę okazało się dla Julity nie lada wyzwaniem: szła powoli, przygryzając usta, blada i spocona. Wjechali windą na czwarte piętro, Leon otworzył jej drzwi, postawił torbę koło kanapy. W mieszkaniu pachniało kwiatami; Piotrek kupił na jej powrót bukiet herbacianych róż.

– Mogę jeszcze coś dla ciebie zrobić? – spytał Leon.

– Aha. Zaparz, proszę, dwie herbaty.

– Dwie?

– No co, ze mną się nie napijesz?

Leon uśmiechnął się. Wyciągnął z szafki wyszczerbione kubki promujące firmy, o których nigdy nie słyszał;

typowa zastawa dla taniego mieszkania z wynajmu. Julita weszła do kuchni. Kiedy zaoferował, że pomoże jej usiąść, odmówiła, mówiąc, że musi nauczyć się robić to sama. Złapała się ręką blatu, odłożyła kule i osunęła się powoli na krzesło.

– W porządku?

– Mhm. – Na bladej twarzy rysowała się ulga. – Jeszcze nie wiem, jak wstanę, ale póki co jest super.

– Wiadomo... Wiadomo, kto to zrobił? – spytał, stawiając przed nią kubek.

– Nie. Policja mówi, że wciąż szukają, ale delikatnie dali mi znać, żebym nie robiła sobie większych nadziei.

– A podejrzewasz kogoś?

– Nie. – Julita chciała pokręcić głową, ale zapomniała, że ma na szyi usztywniający kołnierz. – Znaczy, to musi być ktoś, komu zależy, żeby sprawa Buczka przycichła...

– Czyli ten haker?

– Nie, nie, właśnie ktoś inny.

– Skąd wiesz?

– Powiedzmy, że z pewnego źródła. – Julita próbowała unieść kubek do ust, ale był za ciężki, zaczęła drżeć jej ręka, gorąca herbata lała się na stół. – Ajajaj, cholera... Podasz mi słomkę? Są w górnej szufladzie. Nie, nie tej, obok... Dzięki. Buczek był zamieszany w... – Urwała, skrzywiła się. – Nie chcę wchodzić w szczegóły. W bardzo śliskie interesy. Wydaje mi się, że jego wspólnikom zależy na tym, żeby nikt się o tym nie dowiedział, bo trop by prędzej czy później poprowadził do nich. Najwyraźniej uznali, że wiem za dużo... Więc postanowili się mnie pozbyć.

– Ja pierdolę...

– Co nie? Numer jak z filmu akcji.

– I co, dostaniesz ochronę policyjną?

– Co ty. Formalnie rzecz biorąc, nie ma przecież znamion usiłowania zabójstwa. Ot, wypadek drogowy, jakich w Warszawie codziennie na pęczki.

– No tak, ale ty jesteś dziennikarką i...

– Jestem zatrudnioną na czarno recepcjonistką – weszła mu w słowo – która hobbystycznie prowadzi bloga.

– Przepraszam.

– Daj spokój. Niby za co?

Julita spuściła oczy, przygryzła spękane usta. Leon wziął łyk herbaty. Była gorzka, zostawiała w ustach przykry posmak.

– To... Co teraz?

– Nie wiem – odpowiedziała. – Nie byłam ubezpieczona, nie mogę pracować... Sprawę Buczka zostawiam, jeśli chcieli mnie zastraszyć, to nie powiem, udało się... Więc chyba wrócę do rodziców, do Żukowa.

– Na stałe?

– Zobaczymy. Kto wie, może dostanę angaż w „Gazecie Kartuskiej" albo „Twoim Rybaku".

– Myślisz, że w „Twoim Rybaku" potrzebują dziennikarki śledczej?

– Pewnie, że tak. Ktoś musi wreszcie zbadać, czy pan Mietek z Rewy faktycznie łowi więcej śledzi, niż pozwalają unijne normy.

Leon wypił ostatni łyk herbaty, odstawił brudny kubek do zlewu.

– Twarda z ciebie babka.

– No, może i tak, ale łamliwa. – Julita postukała palcem w gips.

– Poważnie mówię. Ja na twoim miejscu nie miałbym siły na żarty, tylko siedziałbym pod kocem i ryczał.

– Spokojnie. – Uśmiechnęła się, ledwie unosząc kąciki ust. – Dzień jeszcze młody. No i właśnie, słuchaj, nie chcę cię trzymać, pewnie musisz już jechać do pracy...

– Która jest... – Leon spojrzał na zegarek. – No, faktycznie. Słuchaj, gdybyś czegokolwiek potrzebowała, możesz po prostu zadzwonić.

– Wiem. No, nachyl się, bo nie chce mi się do ciebie wstawać.

Zrobił, o co prosiła. Przytuliła go zdrową ręką. Mocno, przyciskając policzek do jego twarzy.

– Dzięki raz jeszcze.

– Nie ma za co. Trzymaj się.

Wychodząc, Leon odwrócił się na progu. Julita miała w ręku telefon.

Wyglądała, jakby zobaczyła ducha.

Julita bała się tej chwili. Wiedziała, że w końcu nadejdzie, że nie będzie w stanie odwlekać jej w nieskończoność. Stało się, zegar wybił dwunastą. Musiała iść zrobić siku.

Wstawanie miała już opanowane (zdrowa ręka opiera się o stół, ciężar na prawą nogę, kiedy wstanie, łapie kule), chodzenie też (trzeba było tylko uważać, żeby się nie poślizgnąć na kafelkach w przedpokoju). Ale zsunąć samej spodnie? Usiąść na sedesie? Proste, automatycznie wykonywane czynności stały się nagle sportem ekstremalnym. Julita stanęła przed łazienką, nacisnęła klamkę ręką w gipsie (dwa razy się zsunęła, za trzecim razem się udało), po czym otworzyła drzwi stopą.

– Na pewno ci nie pomóc? – Usłyszała głos Piotrka. Zmywał naczynia. Wrócił wcześniej z pracy, zrobił jej kolację. Miała ochotę go wyściskać, ale bała się, jak to zniosą jej żebra.

– A co, chcesz mnie podetrzeć?

– Eee... Nie.

– No właśnie. – Julita szarpała się ze sznurkiem od dresów. – Chociaż, w sumie, mógłbyś jedną rzecz zrobić...

– Tak?

– Puść jakąś muzykę. Głośno.

– Bo?

– Bo nie mogę zamknąć za sobą drzwi.

– Aha. Robi się.

Chwilę później z głośników kuchennego radyjka poleciała Katie Melua, *There are nine million bicycles in Beijing...* Po kilku nieudanych próbach Julicie wreszcie udało się usiąść. No proszę, pomyślała, sapiąc ciężko, nie sądziłam, że kiedykolwiek zatęsknię za cewnikiem, a jednak.

Miała przed sobą lustro. Już wcześniej, przed wypadkiem, wydawało jej się, że umiejscowienie go dokładnie naprzeciwko toalety to niezbyt szczęśliwy pomysł – kto chciałby na siebie patrzeć w tym momencie? I dlaczego? Teraz widok własnego odbicia był nie do zniesienia. Podrapana twarz, podbite oko. Przepocona, zalana koszulka. Zdrowa noga pokryta zielono-żółtymi sińcami. Odwróciłaby głowę, ale nie mogła, kołnierz nie dawał jej wyboru, musiała patrzeć na wprost, spojrzeć sobie w oczy.

I co teraz, pomyślała, co dalej? W szpitalu obiecała sobie, że da już spokój całej sprawie, że zapomni o śledztwie. Powinna po prostu skasować e-maila od Janka, razem z załącznikami. Ale nie potrafiła, ciekawość, jak zwykle, wzięła górę. Spędziła pół dnia, przeglądając archiwalne posty Clusterf!cka. Czuć było, że pisał je nastolatek: z nadużywanych wulgaryzmów, nagłych wybuchów złości i potrzeby ciągłego łechtania swojego ego wychodziła niedojrzałość. Gówniarskie zachowanie nie było jednak w stanie przesłonić tego, że za nickiem chował się ktoś piekielnie inteligentny. Julita nie potrafiła ocenić technicznych umiejętności Clusterf!cka, ale podziw graniczący z uwielbieniem, jakim darzyli go pozostali aspirujący hakerzy, kazał przypuszczać, że rzeczywiście wiedział, co robi.

Julita wyciągnęła telefon, jeszcze raz zaczęła przeglądać zrzuty ekranu z postami Clusterf!cka. W sumie było ich ponad pięćset, najwcześniejszy z marca 2003 roku (*Hej! Witam wszystkich, tu Clusterf!ck. Co mogę o sobie napisać? Najlepiej czuję się w językach* C++, PHP, *Javie,* SQL *i Pythonie. Lubię dobre* SF *i ludzi, którzy ustawiają sobie hasła „12345" :-D*), ostatni z listopada 2005 roku (*Kurwa, co za gówniarzeria się tu zrobiła. Wow, potrafisz włamać się gimnazjaliście na konto na gronie. No gratz, jesteś l33t, normalnie drugi Mitnick, zaraz* FBI *do ciebie uderzy z prośbą o pomoc. Fucking script kiddies. I'm out!*). Niektóre były krótkie (*hej, ma ktoś do polecenia jakiś dobry tutorial do Perla?*), inne były istnymi ścianami tekstu (*Co jest nie tak z ekranizacją „Autostopu"? Kurwa, nie wiem nawet, gdzie zacząć. Hold my beer...*). Julita przeczytała je po kilka razy, szukając jakiejkolwiek informacji, która pozwoliłaby na zdarcie maski Clusterf!ckowi, ale Janek miał rację, facet już wtedy dobrze wiedział, że w sieci trzeba trzymać karty blisko przy sobie. Wszelkie pytania o siebie – skąd jesteś, ile masz lat, jak masz na imię – zbywał ordynarną kpiną (*...zwą mnie Julian Kaspar Nietwójkurwainteres z krainy Chujciwduplandii*) albo milczeniem. Czuła, że to bez sensu, że powinna się poddać, ale, niczym hazardzista obiecujący sobie, że tym razem to już naprawdę ostatni raz, otwierała kolejne wpisy. Zatrzymała się chwilę na poście z połowy 2005,

w którym Clusterf!ck komentował aresztowanie jakiegoś
amerykańskiego hakera.

Użytkownik: Clusterf!ck
Status: Stały bywalec
Posty: 497
Dołączył: 11.03.2003
Śr. 16.05.2005

Trzeba mierzyć siły na zamiary i tyle. Jak ktoś chce się uczyć
   haczenia, to niech zaczyna od strony osiedlowego fryzjera,
   a nie kurwa LexisNexis. Przecież wiadomo, że oni będą
   ścigać bez litości, przecież amerykańskie korpo to zuo. Już
   prędzej uszedłby mu ten numer z telefonem Paris Hilton :)
   Lulz. No cóż, RIP camo, baw się dobrze za kratkami ;(

   ==
   It is a mistake to think you can solve any major problems just
   with potateos.

Julita wyszukała pseudonim wspomnianego hakera,
camo. Rzeczywiście był ktoś taki, rzeczywiście włamał
się do telefonu Paris Hilton – i rzeczywiście w wieku
osiemnastu lat wylądował w więzieniu. I oczywiście, nic
jej to nie dawało. Co tu jeszcze sprawdzić, zastanawiała się Julita, tupiąc zdrową nogą o kafelki, czego się tu
uczepić… Zwróciła uwagę na cytat w stopce, „błędem
byłoby myśleć, że jakikolwiek poważny problem można
rozwiązać jedynie z pomocą ziemniaków". Co ma niby
znaczyć? Zabawne, pomyślała, wstukując zdanie litera
po literze w okno przeglądarki, że też wcześniej tego nie
wyszukałam. Może dlatego, że cytat był pod każdym

wpisem Clusterf!cka, więc wtapiał się w tło; był tak opatrzony, że aż niewidoczny.

Blisko pięćdziesiąt tysięcy wyników. Cytat z *Autostopem przez galaktykę*. No tak, jakżeby inaczej, mogła się domyślić, facet naprawdę ma obsesję na punkcie tej książki. Kolejny ślepy zaułek. Julita już miała odłożyć telefon, już miała wstawać, kiedy zwróciła uwagę na komunikat na górze strony. Wyświetlam wyniki dla *It is a mistake to think you can solve any major problems just with **potatoes***. Czy zamiast tego wyszukać *It is a mistake to think you can solve any major problems just with **potateos***? Julita patrzyła chwilę w ekran, zdezorientowana. Wreszcie zrozumiała. W cytacie z forum była literówka. „Potateos", nie „potatoes".

Czując, jak serce podchodzi jej do gardła, kliknęła w link, tak, chcę wyszukać zdanie z błędem. Przez sekundę ekran był biały, a potem wyszukiwarka wypluła wynik. Jeden wynik. Strona na LinkedInie.

Emil Chorczyński, współzałożyciel i CTO w Pentesting Golden Solutions. Ulubiony cytat: *It is a mistake to think you can solve any major problems just with potateos*.

– Oooo kurwa, Jezu – krzyknęła Julita, przyciskając rękę w gipsie do ust.

Na zdjęciu uśmiechnięty mężczyzna, wczesna trzydziestka, z brodą i długimi włosami spiętymi w kok. Spod kołnierza koszuli wystaje kolorowy tatuaż, a w uszach czarne tunele. Ulubione języki programowania: C++, PHP, Java, SQL i Python. Jak w poście powitalnym Clusterf!cka. To on, pomyślała Julita, dźwigając się z trudem do góry, to naprawdę on. Wpaść przez coś takiego, przez taką głupotę. Jedna źle postawiona litera. Błąd ortograficzny, głupi nawyk, którego się nie oduczył.

– Piotreeeeek!!! – wrzasnęła, podciągając spodnie. Znów zobaczyła swoje odbicie w lustrze. Oczy miała wielkie jak spodki.

– Julita?! Stało się coś?!

– Chodź tutaj!

Tupot stóp; Piotrek wpada do łazienki.

– Pomóż mi podejść do pokoju... Mhm. I podaj, proszę, telefon, zapomniałam wziąć...

Julita drżącymi palcami wybiera numer Janka. *Biip. Biip. Biip.* No podnieś, podnieś, do cholery.

– Halo? – Janek brzmiał, jakby dopiero co wstał z łóżka.

– Mam go.

– Kogo?

– O Boże, jak to kogo, obudź się, do diabła! – krzyczała w słuchawkę. – Hakera! Skurwysyna!

Pauza. Nierówny oddech.

– Jesteś pewna? – zapytał w końcu Janek. Wiele się mieści w tych dwóch słowach. Niedowierzanie. Podziw. Ekscytacja.

– Sto procent.

– No to mów. Kto to?

– Wiesz... – Julita urwała. – To chyba nie jest rozmowa na telefon. Może jestem paranoiczką, ale...

– Nie, nie, masz rację. Dmuchajmy na zimne.

– Kiedy możesz przyjechać?

– Jutro koło południa?

– Dopiero? Okej... No dobra, wytrzymam. To do jutra.

– Do jutra... – Janek zawiesił głos, nie rozłączył się. – Julita?

– No?

– Gratuluję. Naprawdę.

Julita odłożyła telefon. Czuła się, jakby lada moment miała zejść na zawał.

Janek podniósł z podłogi bokserki i skarpetki, usiadł na krawędzi łóżka. Zimne powietrze, wlatujące przez uchylone okno, przyjemnie chłodziło spoconą skórę. Sięgnął po papierosa, zapalił. Niesamowite, pomyślał, wypuszczając powoli dym przez nos. Dziewczyna jest nie do zdarcia.

– Mówiłeś, że rzucisz. – W głosie Dagmary słychać było więcej zaczepki niż wyrzutu.

Janek odwrócił się w jej stronę. Leżała wsparta o poduszkę, z ramionami założonymi na głowę. Długie rude włosy opadały jej na piersi: niewielkie, zgrabne, z ciemnymi brodawkami. W lewym sutku połyskiwał kolczyk. Janek miał jeszcze w ustach jego metaliczny posmak.

– Jeszcze wierzysz w to, co ci mówią mężczyźni?

– Zależy.

– Od czego?

– Czy rozmawiamy przed, czy po.

Uśmiechnął się, założył majtki. Popiół z papierosa spadał mu na uda, tuż obok śladów po paznokciach.

– Kto to był?

– Julita – odpowiedział, zakładając skarpetki. Miał wrażenie, że wygląda śmiesznie. Że każdy facet, zakładając skarpetki, wygląda śmiesznie.

– Ta dziennikarka?

– Mhm.

– Powinnam być zazdrosna? – Dagmara położyła się na boku, wsparła na łokciu.

– Nie sądzę. Nie jestem w jej typie. Zresztą…

– Zresztą co?

– Nieważne.

Podciągnął spodnie, zabrzęczała sprzączka. Dagmara przyglądała mu się w milczeniu. Lubił to. Lubił czuć na sobie jej wzrok, prześlizgujący się po jego drobnym, ale umięśnionym ciele. Miał wrażenie, że naprawdę ją pociąga. Chyba.

– Kiedy się znowu zobaczymy?

– Nie wiem. Może za tydzień?

– Trzymam za słowo. No chodź, daj mi jeszcze buziaka na do widzenia.

Janek nachylił się, składając usta do pocałunku, ale Dagmara zrobiła unik, przechyliła głowę na bok i polizała go po szyi, docierając koniuszkiem języka aż pod ucho, a potem ugryzła go lekko w policzek. Pożałował, że już wychodzi. Że nie może zostać, spędzić tu nocy.

– No, niech pan już leci, panie władzo. – Dagmara zasalutowała, po czym klepnęła go w pośladek. – Warszawa was potrzebuje.

– Mhm. Do następnego.

Wychodząc, zostawił na komodzie dwieście złotych.

Julita spędziła całe popołudnie przyklejona do laptopa, szukając informacji na temat Emila Chorczyńskiego. Urodzony w 1988 w Warszawie. Absolwent liceum imienia Stanisława Staszica, klasa matematyczno-eksperymentalna, i informatyki na Uniwersytecie Warszawskim. Finalista Akademickich Mistrzostw Świata w Programowaniu w 2007 roku. Współzałożyciel firmy Pentesting Golden Solutions, przeprowadzającej audyty bezpieczeństwa cyfrowego, słowem – licencjonowany, legalnie działający haker, którego można wynająć za grube pieniądze, żeby sprawdzić poziom zabezpieczeń w swojej firmie.

Julita znalazła na YouTubie kilka nagrań z warsztatów, które prowadził Chorczyński. W wysokich conversach, żółtych dżinsach i koszuli podwiniętej na łokciach wyglądał jak żywcem wyjęty z Doliny Krzemowej. Był elokwentny. Zabawny. Mówił nienaganną, pozbawioną akcentu angielszczyzną. Chociaż Julita nie rozumiała połowy słów, których używał: *dynamic type system, lambda expressions, array slicing,* i tak słuchała go z przyjemnością. Trudno było uwierzyć, że to on. Skurwysyn. Człowiek, który ją upokorzył. Zniszczył.

– Fiu, fiu. – Piotrek gwizdnął, zerkając jej przez ramię.

– Co?

– Przystojniak. Taki trochę *bad boy.*

– Trochę? Mam ci przypomnieć, co mi zrobił?

– No, z wyglądu, to miałem na myśli. – Piotrek usiadł obok. – I co, wiesz już, czemu znienawidził Buczka?

– Nie. Wyszukiwałam ich nazwiska, nie ma żadnego połączenia.

– Czyli jednak nie wszystko jest w internecie.

– Najwyraźniej. Ale... – Julita otworzyła inną zakładkę. – Znalazłam inną ciekawą informację na takim jednym portalu biznesowym. Patrz. Pół roku temu Chorczyński sprzedał wszystkie udziały w Pentesting Golden Solutions i odszedł z firmy.

– Gdzie?

– No właśnie chyba nigdzie. Co by tłumaczyło, skąd miał tyle czasu, żeby...

Ding-ding-ding. Ding-ding-ding. Ding-ding-ding. Julita przerwała w pół słowa, sięgnęła po telefon. Nieznany numer. Po chwili wahania postanowiła odebrać.

– Halo?

– Pani Julita Wójcicka? – Odezwał się młody męski głos. W tle gwar rozmów, czyjeś kroki.

– Zgadza się. O co chodzi?

– Julian Kalinowski, stacja TVN. Jestem producentem programu *Wysokie Napięcie*, dzwonię w imieniu redaktora

Marcina Kruczyńskiego. W dzisiejszym odcinku rozmawiamy o kondycji dziennikarstwa internetowego i zastanawialiśmy się, czy mogłaby pani przyjechać do studia na dwudziestą? Oczywiście zapewnimy pani transport.

Piotrek, który najwyraźniej słyszał fragmenty rozmowy, złapał się za głowę, z ruchu ust Julita czytała bezgłośnie krzyczane słowa: „O mój Boże, dziewczyno, wooow!". Nie mogła uwierzyć w to, co słyszy. Zauważyli ją. Dostała zaproszenie do grona wszechwiedzących komentatorów, do pierwszej ligi, przepustkę do sławy i bogactwa. Szkoda tylko, że dopiero teraz. Kiedy ledwo chodzi.

– Halo? Jest tam pani?

– Tak, tak, przepraszam. – Julita oprzytomniała. – Bardzo mi miło, ale boję się, że muszę odmówić. Miałam wypadek i...

– Co ty robisz?! – Piotrek syknął teatralnym szeptem. – Myślisz, że zadzwonią drugi raz?!

– Tak, oczywiście – kontynuował głos w słuchawce. Julita odwróciła się na krześle w stronę okna, Piotrek ją rozpraszał. – Redaktor Kruczyński śledzi pani poczynania od jakiegoś czasu, więc te wieści od razu do nas dotarły. Proszę się zastanowić, bardzo nam zależy na pani obecności. Jeśli będzie potrzeba, podeślemy po panią auto dostosowane do potrzeb osób niepełnosprawnych.

– Ja ci pomogę zejść! – Piotrek wszedł jej przed oczy. – Na rękach cię zniosę! Nie wygłupiaj się!

– Nie, nie, wie pan, nie w tym problem, ja się nawet jakoś ruszam. – Odgoniła go ruchem ręki, jak natrętną muchę. – Tylko wyglądam jak sto nieszczęść...

– Proszę pani, ja rozumiem, każda kobieta jest czuła na tym punkcie... – Julita przewróciła oczami, ale nie przerywała. – ...natomiast ja myślę, że to dla naszych widzów będzie dodatkowy atut. Wie pani, demonstruje pani naocznie, z jakim ryzykiem wiąże się rzetelne dziennikarstwo...

– No, dobrze...

– Tak! Tak! – Piotrek wzniósł zaciśniętą w pięść dłoń w tryumfalnym geście.

– Doskonale! – Producent się ucieszył. W tle zabrzmiała znajoma melodia, chyba dżingiel *Faktów*. – Na jaki adres wysłać samochód?

– Na Kaliszó... – Julita ugryzła się w język. Miała nikomu nie mówić, gdzie mieszka. – Na róg Nocznickiego i Kasprowicza.

– Kierowca będzie za pół godziny. Proszę pamiętać, że nagrywamy w wirtualnym studio, więc proszę nie zakładać niczego w kolorze zielonym, bo zleje nam się pani z tłem. Bardzo pani dziękuję.

– Nie ma za co... To do zobaczenia.

Koniec połączenia. Potem głuchy sygnał.

– Julita, tak się cieszę... – Piotrek ścisnął ją za udo. – Czyli jednak jest jakaś sprawiedliwość na tym świecie. Mówię ci, za rok będziesz człowiekiem roku „Newsweeka". Pytanie tylko, czy...

– Przestań pieprzyć. – Julita weszła mu w słowo. – I pomóż mi się przebrać.

Samochód czekał pod samym blokiem, naprzeciwko jej klatki. Srebrna, wypucowana na połysk karoseria, na masce naklejka z logo TVN. Julita nie znała się na autach na tyle, żeby rozpoznać model, ale dość dobrze, żeby wiedzieć, że sporo kosztował. Wieści o śmierci tradycyjnych mediów były najwyraźniej przesadzone.

Kierowca na jej widok wyrzucił niedopałek i otworzył drzwi, zapraszając do środka zamaszystym gestem.

W aucie zapaliło się światełko. Skórzana tapicerka w kolorze kremowym, zapach nowości. Julita czuła się jak Kopciuszek, który po latach ciężkiej i niewdzięcznej pracy wreszcie jedzie na bal w bajkowej karocy. Tylko szklanych pantofelków nie było: lewa stopa w gipsie, prawa w przydeptanym trampku.

– Gotowa? – zapytał Piotrek.

– Mhm. Czekaj, będzie łatwiej, jak obrócę się tyłem...

– Może pomóc? – spytał kierowca.

– Nie, nie, dziękuję, poradzimy sobie jakoś. – Julita złapała Piotrka za ramię, ugięła kolano. – Powoli... Powoli... Uff. Dzięki. Zapniesz mi jeszcze pasy?

– Pewnie... No, gotowe. Powodzenia, ja lecę przed telewizor.

– *Wysokie Napięcie* będzie dopiero za półtorej godziny...

– Chcę być pewny, że nie przegapię. Trzymaj się! I daj czadu!

Samochód ruszył, kiedy tylko Piotrek zamknął drzwi. Kierowca jechał powoli, zwalniając przed każdym wybojem i dziurą, za co była mu głęboko wdzięczna. Chwilę później byli już na Marymonckiej, z prawej strony mijali kolejne blokowiska, z lewej pogrążony w ciemności Lasek Bielański. Mimo późnej godziny ruch był wciąż duży, ulica się korkowała. Julita patrzyła prosto przed siebie, inaczej zresztą nie mogła ze względu na kołnierz. Widziała w lusterku oczy kierowcy, skupione na drodze, i swoją twarz: podrapaną, posiniaczoną. No, pomyślała, krzywiąc się do odbicia, makijażystki będą miały niezłe wyzwanie.

– Pani do nas pierwszy raz? – przerwał ciszę kierowca. Może zauważył, że gapi się w lusterko, może po prostu mu się nudziło.

– Tak.

– I co? Stresuje się pani?

– Wie pan, raczej nie... – Julita naciągnęła na kolana sukienkę. Letnia, w kwiaty. Jedyna, którą była w stanie na siebie założyć. – Nigdy nie miałam strachu przed kamerą.

– No, to podziwiam. Ja to, proszę panią, na sam widok zapominam języka w gębie. – Mężczyzna wyminął upstrzonego ptasim gównem sedana i wepchnął się na pas obok, przed białą furgonetkę, ignorując wściekłe trąbienie. Zaczął padać deszcz ze śniegiem. – Raz nawet przyszli mnie nagrywać, bo potrzebowali na szybko wypowiedzi zwykłego człowieka do jakiegoś materiału o jabłkach czy coś, a że akurat byłem pod ręką...

– Mhm. W Meganewsach też nam się zdarzało tak robić.

– A, no to rozumie pani, o czym mówię. No, ale jak tylko zaczęli kręcić, to ja nic, tylko beee i meee, beee i meeee, jak baran, wie pani.

– Aha.

– A do rodziny pani już dzwoniła? Znajomych? – Kierowca przyśpieszył, żeby zdążyć na żółtym świetle. – Pochwalić się?

– Nie.

– Nie? Jak to?

– Jakby wiedzieli, że w takim stanie jadę do telewizji, urwaliby mi głowę.

– A, no racja, pani przecież prosto ze szpitala... – Samochód zatrzymał się przed kolejnymi światłami. Po drugiej stronie skrzyżowania zaczynała się kolejka aut ciągnąca się aż po horyzont. Kierowca zabębnił palcami w kierownicę, spojrzał na zegarek. – Proszę pani, pojedziemy objazdem, dobrze? Bo inaczej będziemy tu stać do jutra.

– Pewnie.

Kierowca wrzucił kierunkowskaz i wjechał w ulicę Dewajtis, która przecinała Las Bielański na pół. Łyse, czarne drzewa, ledwie odcinające się od zasnutego chmurami nieba, słabe światło latarni, i nikogo, ani żywej duszy; za zimno dla rowerzystów, studenci UKSW skończyli już zajęcia. Po kilkuset metrach kierowca zjechał w błotnistą drogę, na tyle wąską, że gałęzie dotykały okien z obu stron auta, jakby próbowały się go uczepić. A potem się zatrzymał… i zgasił światła.

– Co… Co się dzieje? – wydukała Julita.

– Telefon.

– Co?

– Oddaj telefon.

Kierowca obrócił się w jej stronę. Miał coś w ręku, czarny, połyskujący metalicznie przedmiot. Było za ciemno, żeby stwierdzić, co to. Ale Julita mogła się domyślać. Sięgnęła do torby. Wyczuła pod palcami puszkę. Gaz pieprzowy. Przeszło jej przez myśl, żeby go wyciągnąć, żeby prysnąć mu w oczy, ale zaraz otrzeźwiała, nawet jeśli jej się uda, to co potem? Ucieknie, skacząc na kulach? Zacznie krzyczeć? Kto ją tu usłyszy?

– Mam tam do ciebie przyjść?

– Już, już, przecież tu jest ciemno…

Julita wyciągnęła telefon, ale zanim go oddała, nacisnęła guzik z boku aparatu. Zapalił się ekran, rozświetlając na kilka sekund wnętrze auta. Zamarła. Zobaczyła pistolet, ale nie to ją przeraziło, tylko twarz kierowcy. Wcześniej nie zwróciła na nią uwagi, była za bardzo podekscytowana perspektywą debiutu na wizji, ale teraz wystarczyła tylko krótka chwila, żeby ją rozpoznała. To był on.

Zaczęła się trząść. Kretynko, myślała, każdy może powiedzieć, że pracuje w telewizji, każdy może puścić dżingiel z Faktów do słuchawki, każdy może nakleić logo

TVN-u na samochód. A na LinkedInie widać, kto wyświetlił twój profil. Nie wylogowałaś się. Zapomniałaś.

– Widzę, że nie muszę się przedstawiać.

– Czego chcesz? – Robiła, co mogła, żeby brzmieć hardo, ale nie była w stanie opanować głosu, wiedziała, że w każdej głosce słychać było jej strach.

– Porozmawiać – odparł Emil Chorczyński, chowając jej telefon do kieszeni.

– O czym?

– O tym, co się stanie dalej.

Nie mogła się skupić na tym, co mówi, na jego twarzy. Patrzyła na lufę pistoletu. Na palec, który leżał tuż-tuż koło cyngla.

– Są dwa scenariusze – powiedział. – Albo się dogadamy, albo się nie dogadamy. Wiesz, co się stanie, jeśli się nie dogadamy?

– Zastrzelisz mnie.

– Nie. Po co? Wyrzucę cię po prostu z auta w środku lasu. Nikt cię nie usłyszy. Nie dojdziesz o kulach do ulicy. Nim cię ktoś w końcu znajdzie, zamarzniesz.

Przez chwilę milczał. Julita zastanawiała się, czy słyszy, jak dudni jej serce.

– Żeby było jasne, nie życzę ci tego. Ale jeśli będę musiał… Zrobię to. Bez wahania. Drugi scenariusz jest taki, że się dogadamy. Wtedy odwiozę cię pod dom i pójdziesz spać w swoim łóżku.

– Drugi brzmi lepiej.

– Prawda? A nie chcę wcale tak wiele. Trzy dni, to wszystko.

– Nie rozumiem.

– Trzy dni trzymaj gębę na kłódkę. Nikomu o mnie nie mów.

– A potem?

– Potem wszystko mi jedno.

Chmury się rozwiały, odsłaniając księżyc. Znów zobaczyła jego twarz. Podkrążone błyszczące oczy. Zapadnięte policzki. Wyglądał jak na zdjęciach, ale był kimś innym.

– Chcesz kogoś zabić, prawda? – spytała. – Jest ktoś jeszcze?

– Może.

– Ja... Ja nie mogę...

– Martwisz się o swoje sumienie? – Wszedł jej w słowo. – Widziałaś to forum. Widziałaś, co tam jest. Wiesz, na co zasługują ci ludzie.

– Na proces.

– Nie rozśmieszaj mnie. – Podniósł głos. – Jaki proces? Taki, jak miał Buczek?

– Gdybym upubliczniła wszystkie materiały, które zebrałam, nie mieliby wyboru...

– Nie, nie. Nie rozumiesz. Nie rozumiesz, jaka jest skala tego wszystkiego. Gdzie to sięga.

– A gdzie?

– Zobaczysz. Za trzy dni.

Julita milczała. Zbierała odwagę, żeby zadać pytanie, które od tygodni nie dawało jej spokoju.

– Czemu... Czemu to jest dla ciebie takie ważne?

Długo nie odpowiadał. Mogłaby odnieść wrażenie, że ją zignorował, że jej nie usłyszał. Ale widziała, jak drży ręka, w której trzyma pistolet.

– Przejrzałaś całe to forum? Wszystkie wątki?

– Nie... Nie byłam w stanie. Tylko kilka zdjęć.

– Widziałaś takiego rudego chłopca? Zielone oczy, dziesięć lat?

– Nie.

– Jest tam. – Emil mówił z coraz większym trudem. – To był mój syn. Miłosz.

– Był?

– Tak czy nie?! – Teraz Emil już prawie krzyczał. – Decyduj się.

Julita skuliła się, schowała głowę w ramionach. Topniejący śnieg spływał powoli po szybach.

– Tak – powiedziała wreszcie. – Trzy dni. Obiecuję.

Emil skinął głową. A potem schował pistolet i włączył silnik.

Dochodziła północ. Julita siedziała na kanapie, okryta kocem, komputer na stoliku obok. Z kuchni dochodził miarowy oddech; Piotrek już spał, wyciągnięty na karimacie. Powiedziała mu, że utknęła w korku i spóźniła się do studia, więc TVN puścił inny materiał. O dziwo, chyba jej uwierzył. Nikt inny nie wiedział i nie mógł się dowiedzieć. Julita potarła czoło, zaklęła bezgłośnie. Nie wiedziała, co ma zrobić. Nie miała z kim o tym porozmawiać, komu się zwierzyć. W jej własnej głowie wszystkie za i przeciw zlewały się już w bełkotliwy szum, kompas moralny się rozmagnesował. Spojrzała znów na ekran i po raz kolejny zaczęła czytać e-maila, chociaż znała już jego treść na pamięć.

od: Wiesz Kto <wieszkto@protonmail.com>
do: Ja <teodozja.ambrozja@gmail.com>
data: 13 listopada 2018 22:11
temat: nasza umowa

Nie jestem pewien, czy dotrzymasz obietnicy. Zakładam, że teraz, kiedy już wróciłaś do domu, możesz uznać, że umowa zawarta pod groźbą śmierci nie jest wiążąca.

Podejrzewam, że wahasz się właśnie, czy jednak nie podnieść słuchawki i nie zadzwonić na policję. Nie jestem w stanie cię przed tym powstrzymać. Ale spróbuję cię od tego odwieść.

Poniżej wklejam link do paczki danych, która zawiera wszystkie informacje, jakie zebrałem na temat Buczka, jego wspólnika Kłosa i pozostałych użytkowników „Placu Zabaw", których udało mi się zidentyfikować. Mejle. SMS-y. Rozmowy. Zdjęcia. Jedenaście gigabajtów danych. Dość, żebyś opisała całą aferę krok po kroku.

https://tinyurl.com/ybluhy7c

Jest jeden haczyk. Dane są zaszyfrowane w protokole 4096-bitowym. Klucz dostaniesz tylko i wyłącznie, jeśli dotrzymasz słowa, czyli po upływie trzech dni, 16 listopada o północy. Jeśli mnie wydasz – wszystko przepadnie.

Julita oparła głowę o ścianę, wbiła wzrok w sufit. Skłamać czy nie skłamać? Tak czy nie? Tak czy nie? Tak czy nie? Wreszcie podniosła telefon i wybrała numer Janka.

– Halo? Przepraszam, że dzwonię tak późno, pewnie już spałeś, ale uznałam, że powinnam ci dać znać jak najszybciej... – Julita zawiesiła głos. Tak czy nie? Tak czy nie? – Słuchaj, pomyliłam się. To jednak nie był on...

Większość turystów opuszcza Australię z pluszowym misiem koala, minibumerangiem pomalowanym na aborygeńską modłę w drobne kolorowe kropeczki albo paczką suszonego mięsa kangura pociętego w paski. Prokurator Cezary Bobrzycki nie miał w walizce żadnej z tych rzeczy.

Jedyną pamiątką, którą przywoził z podróży, była granatowa teczka z logo policji stanu Queensland. W środku znajdowały się materiały na temat operacji „Clockwise": szczegółowo opisane metody identyfikacji członków forum, poszlaki łączące darknetową stronę z Rosjanami, zeznania świadków. Prokurator nie zdążył jeszcze wszystkiego przeczytać, ale miał przed sobą ponad trzydzieści godzin podróży. Dość, żeby dokończyć lekturę – i może jeszcze obejrzeć jakiś zaległy film.

Nate Kelly udzielił mu mnóstwo wsparcia. Zaoferował, że poleci z nim do Brisbane, że przedstawi go technikom, że pomoże mu zdobyć wszystkie potrzebne materiały. Mało tego, powiedział, że kiedy śledztwo w Polsce znowu ruszy, on i jego zespół zrobią, co w ich mocy, żeby go wesprzeć, że jakby co, może nawet przyjechać do Warszawy, choćby na własny koszt.

Z początku Bobrzycki nie rozumiał, czemu sierżant aż tak palił się do pomocy. Później, pod koniec pobytu, kiedy poznał go już trochę lepiej, zdał sobie sprawę, że Nate szukał w ten sposób usprawiedliwienia dla własnych działań. Miał nadzieję, że jeśli przyczyni się do aresztowania kolejnych pięćdziesięciu, stu albo stu pięćdziesięciu pedofili, to koszmarne rzeczy, które robił, podszywając się przez rok pod administratora Ganimeda, będzie można jakoś uzasadnić. Cezary czuł, że sierżant szuka w ten sposób odkupienia, że chce usłyszeć, że każdy na jego miejscu zrobiłby to samo, że nie powinien robić sobie wyrzutów. Nie powiedział tego. Nie uważał, że ma prawo udzielić mu takiego rozgrzeszenia. I chociaż był głęboko religijnym człowiekiem, nie był pewien, czy ktokolwiek może.

Cezary znalazł swoje miejsce, 32B, na środku. Pod oknem siedziała młoda dziewczyna w bluzie z kapturem, od korytarza blady staruszek w sandałach i grubych skarpetach. Przeprosił ich, usiadł w swoim fotelu. Mały ciekłokrystaliczny ekranik wyświetlał trasę lotu. Prokurator, który zwykle lubił latać, tym razem był dziwnie spięty. Miał niejasne przeczucie, że coś pójdzie nie tak.

= 13 =

Julita odkryła, że czas rzeczywiście jest względny: listo-
padowe dni dłużyły się jak nigdy wcześniej. Nie czuła się
na siłach, żeby wyjść na miasto, więc siedziała w domu.
Próbowała pisać, ale słowa nie chciały złożyć się w zdania. Próbowała czytać, ale na niczym nie mogła się
skupić. Próbowała oglądać telewizję, ale zamiast patrzeć
na telewizor, co chwilę sprawdzała wiadomości na telefonie. Jakaś strzelanina? Wypadek? Podejrzane awarie komputerowe? Ale nie, nic z tych rzeczy.

Julita grała na komórce w odmóżdżające gry, przesuwając po ekranie kolorowe kulki i błyszczące diamenciki.
Pomalowała sobie paznokcie. Obdzwoniła rodzinę bliższą
i dalszą. Przewijała *feed* na Facebooku, przeglądając nie-
kończącą się paradę wakacyjnych zdjęć, quizów, statusów,
mniej lub bardziej śmiesznych memów i mniej lub bardziej prawdziwych wiadomości, aż ikonka baterii zmieniła kolor na czerwony.

Mimo to nie można było powiedzieć, że Julita się nudzi-
ła. Nie pozwalały jej na to ciągłe wyrzuty sumienia – i stres.
Nieważne, co robiła, cały czas ssało ją w żołądku, waliło
w skroniach. Czuła się jak maturzystka w przeddzień eg-
zaminu, jak debiutująca aktorka tuż przed premierowym
spektaklem, jak olimpijka, która chodzi w tę i we w tę
po szatni, czekając, aż wreszcie, po latach przygotowań,

będzie mogła wyjść na bieżnię. Wiedziała, że zaraz stanie się coś ważnego, coś, co wywróci jej życie do góry nogami, wobec czego te przeciągające się chwile oczekiwania nie mają żadnego znaczenia. Cisza przed burzą.

Szesnastego listopada wieczorem Julita była w domu sama; Piotrek wyszedł z Vladimirem. Usiadła na kanapie z kawą i nową „Polityką". Miała silne postanowienie, że dotrwa do północy. Zasnęła kwadrans po dwudziestej drugiej.

Do zestawów frytki czy kolba? – spytała sprzedawczyni.

– Frytki – odparł posterunkowy Radosław Gralczyk, tłumiąc ziewanie. Nie znosił nocnych zmian.

– Powiększamy? – dopytywała się ekspedientka. Miała pusty wzrok i ciemne plamy potu pod pachami. Jak na kogoś, kto nie mógł mieć więcej niż dwadzieścia lat, wyglądała na niesamowicie zmęczoną życiem.

– Tak.

– To będzie czterdzieści złotych i siedemdziesiąt sześć groszy.

Gralczyk wyjął z portfela wymięte banknoty, podał je kasjerce, po czym oparł się o blat i rozejrzał wokół siebie. Dwóch chłopaczków, którzy siedzieli przy stoliku pod oknem, wydawało się dziwnie zaniepokojonych jego obecnością. Może dlatego, że pili piwo. A do fast fooda przy wyjazdówce z Warszawy mało kto przychodzi na piechotę.

Syknęły automatyczne drzwi, ktoś zatupał ciężko. Posterunkowy Gralczyk odwrócił się. To był Jarek, jego partner. Blady jak ściana.

– Radek! – krzyknął. – Jedziemy!

– Ale czekam jeszcze na kurczaki...

– Pierdolić kurczaki! Chodź!

Radosław Gralczyk wskoczył do radiowozu.

Profesor Wiesława Maczek była przyzwyczajona do hałasu. Po pierwsze, mieszkała na Żwirki i Wigury, naprzeciwko Mauzoleum Żołnierzy Radzieckich – czyli przy głównej drodze na lotnisko, którą zawsze, niezależnie od pory dnia i nocy, kursowały taksówki. Po drugie, jej mąż, Grzegorz, strasznie chrapał: jak traktor jadący po kocich łbach, jak szczerbata piła łańcuchowa tnąca wpół stuletni dąb, jak młynek na odpadki, do którego wpadł widelec, jak... W długie bezsenne noce wymyśliła wiele podobnych porównań. Oczywiście próbowali z tym walczyć: kupowali specjalne poduszki, olejki eteryczne, w końcu Grzegorz nawet miał zabieg na przegrodzie nosowej, który jednak nie przyniósł spodziewanych rezultatów. Wiecznie zmęczona Wiesława używała zatyczek do uszu, zażywała środki nasenne, piła wieczorem okropnie gorzkie rumiankowe herbatki – wszystko na nic, nie mogła spać i tyle. Kilka razy, w przypływie desperacji, zabrała swoją kołdrę i położyła się w wannie, ale i tam, niestety, niosło się potężne Grzegorzowe rzężenie. A potem, nie wiedzieć kiedy albo jak, po prostu przestała je słyszeć. Grzegorz twierdził, że to dlatego, że na stare lata sama zaczęła chrapać, ale Wiesława dobrze wiedziała, że to nie może być prawda.

Ale nawet profesor Wiesława Maczek, zdolna smacznie spać przy hałasie przekraczającym poziom stu decybeli, zerwała się z łóżka o dwudziestej drugiej czterdzieści pięć. Syreny. Podeszła do okna. Ulicą pędziły policyjne radiowozy: jeden, drugi, trzeci. W oddali słychać było też szum helikoptera.

– Grzegorz! – krzyknęła Wiesława, zapalając światło. – Grzegorz, wstawaj!

Prokurator Cezary Bobrzycki karnie wykonywał ćwiczenia zalecane przez lekarzy dla podróżujących samolotami. Co godzinę wstawał, przechadzał się wzdłuż korytarza, kręcił młynki nadgarstkami, rozciągał ramiona w górę i na boki, czym pobudzał krążenie nie tylko u siebie, ale też wśród sąsiadujących z nim pasażerów.

Bobrzycki przechodził akurat do ćwiczeń dolnej partii ciała (usiądź, wyprostuj nogę, pięć obrotów kostką, zmień nogę), kiedy zauważył, że ikonka samolotu na ekranie pokazującym trasę podróży odbiła nagle na zachód. Po pokładzie przeszedł szmer zdziwienia. Stewardesy posłały pasażerom szerokie uśmiechy, które miały w zamierzeniu działać uspokajająco (nie ma się czym martwić, to z pewnością standardowa procedura), ale wzbudziły tylko większe zaniepokojenie.

– Proszę państwa, z tej strony kapitan. – Głośniki rozbrzmiały. – Z powodu problemów technicznych w porcie lotniczym Chopina w Warszawie jesteśmy zmuszeni lądować gdzie indziej. Przyjmie nas lotnisko w Łodzi. Nasz lot wydłuży się w związku z tym o około dwadzieścia minut. Dziękuję za uwagę. *Ladies and gentlemen, this is captain speaking...*

Cezary Bobrzycki uniósł brew. Jako prokurator miał ucho wyczulone na fałsz. Cokolwiek działo się na lotnisku Chopina, z pewnością nie były to problemy techniczne.

Janek Tran zmienił przerzutkę na wyższą, stanął na pedałach. Lewa, prawa, lewa, prawa, szybciej, szybciej, szybciej, pot lał mu się po twarzy, kłuło go w płucach, stacjonarny rowerek kolebał się na boki. W słuchawkach leciał na pełen regulator Judas Priest: *Invader, invader nearby, invader, invader is nigh...*

Mimo późnej pory na siłowni było sporo ludzi: rowerki po obu stronach były zajęte, przed lustrem prężył się koleś w zdecydowanie za krótkich spodenkach, kątem oka Janek widział, jak unosi się i opada sztanga. W sumie nic dziwnego, pomyślał, pociągając łyk jaskrawożółtego izotonika. Siłownia była przy samym rondzie ONZ, obok miały swoje biura firmy konsultingowe, banki, kancelarie. Chłopaki pewnie dopiero co wyszły z pracy.

Janek spojrzał na wyświetlacz. Przejechał pięćdziesiąt kilometrów, spalił nieco ponad trzysta kalorii. No, pomyślał, zaciskając ręce na kierownicy, trzeba będzie się jeszcze trochę napocić, zanim odpokutuję te wszystkie śmieci, które żarłem przez ostatni miesiąc. Zawsze to samo. Kiedy pracował nad czymś ważnym, wpadał w ciąg: nie spał, jadł co popadnie, wlewał w siebie litry kofeiny. A potem przychodziło otrzeźwienie, zwykle wtedy, kiedy nie mógł dopiąć na brzuchu spodni, i wpadał w drugie ekstremum: spędzał całe dnie na siłowni, głodził się jak skoczek narciarski. I tak do następnego razu. Zwiesił głowę, jeszcze przyśpieszył. Ostatnie kilka kilometrów, potem ergometr wioślarski. *This is the first of more to come in carefully planned attacks*, śpiewał Rob Halford w słuchawkach, *if it is so we must prepare defenses to fight back...*

Janek dobił do sześćdziesięciu kilometrów, po czym zeskoczył z siodełka i wytarł twarz ręcznikiem. Nagle zdał sobie sprawę, że jest sam. Rowerki obok były puste, zniknął koleś w przykrótkich spodenkach, sztanga leżała na ziemi. Odwrócił się. Wszyscy stali pod telewizorem. Na dole ekranu przewijał się żółty pasek. Janek zmrużył oczy, ale wciąż nie mógł odczytać literek. Wyjął słuchawki z uszu.

– Póki co nie wiemy, jakie są żądania porywacza, nie znamy też jego tożsamości – powiedziała prezenterka. – Policja potwierdziła jedynie, że na pokładzie samolotu znajduje się siedemdziesięciu trzech pasażerów i że rozpoczęto już negocjacje w sprawie ich uwolnienia…

Łup, łup, łup.

No tak, pomyślała Julita, siadając na łóżku. Piotrek znowu zapomniał klucza. A mówiła mu, kładź go zawsze w tym samym miejscu, gdzieś przy wejściu, to będziesz pamiętał, a tak, jak go zostawiasz w kieszeniach, to nic dziwnego, że…

Łup, łup, łup.

– No idę, idę! – krzyknęła, szukając po omacku włącznika do lampki nocnej. – Trochę wyrozumiałości dla inwalidki!

Podniosła kule i zaczęła kuśtykać w stronę drzwi. Zwolniła zasuwę, do środka wlało się ostre światło jarzeniówek z korytarza. Zmrużyła oczy. Dopiero po chwili zdała sobie sprawę, że to nie Piotrek. Stało przed nią dwóch policjantów. Postawni, krótko ostrzyżeni, z kwadratowymi szczękami. Nie wyglądali na drogówkę.

– Pani Julita Wójcicka? – spytał jeden z nich.

– Zgadza się…

– Pojedzie pani z nami.

– Co? – Odgarnęła włosy z twarzy, spojrzała na zegarek. Dziesięć minut po północy. Siedemnasty listopada. *Fuck*. – Ale gdzie?

– Na lotnisko Chopina.

– Ale… Czemu?

– Ktoś chce z panią porozmawiać – odparł policjant, a z jego tonu można było wywnioskować, że to ostatnie pytanie, na jakie zamierza odpowiedzieć. – I to pilnie.

Po raz pierwszy od bardzo dawna Julita zapomniała wziąć ze sobą komórkę. Lampka nad wyświetlaczem pulsowała czerwonym światłem. Nieodebrana wiadomość od wieszkto@protonmail.com, temat: klucz.

Julita była kilka razy na lotnisku Chopina, zawsze w okresie wakacyjnym, kiedy roiło się tam od ludzi: spalonych słońcem czterdziestolatków wracających z wyjazdu do Szarm el-Szejk albo innego Rodos, rodziców wraz z rozwrzeszczanymi pociechami, którzy jeszcze przed wylotem wyglądali, jakby już nie mogli się doczekać, kiedy będą znów w pracy, i klientów tanich linii lotniczych, którzy stojąc w kolejce do odprawy, jeszcze się przepakowywali, próbując upchnąć towary gabarytu cargo w bagażu podręcznym.

Teraz lotnisko było puste – to jest, jeśli nie liczyć antyterrorystów. Hełmy, gogle, kamizelki kuloodporne, pistolety maszynowe. Całkiem jak w filmie, jak w *Szklanej pułapce*. Tyle że to się działo naprawdę. Co mi odbiło, myślała Julita, patrząc na radiowozy na płycie lotniska. Co ja zrobiłam. Ponad siedemdziesięciu zakładników. Siedemdziesięciu ludzi, którzy siedzą tam przeze mnie. Przez moją głupotę.

Policjanci posadzili ją na wózku inwalidzkim. Jechała przez pusty terminal, mijając zamknięte sklepy; gdzieś w oddali słychać było głos zniekształcony przez krótkofalówkę. Dotarli na odloty; rzędy metalowych krzeseł, porzucone przez ewakuowanych podróżnych walizki, torebki, komputery, pod ścianą leżał dziecięcy but. Julita zacisnęła dłoń na oparciu wózka.

Bała się. Bała się jak cholera.

Wjechali windą piętro wyżej. Szara podłoga, szare ściany, szare, nieoznakowane drzwi, zza których dochodziły strzępy rozmów. Weszli do środka. Kilkanaście osób, część w mundurach, część w cywilu. Na ścianie monitory, na stołach sprzęt elektroniczny, jakieś kable, diody, przełączniki, słuchawki, nie miała pojęcia, co to wszystko jest. Podszedł do niej krępy, ogolony na zero mężczyzna z równo przystrzyżonym wąsem. Miał na sobie policyjny mundur, na pagonach były gwiazdki.

– Pani Julita Wójcicka? – spytał wąsacz.

– Zgadza się.

– Podinspektor Daniel Zakrzewski, dyrektor Biura Operacji Antyterrorystycznych. Dziękuję, że zgodziła się pani przyjechać.

Julita nie przypominała sobie, żeby ktokolwiek pytał ją o zgodę, ale uznała, że zachowa to dla siebie.

– Zastanawia się pani zapewne, czemu panią tu ściągnęliśmy. Proszę spojrzeć na ten ekran. – Julita podążyła za palcem podinspektora. Samolot, jeden z tych mniejszych. Otoczony wozami policyjnymi. – Embraer sto siedemdziesiąt pięć. O godzinie dwudziestej drugiej pięćdziesiąt miał wylecieć do Krakowa, lot LO3911. O godzinie dwudziestej drugiej trzydzieści zakończono boarding, chwilę później kapitan ruszył w stronę pasa startowego. O dwudziestej drugiej trzydzieści dziewięć wieża kontroli lotów zauważyła, że samolot zatrzymał się bez podania powodu na drodze kołowania w sektorze E. O dwudziestej drugiej czterdzieści dwa kapitan przekazał informację, że na pokładzie znajduje się uzbrojony mężczyzna, który przejął kontrolę nad maszyną. Mężczyzna na pewno posiada broń palną, prawdopodobnie własnej konstrukcji. Oddał strzał ostrzegawczy w poszycie samolotu, kiedy jeden z pasażerów próbował go obezwładnić. Całe szczęście, póki co nie ma ofiar.

Podinspektor przerwał, przyłożył palec do ucha. Julita dopiero teraz zauważyła, że miał tam małą słuchawkę.

– O dwudziestej trzeciej jedenaście ustanowiliśmy kontakt z porywaczem drogą telefoniczną – podjął po chwili policjant. – Powiedział, że ma przy sobie również materiały wybuchowe. Nasza negocjatorka poprosiła go o listę żądań. Miał tylko jedno.

– Jakie?

– Chce z panią porozmawiać. Na pokładzie samolotu – powiedział Zakrzewski. – W zamian zgodził się uwolnić połowę zakładników. Następnie, po trzydziestu minutach rozmowy, wypuści resztę pasażerów. I odda się w ręce policji.

W pokoju zrobiło się cicho. Julita z trudem panowała nad oddechem, miała wrażenie, że zaraz zacznie się dusić. Wdech, wydech, wdech, wydech.

– Proszę pani... – Zakrzewski patrzył jej w oczy. Mówił powoli, spokojnie. – Nie ma pani obowiązku tam wchodzić, zwłaszcza w pani obecnym stanie. Jeśli pani odmówi, zadbamy o to, żeby informacja na temat pani roli nigdy nie dotarła do mediów. Wystarczy, że powie pani „nie", i zapomnimy o całej sprawie. – Policjant zawiesił na chwilę głos. – Nie ukrywam jednak, że zależy nam na pani współpracy. Narażenie osoby cywilnej traktujemy zawsze jako absolutną ostateczność. W tej konkretnej sytuacji podejrzewamy, że jeśli nie spełnimy żądania porywacza, konieczne będzie wdrożenie wariantu siłowego. A zważywszy na charakter obiektu, w którym przebywają zakładnicy, oraz arsenał porywacza, jest wysoce prawdopodobne, że padną ofiary. Oczywiście, jeśli chciałaby pani najpierw...

– Zgadzam się.

Zakrzewski urwał w pół zdania, wyraźnie zaskoczony. Usiadł na biurku, splótł dłonie na kolanie.

– Muszę się upewnić. Czy ma pani świadomość, że nie jesteśmy w stanie zagwarantować...

– Tak.

– Świetnie. – Policjant skinął głową. – W takim razie zacznijmy działać.

Autobus ruszył spod terminalu kilka minut po pierwszej w nocy. W środku były tylko cztery osoby: Julita, podinspektor Zakrzewski, negocjatorka i kierowca. Embraer ledwie wystawał zza kordonu samochodów policyjnych, karetek i wozów strażackich; w powietrzu unosiły się drony. Wszystkie okna samolotu były zasłonięte, kokpit był pusty, światła pogaszone, cisza. Można było odnieść wrażenie, że w środku nikogo nie ma.

Julita zamknęła oczy, zacisnęła zęby, próbowała zdusić wzbierający strach. Kable od mikrofonu i sprzętu spektrometrycznego, który technicy przypięli jej pod koszulą, zdawały się zaciskać coraz mocniej wokół brzucha, ugniatać pęknięte żebra. Skrzywiła się z bólu, wypuściła powoli powietrze. Czego on tak naprawdę chce, myślała, czemu mnie tu ściągnął? Co takiego chciał powiedzieć, czego nie mógł zrobić trzy dni temu?

Autobus się zatrzymał, kierowca otworzył drzwi. O Boże, o Boże, o Boże...

– Podwieziemy panią na wózku pod same schody – odezwał się Zakrzewski. – Na górę musi wejść pani sama, taki był warunek porywacza. Da pani radę?

– Muszę.

Policjant skinął głową, po czym złapał wózek za uchwyt.

– Pamięta pani słowo alarmowe?

– „Eskalacja".

– Dokładnie. Jeśli padnie w rozmowie, zespół bojowy rozpocznie szturm. Gdyby był jakiś problem z pani sprzętem, i tak powinniśmy dostać sygnał, bo równolegle prowadzimy nasłuch za pomocą mikrofonów laserowych.

– Laserowych?

– Rejestrują drganie powietrza w wybranym obiekcie, na tej podstawie można odtworzyć dźwięk – wyjaśnił Zakrzewski. – Atak zacznie się po upływie minuty od sygnału. Kiedy usłyszy pani jakikolwiek hałas, proszę natychmiast paść na ziemię. Rozumie pani?

– Rozumiem.

Podjechali pod schody. Negocjatorka stała tuż obok, rozmawiała przez telefon. Po chwili skinęła głową. Teraz.

Julita wstała z wózka, złapała się poręczy i zrobiła pierwszy krok. Wspinała się powoli, ostrożnie, opierając cały ciężar ciała na prawej nodze; wiatr rozwiewał włosy, szarpał za płaszcz. W połowie drogi zatrzymała się i obejrzała za siebie. Autobus czekał na zakładników. Antyterroryści czekali na sygnał do ataku. Trzęsły jej się ręce. Ze zmęczenia, ze strachu. Kiedy stanęła na przedostatnim schodku, drzwi do samolotu nieznacznie się uchyliły.

MEGANEWSY.PL – NAJŚWIEŻSZE WIEŚCI!

PILNE: ZNAMY TOŻSAMOŚĆ PORYWACZA. KIM JEST EMIL CHORCZYŃSKI?
PILNE: CZEGO ZAŻĄDAŁ PORYWACZ? DZIEWULSKI: TO BEZ PRECEDENSU
OKĘCIE ODCIĘTE OD ŚWIATA. GALERIA WASZYCH ZDJĘĆ I FILMÓW

Półmrok. Smród potu. Zduszony szloch. Załoga siedzi w korytarzu, z rękoma za głowami. Pasażerowie w fotelach, przypięci pasami, przerażeni. Nie wiedzą, kim jest, nie rozumieją, co się dzieje, co tu robi dziewczyna w kołnierzu ortopedycznym i ręką w temblaku, co się dzieje?

– Pod ścianę. Szybko.

Julita się obróciła. Emil Chorczyński stoi za drzwiami, przed wejściem do kokpitu. Przed nim klęczy mężczyzna w drogim garniturze. Ma ręce spięte jednorazowymi kajdankami z plastiku i worek na głowie. Emil przystawia mu do skroni lufę pistoletu. To inna broń niż wtedy, w samochodzie. Pistolet jest biały, kanciasty, chyba z jakiegoś tworzywa sztucznego. Wygląda jak zabawka. O tym, że nią nie jest, świadczy okrągła dziura w suficie. W drugiej ręce Emil trzyma jakiś kabel, który prowadzi do wewnętrznej kieszeni marynarki. Julita wykonuje polecenie, kuśtyka pod ścianę. Walczy ze sobą, żeby nie zamknąć oczu.

– Dobrze. – Emil kiwa głową. Jego głos jest zdarty, chrapliwy, jakby dużo krzyczał. Albo płakał. – Rzędy od jeden do dziesięć mogą wyjść, reszta zostaje. Wstajecie pojedynczo, kolejno miejsca A, B, C, D. Następna osoba wstaje dopiero, kiedy…

– Błagam, niech mnie pan puści. – W rzędzie dwunastym wstaje kobieta. Ma na policzkach zacieki z czarnego tuszu. – Mam dwójkę dzieci, one…

– Stul pysk!

– Na Boga, niech pan…

– Stul pysk i posadź dupę! Ale, kurwa, już! – Emil odrywa broń od skroni klęczącego mężczyzny, celuje w kobietę. Ta zaczyna szlochać. Unosi ręce w górę, siada.

– Wszyscy stąd wyjdziecie – mówi Emil. – Pod warunkiem, że nie zrobicie niczego głupiego. Jasne? Powtarzam, rzędy jeden, dziesięć, żadnych wyjątków, żadnych odwołań. Jeden „A". Wstawaj! Już!

Starszy mężczyzna odpina pas, rusza ku drzwiom na miękkich nogach. Po nim kobieta z jeden „B"; kiedy ich mija, Julita słyszy szeptaną drżącym głosem modlitwę. Potem jeden „C", „D". Idzie szybko, szybciej, niż się spodziewała; nikogo nie trzeba namawiać do wyjścia. Kiedy staruszka z dziesięć „D" wchodzi na schody, Emil każe jednej ze stewardes wstać i zamknąć drzwi. Kobieta spełnia żądanie. Chociaż robiła to wcześniej tysiące razy, teraz ręce ślizgają się na ryglach, nie mogą znaleźć odpowiednich guzików. Wreszcie jej się udaje. Emil wskazuje jej lufą miejsce na podłodze. A potem wyciąga coś z kieszeni. Dyktafon. Naciska guzik. Z głośników leci kobiecy głos. Jej głos, Julity Wójcickiej. Mówi słowa, których nigdy nie wypowiedziała. „Dostałeś, czego chciałeś. Co teraz?" „Przeprowadzisz ze mną wywiad", odpowiada Emil w nagraniu, „Chcę, żeby świat poznał moją wersję wydarzeń".

Chorczyński podchodzi do niej, przystawia palec do ust, nakazując milczenie. Bezceremonialnie podwija jej bluzkę, odpina mikrofon i kładzie go na pustym fotelu, obok dyktafonu, z którego lecą kolejne słowa, całe zdania, niby jej własny głos, ale skradziony, zamknięty w butelce. Jeżą jej się włosy. Ale jak? Jak? Nie ma czasu pozbierać myśli. Emil popycha mężczyznę w worku na głowie i sadza go w siódmym rzędzie, potem pokazuje Julicie, żeby zajęła miejsce obok. Robi to. Fotele śmierdzą moczem. Mężczyzna cztery rzędy dalej kolebie się gwałtownie, mówi coś do siebie.

– Wy. – Emil zwraca się do reszty pasażerów. Mówi cicho. – Usta razem i robicie wszyscy „mmm". Raz, dwa, trzy, jazda.

Cisza. Okrągłe z przerażenia oczy.

– Wyraziłem się nieprecyzyjnie?! – Emil odbezpiecza pistolet, celuje w pasażerów. – Co, zamruczeć nie potraficie, jak ładnie proszę?

– P-potrafimy – wyjąkał ktoś z tyłu.

– To mruczeć, kurwa! Już!

MEGANEWSY.PL – NAJŚWIEŻSZE WIEŚCI!

PILNE: WŚRÓD PORWANYCH JEST WICEMINI-
STER MSWiA, JAN BRONIAREK
PILNE: POŁOWA PASAŻERÓW WYPUSZCZONA
NA WOLNOŚĆ
PILNE: WSTRZĄSAJĄCY APEL MATKI JEDNEJ
Z ZAKŁADNICZEK

Wpierw jedna osoba, potem kolejna, i następna, po chwili mruczy pół pokładu, niskie, wibrujące „mmm" wypełnia samolot, aż czuć to w brzuchu, jakby siedzieli tu nie przerażeni biznesmeni, turyści, studenci, tylko pogrążeni w medytacji buddyjscy mnisi. Julita rozgląda się wokół siebie, wystraszona, skołowana. A potem przypomina sobie, co mówił w autobusie Zakrzewski. Mikrofony laserowe rejestrują drgania powietrza, które towarzyszą rozchodzącym się dźwiękom. Zagłuszył je. Jedyne, co usłyszą teraz antyterroryści, to lecąca z dyktafonu spreparowaną rozmowę.

Emil wyciąga drugi dyktafon, zaczyna nagrywać. A potem zdejmuje worek mężczyźnie w garniturze. Czerwona, spocona twarz wygląda znajomo. Widziała ją wcześniej.

– Pozwólcie, że was sobie przedstawię – mówi Emil. – To Julita Wójcicka, dziennikarka. A to wiceminister Broniarek.

– O co ci, kurwa, chodzi?! – Julita nie wytrzymuje, stres skrapla się w krzyk. – Czego ty ode mnie chcesz?!

– Przestań się drzeć – syczy Emil. – Niewiele. Żebyś posłuchała. Minister opowie ci historię. Wie pan, jaką?

Broniarek trzęsie się cały jak galareta. Kręci głową.

– To ja może podpowiem. Modrzewiowa siedemdziesiąt trzy. Kółko teatralne. Mówi ci to coś, skurwysynu?!

Wiceminister zmienia kolor, krew odpływa, twarz z czerwonej staje się blada. Z nabiegłych krwią oczu ciekną łzy.

– Opowiesz?

Żadnej odpowiedzi, żadnego ruchu.

– Wahasz się? Nic dziwnego – Emil cedzi przez zęby. – Ułatwię ci wybór. Jeśli opowiesz wszystko, wszyściusieńko, gładko i po kolei, tak jak to robisz w telewizji, puszczę cię żywcem. A jeśli nie… – Lufa dotyka spoconej skroni, tuż obok pulsującej gwałtownie żyły. – Rozpierdolę ci łeb. Rozumiesz? Tak? To opowiesz?

Broniarek patrzy mu w oczy. To, co w nich zobaczył, sprawia, że kiwa głową.

– Doskonale. W takim razie…

– Czemu ja? – Julita wchodzi Emilowi w słowo.

Chorczyński odwraca się w jej stronę. Jego twarz jest straszna. Zacięta, wykrzywiona nienawiścią maska.

– Bo będziesz miała odwagę to powtórzyć. I zrobisz to tak, żeby wszyscy usłyszeli.

– Skąd wiesz? Ja tego nie wiem.

– Widać znam cię lepiej niż ty sama.

Emil nie czeka na odpowiedź, odwraca się i rozwiązuje knebel Broniarkowi. Znam cię lepiej niż ty sama, powtarza w myślach Julita. Co za bzdura. A potem przypomina sobie, że Chorczyński czytał wszystkie jej e-maile, SMS-y, podsłuchiwał ją; że doskonale wiedział, jaką pułapkę na nią zastawić, jaką zwabić ją przynętą. Może coś w tym jest.

– Nie wiem, kim jesteś. – Wiceminister odzyskał głos, zaczyna mówić, mówi szybko, żeby tylko zagadać, świadomy, że czas działa na jego korzyść. – Ale ręczę, że rząd będzie gotowy na znaczne ustępstwa, żeby zapewnić mi...

– Modrzewiowa siedemdziesiąt trzy. – Emil brzmi zaskakująco spokojnie, jakby karcił dziecko, ale pistolet naciska na skroń jeszcze mocniej, aż plastikowa krawędź kwadratowej lufy przecina skórę i leje się krew. – Kółko aktorskie. Słuchamy.

Broniarek nie ma wyboru. Opowiada więc o dziecięcym kółku aktorskim, które na Modrzewiowej 73, w ceglanym parafialnym budynku krytym czerwoną blachą, prowadził Ryszard Buczek. O tym, jak Buczek wraz z ojcem Kłosem wybierali ofiary. Dzieci nawykłe do słuchania poleceń, szukające za wszelką cenę aprobaty, której nie znajdowały u pochłoniętych pracą rodziców. Buczek mówił im, że zagrają w inscenizacji *Piotrusia Pana*. Że w Nibylandii panują specjalne zasady, że tam nie ma podziału na dorosłych i dzieci, że muszą dotrzymać tajemnicy, bo mamusie i tatusiowie bardzo by się pogniewali. W próbach brali czasami udział aktorzy gościnni. Ważni ludzie gotowi wyłożyć duże pieniądze. Tacy jak wiceminister Broniarek. A potem, kiedy Miłosz Chorczyński, lat dziesięć, wyskoczył pewnego sobotniego poranka przez balkon z szóstego piętra mokotowskiego apartamentowca, wciąż jeszcze w piżamie w spajdermeny, teatrzyk się zamknął, a wszelkie pytania i wątpliwości dotyczące jego działalności jakoś nie znajdowały zainteresowania organów ścigania. Wiceminister Broniarek miał wielu przyjaciół.

Julita nie mogła tego słuchać, miała wrażenie, że ktoś jej przeciąga drut kolczasty między uszami, rzyga jej gorącym żużlem do czaszki, skacze w glanach po brzuchu. Ale Emil nie pozwalał jej odkręcić głowy. Słuchaj, mówił jego wzrok, jego załzawione oczy, a jeśli masz jakieś pytania, to pytaj teraz, bo potem już nie będzie okazji. Ale Julita milczała. Chciała, żeby to wszystko już się skończyło.

Emil spojrzał na zegarek. Minęło dwadzieścia dziewięć minut z trzydziestu, jakie dali mu antyterroryści. Zatrzymał dyktafon i wyjął z niego kartę pamięci; złoty chip odbił światło, rozbłysnął.

– Schowaj to. – Chorczyński podał kartę Julicie. – Gdzieś, gdzie tego nie znajdą.

– Wypuść mnie – powiedział Broniarek. Chciał chyba brzmieć władczo, zagrzmieć autorytetem władzy, ale wyszło żałośnie. – Masz, czego chciałeś.

– Nie. – Emil pokręcił głową. – Jeszcze nie.

Chwilę później w samolocie rozległy się dwa strzały, jeden po drugim.

Epilog

Rok później

Zanim Julita wsiadła do taksówki, sprawdziła, czy numer rejestracyjny zgadza się z tym, który dostała w SMS-ie, a kierowca wygląda jak na zdjęciu w identyfikatorze. Uspokojona, zajęła miejsce za kierowcą i zapięła pasy.

– Nie lepiej się przesiąść? – spytał taksówkarz. Nazywał się Zdzisław, Czesław, jakoś tak.

– Słucham?

– No, wygodnie tak pani z kolanami pod brodą?

Nie, niewygodnie, pomyślała, zwłaszcza że lewa noga wciąż ćmiła tępym bólem. Ale Julita czuła się bezpieczniej schowana za fotelem kierowcy, skąd nie mógł jej obserwować. Miała uraz do taksówek.

– Dziękuję, jakoś wytrzymam – odpowiedziała, siląc się na uśmiech.

– No, jak tam pani sobie chce. To gdzie jedziemy?

– Marszałkowska sto szesnaście.

Kierowca skinął głową i zaczął wstukiwać adres w tablet przyczepiony do deski rozdzielczej. Robił to powolnymi, precyzyjnymi ruchami, ostrożnie, jakby się bał, że jeśli tylko coś źle kliknie, zainicjuje proces samozniszczenia pojazdu.

– A z pamięci to by pan nie trafił? – spytała.

– Pewnie, że bym trafił – odparł, lekko urażony. – Mnie ten dżipiejes na nic niepotrzebny, ale wymóg firmy, rozumie pani…

– Zapłacę ekstra. Dwadzieścia złotych wystarczy?

Taksówkarz spojrzał w lusterko, zaskoczony.

– Pani poważnie?

– Mhm.

– Hmm… No, skoro klientce zależy… Jakoś się pewnie wytłumaczę.

Taksówka zjechała na ulicę. Julita wyjrzała za okno. Bloki. Betonowe latarnie. Chodniki wyłożone kostką bauma. Westchnęła. Powinniśmy mieć więcej słów na opisanie różnych odcieni szarości, pomyślała. Tak jak Eskimosi, którzy mają ponoć pięćdziesiąt słów na śnieg.

– Na randkę pani jedzie? – spytał taksówkarz, najwyraźniej znudzony oczekiwaniem na zielone światło.

– Słucham?

– No bo pani taka ładnie ubrana, umalowana,..

– Nie – ucięła – na spotkanie autorskie.

– O? A czyje?

– Moje.

– No proszę! Pisarkę wiozę! – zawołał taksówkarz, skręcając w Marszałkowską. – A o czym pani pisze?

– O nowych technologiach.

– U, no to nie moje tematy…

– Właśnie w tym rzecz – powiedziała, poprawiając szalik – że pana też.

– Słucham?

– Długo by mówić, a jesteśmy już prawie na miejscu… Wysadzi mnie pan tu na rogu?

– Jak szanowna pani sobie życzy. Wyszło osiemnaście złotych... I... No, wie pani...

– Pamiętam – powiedziała, wręczając dwa dwudziestozłotowe banknoty.

Julita zamknęła za sobą drzwi taksówki i ruszyła w stronę oszklonego budynku, osłaniając twarz przed lodowatym wiatrem. Żeby dostać się do działu z książkami, musiała przejść przez perfumerię (od wymieszanych zapachów kręciło ją w nosie, z trudem powstrzymała kichnięcie), wjechać schodami ruchomymi na górę, minąć produkty papiernicze, zabawki, prasę, wreszcie gry i akcesoria komputerowe. Na końcu znajdowała się niewielka scena, na niej dwa krzesła i okrągły stolik. Z tyłu wisiał plakat z okładką jej książki: pęknięty monitor, na którym wyświetla się tytuł, *Zemsta 2.0. Sprawa Emila Chorczyńskiego.* Do spotkania było jeszcze dwadzieścia minut: obsługa ustawiała dopiero krzesła, technik sprawdzał nagłośnienie.

– Julita! Tutaj!

Odwróciła się. Wiktor, jej redaktor. Niski, grubawy, z aparatem na zębach. Bezlitosny, ale sprawiedliwy krytyk, wyczulony na wszelkie nieścisłości, nielogiczności i dywizy podszywające się pod półpauzy.

– Cześć – powiedziała Julita, ściskając jego dłoń.

– Chodź, pójdziemy na zaplecze... – Poprowadził ją korytarzem, po czym otworzył drzwi do niewielkiego, pozbawionego okien pokoju, w którym stały kanapa i dwa fotele. – Kawa czy herbata?

– Kawa – odpowiedziała Julita, wieszając płaszcz. – Czarna.

– Robi się. Przypomnij, ile słodzisz?

– Jedną.

Wiktor skinął głową. Zachrobotał ekspres, pokój wypełnił się przyjemnym aromatem. Julita usiadła na kanapie, splotła palce na kolanach.

– Co? Stresujesz się? – spytał redaktor, podając jej gorącą filiżankę.

– Trochę.

– Zabawne.

– Co zabawne?

– W ogóle po tobie nie widać. – Wiktor usiadł obok, założył nogę na nogę. – Znaczy, kiedy już wyjdziesz na scenę. Pewna siebie, głos ani drgnie, tu anegdotka, tu żarcik... Jak ryba w wodzie, wydawałoby się.

– Dobrze udaję. – Uśmiechnęła się. – Poza tym... Wiesz. Wolałabym innego prowadzącego.

– Wiem, wiem. Przepraszam, próbowałem powiedzieć szefostwu, że to nieszczęśliwy wybór, ale się uparli, osły. To dobre dla promocji, bla bla bla. A swoją drogą... – zawiesił głos – ...to o co między wami poszło?

– Wolę nie mówić.

– A, to nie naciskam.

Porozmawiali chwilę o sprawach zawodowych: jak się sprzedaje książka, dobrze, zanosi się na dodruk, czy były jakieś nowe recenzje, były, kolejne pięć gwiazdek do kolekcji, gdzie kolejne spotkanie, chyba w Łodzi, ale jeszcze sprawdzę, potem o tym i tamtym. Przerwał im telefon Wiktora. Julita spojrzała na zegarek. Dochodziła szósta.

– Aha... Aha... Tak, już idziemy. No, cześć. – Wiktor schował komórkę do kieszeni. – Gotowa? Czy chcesz jeszcze przypudrować nosek?

– A powinnam?

– Nie wiem, nie znam się.

– To po co pytasz?

– Bo to mniej krępujące niż dociekać, czy musisz jeszcze iść siku, no ale skoro przyparłaś mnie do muru, to proszę bardzo: czy musisz jeszcze iść siku?

– Nie.

– No to chodź.

Widownia była pełna, z tyłu tłoczyli się ludzie, dla których nie starczyło już krzeseł. Julita przecisnęła się przez tłum, weszła na scenę. Waldemar Drucker już tam czekał. Na jej widok wstał i ukłonił się szarmancko. Podając dłoń, spojrzała mu w oczy. Zastanawiała się, czy zobaczy w nich wstyd, zażenowanie albo, kto wie, przeprosiny. Ale nic z tych rzeczy.

– Dobry wieczór, pani Julitko. Jak zdrowie? Tuszę, że lepiej niż moje?

– Nie narzekam.

– W takim razie zaczynajmy. – Drucker sięgnął po mikrofon. – Raz, dwa, trzy, raz, dwa, trzy, słyszą mnie państwo? Doskonale. Dobry wieczór, *good evening*, witam państwa serdecznie na spotkaniu autorskim wyjątkowej damy, Julity Wójcickiej… Gwiazdy, nie, *excusez-moi*, supernowej, która eksplodowała na firmamencie polskiego reportażu. Pani Julito… – Odwrócił się w jej stronę. – Pozwoli pani, że na rozgrzewkę przeczytam mały fragment z ostatniego rozdziału pani książki? Nie będzie to, jak to się teraz mówi wśród młodzieży, spojler?

– Nie sądzę.

– Doskonale… Ekhem… – Drucker poprawił okulary, upił łyk wody. A żebyś się udławił, głupi dziadu, pomyślała Julita, uśmiechając się do tłumu. – „W sypialni, przypięta kolorowymi pinezkami do korkowej tablicy, wisi lista pytań, na które nie znam jeszcze odpowiedzi. To pierwsza rzecz, którą widzę, kiedy się budzę, i ostatnia, na którą patrzę przed zaśnięciem. A zasypiam późno, o drugiej, trzeciej nad ranem. Nie wychodzę z domu, pracuję. Chcę odtworzyć tę historię od początku do końca, każdy szczegół. Kiedy udaje mi się odpowiedzieć na któreś z pytań, skreślam je grubym czarnym markerem; jego zapach kojarzy mi się ze szkołą.

Po siedmiu miesiącach na liście zostaje już tylko kilka pytań. Jedno z nich: jak Chorczyńskiemu udało się wnieść broń i materiały wybuchowe na pokład samolotu? Niżej: skąd miał taśmy ze słowami, których nigdy nie wypowiedziałam? Wracam do materiałów, które mi przekazał, do stron o technologiach, gdzie co drugie słowo muszę sprawdzać w słowniku, od których pęka mi głowa. Idzie mi powoli. Czuję się głupia. Mam poczucie, że walę głową w mur. Ale ten w końcu zaczyna kruszeć.

Najpierw udaje mi się odpowiedzieć na pierwsze pytanie. Chorczyński zbudował pistolet sam, w oparciu o diagramy ściągnięte z sieci, drukując części na kupionej za dwa tysiące złotych drukarce 3D. Są z białego plastiku ABS, wyglądają jak fragmenty zabawki. Jedyna metalowa część, iglica, która uderzając w spłonkę, inicjuje wybuch ładunku miotającego w pocisku, jest zrobiona z gwoździa. Chorczyński mógł go z łatwością ukryć w bucie; pamiętam, że miał na sobie czarne glany z grubą podeszwą. Naboje? Też wydrukowane, też z plastiku. Jedno i drugie niewykrywalne przez lotniskowe skanery. Bez problemu wniósł te części na terminal odlotów, a następnie zamknął się w toalecie i złożył je w całość.

Oczywiście, to nie była idealna broń. Plastikowy pistolet jest zawodny. Między strzałami trzeba robić pauzy, żeby lufa zbytnio się nie rozgrzała. Naboje są za lekkie, więc szybko wytracają prędkość, poza tym rozpadają się przy kontakcie z twardą powierzchnią, śmiertelne obrażenia można zadać więc tylko z bardzo bliskiej odległości. Jak się jednak okazało, Chorczyński nie potrzebował niczego więcej, żeby sterroryzować załogę samolotu – i zabić Broniarka, a następnie siebie. A semtex? Kupiony na darknetowym forum, oczywiście, z serii wyprodukowanej przed 1990 rokiem: a więc zanim producent, w odpowiedzi na katastrofę pod Lockerbie, zaczął dobrowolnie dodawać do materiału wybuchowego łatwo wykrywalne markery, takie jak DMDNB albo PNT. Po upadku państwa libijskiego na czarny rynek wypłynęły spore ilości takiego semtexu. Pojedyncze ładunki można kupić już za kilkaset dolarów. Wiem, bo sprawdziłam. Zajęło mi to kilka minut.

Następny krok: kradzież głosu. Chorczyński musiał mnie nagrywać podczas pierwszego spotkania, kiedy podszył się pod kierowcę z telewizji. Następnie wgrał tę próbkę do programu, na przykład LyreBird, który na jej podstawie zsyntetyzował mój głos. Wpierw program dzieli wprowadzone słowa na pojedyncze fonemy, a potem łączy je w nowe wyrazy, w razie potrzeby ekstrapolując brzmienie brakujących głosek. Chorczyński napisał więc rozmowę, która miała być zasłoną dymną, pozwalającą na realizację jego planu, a następnie nagrał moje kwestie za pomocą syntetyzatora".

Drucker zdjął okulary, teatralnym gestem zamknął książkę. Milczał przez chwilę: dość długo, by zbudować suspens, a następnie zwrócił się do Julity.

– Pani Julito, czytając ten fragment, cieszę się, że już niedługo umrę.

Śmiech na sali. Życzę ci tego, pomyślała Julita, sięgając po mikrofon: na wypadek gdyby mimo wszystko dopuścił ją do głosu.

– Powiedzieć pani czemu? – ciągnął Drucker. – Bo okazuje się, że już nie rozumiem otaczającego mnie świata. Nie wiem, jak działa. Nie wiem, jak odróżnić prawdę od fałszu. Niech pani będzie łaskawa powiedzieć... Co po przeczytaniu pani książki powinien zrobić zwykły Kowalski?

Odpowiedź na to pytanie Julita miała przećwiczoną, padało na każdym spotkaniu. Mówiła płynnie: o tym, jak zachować bezpieczeństwo w sieci, czego się wystrzegać, o czym pamiętać; myślami była jednak gdzie indziej. Rozglądała się po sali. W pierwszym rzędzie siedziała Magda (widać było, że rozpiera ją duma), a obok niej Leon. Kiedy spotkała jego spojrzenie, uśmiechnął się. A uśmiechał się pięknie, tak szczerze. Dalej, trzy krzesła na prawo, Piotrek razem z chłopakiem; trzymają się za ręce, ale tak, żeby nikt nie widział.

Julita skończyła mówić, odsunęła mikrofon od ust. Drucker pokiwał głową, po czym podzielił się z czytelnikami własnymi refleksjami. Julita wierciła się w krześle. Wreszcie Drucker zadał kolejne pytanie.

– Reasumując, pani Julitko... Czy tego całego dark netu nie należałoby przypadkiem zakazać? Przecież to jest jakieś siedliszcze rozpusty, istna Sodoma i Gomora...

– Nie odpowiem na to pytanie.

– Nie? A czemu?

– Bo nie uważam, żeby to było moją rolą. Jestem dziennikarką, nie aktywistką.

– Ale na pewno ma pani własną opinię na ten temat, nieprawdaż?

– Hmm... – Julita skrzyżowała ramiona. – Oczywiście, dark net jest wykorzystywany do rzeczy strasznych. Pedofilia, to oczywisty przykład, zważywszy na sprawę

Chorczyńskiego. Do tego handel bronią, narkotykami, fałszywymi dokumentami... A nawet, jak donosili dwa lata temu włoscy policjanci, handel ludźmi. W tym konkretnym przypadku to była aukcja porwanej modelki. Trudno tego nie zauważyć, to rzuca się w oczy... I przesłania resztę. Ale wiele z tych rzeczy można znaleźć też w zwykłym internecie, tylko trzeba nieco głębiej pokopać. Z drugiej strony, dark net, czy raczej anonimowość, którą umożliwia, używana jest też w imię dobra.

– Jakiś przykład?

– Pierwszy z brzegu: Edward Snowden. Większość z państwa pewnie kojarzy to nazwisko, ale na wszelki wypadek przypomnę. To analityk, który ujawnił skalę programów szpiegowskich amerykańskiej NSA, które dotykają nie tylko obywateli USA, ale także nas. Gdyby nie TOR i szyfrowanie, Snowden zapewne nie zdołałby nawiązać bezpiecznego kontaktu z dziennikarzami i nie przekazałby im tych informacji. Snowden nie jest jedyny. Wiele gazet ma teraz własne darknetowe strony ze skrzynkami dla informatorów, które gwarantują anonimowość i bezpieczeństwo.

– No tak, ale jakie są proporcje? Ilu z użytkowników TOR-a to zwykli obywatele, dziennikarze albo sygnaliści, a ilu to przestępcy?

– Ciężko powiedzieć. Konstrukcja dark netu uniemożliwia prowadzenie dokładnych statystyk. Jestem za to pewna, że gdybyście państwo wiedzieli więcej o tym, jak każdy, dosłownie każdy państwa ruch w internecie jest śledzony, jak zebrane w ten sposób dane są wykorzystywane, żeby nas wszystkich ogłupiać, manipulować, oskubać z pieniędzy... Spojrzelibyście na dark net łaskawszym okiem.

– Czyli co, wolna amerykanka?

– Znów: ja nie jestem od udzielania odpowiedzi. Jestem od tego, żeby zaprezentować czytelnikom fakty, na podstawie których wyrobią sobie własne zdanie. Jestem od tego, żebyście wszyscy państwo byli rzetelnie poinformowani. Bo chociaż ciężko to zauważyć w natłoku codziennych spraw, w zgiełku kłótliwej polityki... Znajdujemy się w kluczowym momencie historii. Nowe technologie pozwalają nie tylko na całkowitą anonimowość i prywatność, ale też na totalną inwigilację, przy której Rok 1984 jawi się jako optymistyczny scenariusz. Proszę spojrzeć choćby na Chiny, gdzie w niektórych miastach już teraz każdy ruch obywatela śledzony jest przez tysiące kamer zdolnych rozpoznawać twarze... Musimy jako społeczeństwo odpowiedzieć sobie na pytanie, jaką wartość przypisujemy prywatności. I jaką cenę jesteśmy gotowi za nią zapłacić.

– Pięknie powiedziane. Pani Julito, myślę, że to jest dobry moment na to, żeby zakończyć tę część spotkania i przejść do pytań...

Oklaski, mikrofon wędruje na widownię i trafia w ręce młodego chłopaka we flanelowej koszuli. Julita poczuła, jak skacze jej ciśnienie. Błagam, pomyślała, tylko nie programista, który będzie ją przepytywać ze szczegółów kodu Chorczyńskiego.

– Dobry wieczór. – Chłopakowi drży głos, musi być zestresowany. – Aleks Uszyński. Proszę pani, omówiła pani razem z profesorem Druckerem kwestie nowych technologii... Ale nie poruszyliście państwo tematu siatki pedofilskiej, do której należał Ryszard Buczek, tego „Placu Zabaw". W książce ten temat też nie jest opisany w sposób wyczerpujący... Można spytać czemu?

– Bo... – zaczął Drucker.

– Bo wciąż trwa śledztwo – weszła mu w słowo Julita. Och, jakie to było przyjemne. – I dla jego dobra nie mogłam podać wszystkich szczegółów. Myślę, że kiedy nadejdzie właściwy czas, sprawę naświetli prokurator Bobrzycki. Na razie mogę powtórzyć to, co opisałam już w serii artykułów dla „Poprzek”: że Buczek popełnił pierwsze akty pedofilskie już w latach osiemdziesiątych, jeszcze jako szerzej nieznany aktor teatru Królewicz, gdzie magazynierem był Paweł Kordycki, znany państwu zapewne jako Bestia z Pragi. Buczek ma szczęście, odchodzi z teatru na rok przed aresztowaniem Kordyckiego, jego sekret nie wychodzi na jaw. – Julita poczuła, że zasycha jej w gardle, więc sięgnęła po wodę. – Później, w latach dwutysięcznych, Buczek zapoznaje się z ojcem Kłosem, wynajmuje w jego parafii salkę do prowadzonego kółka teatralnego. Początkowo przestępstw na tle seksualnym dopuszczają się tylko oni dwaj... Potem, kiedy Buczek popada w długi, na próbach kółka zaczynają pojawiać się inne osoby, gotowe zapłacić za ten przywilej duże pieniądze. Niektóre z „prób”, jak mówi o nich Buczek, są filmowane i umieszczane w sieci, na darknetowym forum z płatnym członkostwem. W tym pomaga ojciec Kłos, który przed wstąpieniem do seminarium duchownego studiował inżynierię i robotykę, zna się na technologiach... Przepraszam, momencik... – Julita napiła się wody, otarła usta. – Na pewno najbardziej interesuje państwa, kto jeszcze, obok wiceministra Broniarka, należał do tej siatki... Ale na te informacje trzeba będzie jeszcze zaczekać.

A niektórych pewnie nigdy się nie doczekamy, kończy w myślach Julita. Na przykład kim jest Xtraterrestria1, administrator i założyciel darknetowego forum. W materiałach, które przekazał jej Chorczyński, nie było na jego temat ani słowa. Może Bobrzycki sam trafi na jego ślad, prokurator sprawiał wrażenie bystrego i zdeterminowanego, z pomocą Australijczyków swobodnie poruszał się w tematyce cyberprzestrzeni. Ale Julita nie robiła sobie nadziei.

Aleks Uszyński, najwyraźniej usatysfakcjonowany odpowiedzią, ukłonił się i przekazał mikrofon siedzącej obok przysadzistej kobiecie w koszmarnej skajowej garsonce.

– Dobry wieczór, Wiesława Maczek. Proszę pani, jestem wielbicielką kryminałów i dobrego reportażu, więc pani książkę pochłonęłam w jeden wieczór, zwłaszcza że z całą sprawą zetknęłam się wcześniej... I od tego czasu męczy mnie jedno pytanie. Czy wiadomo już, kto próbował panią przejechać?

– Sama chciałabym to wiedzieć – odpowiada Julita z uśmiechem. – Niestety, to wciąż tajemnica.

Kobieta kłania się, siada. Julita odpowiada na pozostałe pytania, ale przed oczami ma rozpędzone bmw, czuje smród palonej gumy, słyszy pisk opon i trzask pękających kości, jej kości. Śledztwo niby wciąż trwa, ale pewnie nic z niego już nie wyniknie. Może dlatego, że, jak twierdził jeden z jej informatorów, za próbą morderstwa mógł stać wywiad pewnego sąsiadującego państwa, któremu zależało, żeby winy Broniarka nigdy nie zostały ujawnione: bo wykorzystywał je do szantażowania wiceministra, wymuszenia współpracy. Trudno było jej w to uwierzyć. Co nie znaczyło, że to nieprawda.

Po pytaniach nadszedł czas na podpisywanie książek. Julita nie przepadała za tą częścią spotkań, stresowała się, że źle usłyszy czyjeś imię i zamiast „Dla Oli" napisze „Dla Ali", albo w chwilowym zaćmieniu umysłu zapomni, czy „Dla Mai" pisze się przez „-i", czy „-ji". Poza tym, na ostatnim wieczorku podszedł do niej facet i podsunął wydruki jej nagich zdjęć z prośbą o autograf. Julita siedziała sztywna jak słup, ręka kurczowo zaciśnięta na długopisie, policzki czerwone jak cegły. Kiedy prowadzący spostrzegł, co się dzieje, natychmiast wywalił tamtego faceta na ulicę, ale i tak miała potem zepsuty humor. Przez tydzień.

Całe szczęście, tym razem odbyło się bez ekscesów – i bez błędów ortograficznych w dedykacjach. Julita podpisywała książkę za książką, wprawnym, wyćwiczonym ruchem. Potem pożegnała się z Druckerem (lekkie skinienie głowy) i z Wiktorem (całus w policzek). Magda, Leon i Piotrek czekali na nią na drugim końcu piętra, przy stoisku z akcesoriami komputerowymi. Dorwali się do konsoli i grali w jakąś wyścigówkę. Wyglądali przezabawnie: Piotrek udający w bardzo nieprzekonujący sposób, że wcale się nie przejmuje tym, że przegrywa, Magda (w wysokich szpilkach, spodniach wyprasowanych w kant i żakardowej marynarce) przechylająca się w bok całym ciałem na zakrętach, Leon w roli rozgorączkowanego komentatora sportowego. Julita uśmiechnęła się pod nosem. Cieszyła się na myśl o wspólnej kolacji. Szkoda tylko, że Vladimir nie mógł dołączyć.

– Cześć.

Od razu poznała ten głos, mimo że nie słyszała go od roku. Janek. Stał obok sceny, schowany za regałem. Dobrze wyglądał: pozbył się wąsa, zmienił fryzurę, a znoszoną skórzaną kurtkę wymienił na elegancki prochowiec.

– O, co za niespodzianka… – powiedziała. – Nie sądziłam, że przyjdziesz. Chcesz książkę? Mam jeszcze parę egzemplarzy, więc…

– Nie. Nie chcę.

Czyli jednak wciąż obrażony, pomyślała Julita. Przypomniała jej się ich ostatnia rozmowa. Okłamałaś mnie, krzyczał w słuchawkę. Okłamałaś, żeby mieć lepszy materiał na artykuł. Nie zgrywaj świętego, odpowiedziała, też mnie oszukałeś, i to nie raz. Tak, wrzasnął, ale wtedy nie zginęli ludzie. A potem *bip*, *bip*, *bip* przerwanego połączenia. Od tego czasu nie odbierał telefonów, nie odpowiadał na e-maile ani SMS-y. Oczywiście, śledziła, co się z nim dzieje. Przywrócony do służby. Awans. Wywiady.

– Aha. – Skinęła głową. – No, trudno. To czemu zawdzięczam przyjemność?

– To raczej nie będzie przyjemność.

– Coś się stało?

– Nie – powiedział. – No, jeszcze nie.

– Janek… – Julita przewróciła oczami. – Skończ już z tą pozą tajemniczego Sfinksa, nie robi to już na mnie wrażenia. Masz mi coś do powiedzenia? To mów.

– Wiesz, że dostałem do analizy komputery Chorczyńskiego, prawda?

– Obiło mi się o uszy.

– Dyski twarde są oczywiście zaszyfrowane… Ale coś tam udało mi się wyciągnąć.

– Jak?

Janek uśmiechnął się. Wyłącznie ustami, bo oczy były tak samo zimne i nieprzyjazne, jak wcześniej.

– Czas darmowych korepetycji się skończył – powiedział. – Nie twoja sprawa.

– Okej, nie będę naciskać.

– Słusznie. Powinnaś raczej interesować się tym, co znalazłem. Bo dzień przed akcją na lotnisku Chorczyński uruchomił na serwerze demona.

Demon, powtórzyła w myślach Julita. Niezależny program, działający bez udziału użytkownika, wykonujący z góry zaplanowane operacje. Wzdrygnęła się.

– Co... Co on robi?

– Na razie? Pomaga ci.

– Pomaga? – zdziwiła się Julita. – Niby jak?

– Twój pierwszy artykuł w „Poprzek", „Nibylandia na Modrzewiowej 73"... Wielki sukces, co? Prawdziwy *viral*. W ciągu doby stał się najbardziej klikanym artykułem w polskim internecie, a hashtag „nibylandia" trendował na wszystkich platformach. Artykuł przebił się do światowego mainstreamu, wspomniały o nim „Der Spiegel", „Le Monde" i „New York Times"... Wiesz, czemu?

– Bo był dobrze napisany? Janek... Co to ma do rzeczy z demonem?

Janek prychnął, pokręcił z politowaniem głową.

– Słowo daję – warknęła – jeśli zaraz nie powiesz, o co chodzi, wydrapię ci...

– Chorczyński stworzył dziesiątki tysięcy botów – przerwał jej Janek. – Na Twitterze, Facebooku, Instagramie. Wysokiej jakości, wyglądają i piszą jak prawdziwi użytkownicy, nie to co ten chłam, który można kupić od agencji pijarowych. Przed śmiercią Chorczyński przekazał kontrolę nad nimi demonowi, z jednym przykazaniem. Domyślasz się, jakim? – Zawiesił głos. – Promować wszystkie artykuły, których autorką jest niejaka Julita Wójcicka.

Julita poczuła, jak uginają się pod nią kolana. Czyli te wszystkie polubienia, udostępnienia, komentarze, ten cały szum... To był algorytm. Nie, to nie może być prawda. To niemożliwe.

– Oczywiście, gdyby tekst był taką szmirą jak te, które puszczałaś w Meganewsach, sukcesu by nie odniósł – ciągnął Janek. – Ale wiesz, ile świetnych artykułów jest publikowanych w sieci każdego dnia? Setki. Tylko nie każdy może

liczyć na pomoc niewidzialnej ręki. Twój sukces, Julita...
Istna supernowo na firmamencie polskiego reportażu... To
w dużej mierze zasługa botów Chorczyńskiego. Gdyby nie
one, nie byłoby pewnie tego wszystkiego. – Wskazał plakat
z książką, pustą widownię, pstryknął palcami. – Pięć minut
sławy, puf, i powrót do szarej codzienności.

– Ale... Dlaczego? Po co?!

– Nie mam pojęcia. Ale spokojnie, dowiesz się niedługo.

– Dlaczego? – powtórzyła Julita. Janek milczał. Złapała
go za ramię, ścisnęła z całej siły. – Dlaczego, do cholery?

– Bo Chorczyński ustawił mu zadanie *cron*. Czasomierz
jest ustawiony na dwudziestego listopada dwa tysiące
dziewiętnastego.

– To... To dzisiaj...

– Mhm. A mówiąc dokładniej... – Janek spojrzał na zegarek. – Za jedenaście minut.

– I co się wtedy stanie?

– Ach... No, tego niestety nie wiem. Trzymaj się, Julita.

Janek zapiął płaszcz i ruszył w stronę wyjścia. Julita
usiadła na ziemi, oparła się plecami o ścianę. Krew odpłynęła jej z twarzy, kręciło jej się w głowie. Przypomniały jej
się słowa Druckera, wypowiedziane nie dalej jak godzinę
temu. Nie rozumiem już tego świata. Nie umiem rozróż-
nić prawdy od fałszu. Podciągnęła nogi pod brodę, złapała
się za kolana, wczepiła palce w spodnie. O mój Boże, szeptała bezgłośnie, kołysząc się do przodu, do tyłu, o mój Boże.

– Julita? – Leon wyłonił się zza regału. – Możemy już...
O matko, co się dzieje? Wszystko w porządku?

– Nie. Nic nie jest w porządku.

– Chodzi o Janka, tak? Widziałem, że rozmawialiście.
Cholera, co on ci powiedział?

– Długo by mówić. Chodź, usiądź koło mnie.

– I?

– Przytul. Mocno.

– Dobrze, ale błagam, powiedz, o co…

– Tśś.

Leon usiadł koło niej, na poplamionej dywanowej wykładzinie, która gryzła skórę, między półkami „samopomoc" i „poradniki".

Julita wyciągnęła telefon. Patrzyła w milczeniu na zegar na ekranie. 19:56. 19:57. 19:58. 19:59. Szybciej, no szybciej. 20:00. *Ding.* Nowa wiadomość od: wieszkto@protonmail. com. Julita wyciągnęła z torby laptopa i odszyfrowała ją. *Klik.*

od: Wiesz Kto <wieszkto@protonmail.com>
do: Ja <teodozja.ambrozja@gmail.com>
data: 20 listopada 2019 20:00
temat: ciąg dalszy

Julita, jak dostaniesz tego mejla, ja już nie będę żył –
a przynajmniej taką mam nadzieję. Piszę go 16 listopada,
na kilka godzin przed wyjazdem na lotnisko. Zostanie
wysłany automatycznie nieco ponad rok później przez
mojego demona.

Kilka słów na jego temat – istnieje po to, żeby ci pomagać.
Taki anioł stróż w cyberprzestrzeni, można powiedzieć.
Zadba o to, żeby twoja praca dotarła do jak najszerszego
grona odbiorców.

Zakładam, że na przestrzeni minionego roku opisałaś moją
sprawę i siatkę Buczka i jego kolegów. Mam nadzieję, że
spotkamy się wszyscy w piekle.

Zakładam też, że wyrobiłaś już sobie nazwisko, odłożyłaś trochę pieniędzy – i pogłębiłaś wiedzę na temat sieci i komputerów. Innymi słowy, jesteś gotowa na kolejne wyzwanie.

Założycielem i administratorem forum, na którym udzielał się Buczek, jest człowiek o pseudonimie Xtraterrestria1. Mimo wielu prób, nie udało mi się ustalić jego tożsamości – ale mam pewne tropy, które możesz podjąć.

Zdaję sobie sprawę, że możesz nie chcieć dalej zajmować się tym tematem. Bo to niebezpieczne. Bo to wywraca życie do góry nogami. Bo cię skrzywdziłem i pewnie wciąż mnie nienawidzisz.

Dlatego jeśli odpiszesz na tego mejla słowem „nie", demon zostanie zniszczony. Nie dostaniesz ode mnie więcej mejli, a boty, które śledzą twoje poczynania w sieci, zostaną dezaktywowane.

Natomiast jeśli odpiszesz „tak", dostaniesz za chwilę link do paczki danych z poszlakami na temat tożsamości Xtraterrestria1.

Cokolwiek wybierzesz – pamiętaj, żeby odpowiedzieć tylko „tak" albo „nie", algorytm nie zrozumie innych poleceń.

Emil

Julita siedziała bez ruchu, wstrzymując oddech.
A potem wysłała odpowiedź.

KONIEC

Podziękowania

Mam to szczęście, że przy pracy nad tą książką mogłem liczyć na bezinteresowną pomoc wielu osób.

Zygmuntowi Miłoszewskiemu serdecznie dziękuję za namowę do powrotu do pisania. Bez tej zachęty ta książka długo by jeszcze nie powstała.

Marcinowi Mellerowi i Filipowi Modrzejewskiemu dziękuję za wiarę w projekt i kredyt zaufania.

Moim przełożonym – Benjaminowi Lee, Kasi Redesiuk, Mateuszowi Tomaszkiewiczowi – jestem wdzięczny za pomoc w pogodzeniu pracy w CD Projekt RED z pisaniem książki.

Wojtkowi Orlińskiemu oraz Angelice Swobodzie jestem wdzięczny za rozmowy na temat mediów internetowych.

Andrzejowi Nowojewskiemu, Ewie Infeld, Josephowi Bonneau oraz Bartkowi Rynarzewskiemu dziękuję za pomoc w opracowaniu wątków dotyczących nowych technologii – bez Was bym się na tych nowych i nieznajomych wodach szybko pogubił – i sprawdzenie książki pod kątem merytorycznym. Jeśli tekst nie zawiera błędów, jest to Wasza zasługa, jeśli jakieś się ostały – jest to moja wina. Dodatkowo, Bartkowi serdecznie dziękuję za opracowanie fragmentu kodu użytego na stronach 354, 376.

Marcie Grabiec dziękuję za wsparcie od strony prawniczej – a szczególnie pomoc w opracowaniu wątku prokuratora Bobrzyckiego.

Maćkowi Matusikowi dziękuję za konsultacje na temat operacji antyterrorystycznych.

Idzie Świerkockiej dziękuję za redakcję tekstu (przy następnej książce obiecuję mniejsze zagęszczenie imiesłowów), a Sabinie Raczyńskiej i Ewie Waszkiewicz za korektę.

Izabeli Gollent, Dominice Gonsierowskiej, Zdzisławowi Książkowi, Magdzie Milewskiej, Robertowi Malinowskiemu, Justynie Malinowskiej, Lene Thu Phuong Nguyen, Krzysztofowi Pawłowskiemu, Natalii Pawłowskiej, Monice Płatek, Grażynie Szamałek, Krzysztofowi Szamałkowi, Agnieszce Szamałek-Michalskiej, Marcie Szulkin, Mai Zabawskiej, Weronice Zaruckiej, Magdzie Zych i Przemkowi Żelazowskiemu dziękuję za cenne uwagi i wsparcie. Jesteście wspaniali.

Szczególne podziękowania, jak zawsze, należą się Marysi Pawłowskiej. Dziękuję po stokroć za stymulujące dyskusje, celną krytykę i nieustające wsparcie, za nieocenioną pomoc w patrzeniu na świat z perspektywy kobiety – oraz cierpliwe znoszenie moich twórczych humorów. Bez Ciebie nie odważyłbym się pisać.

Na koniec dziękuję Matyldzie. Za to, że jest.

Redaktor inicjujący: Filip Modrzejewski
Redaktorka prowadząca: Ida Świerkocka

Redakcja: Ida Świerkocka
Korekta: Sabina Raczyńska, Ewa Waszkiewicz

Projekt okładki i stron tytułowych: Joanna Strękowska
Fotografia na I stronie okładki: © Daniel Chen / Unsplash
Fotografia autora: © Edyta Gonet

Skład i łamanie: Typo – Marek Ugorowski

Druk i oprawa: TZG Zapolex, Toruń
Książkę wydrukowano na papierze Creamy
dostarczonym przez ZiNG

Grupa Wydawnicza Foksal Sp. z o.o.
02-672 Warszawa, ul. Domaniewska 48
tel. 22 826 08 82, 22 828 98 08
biuro@gwfoksal.pl
gwfoksal.pl

ISBN 978-83-280-6124-8